A HISTÓRIA DE TODOS OS GOLS DE
ZICO
Zico

A HISTÓRIA DE TODOS OS GOLS DE
ZICO
BRUNO LUCENA
MARCELO ABINADER
MÁRIO HELVÉCIO
TINTA
NEGRA
RIO DE JANEIRO
2022

Coordenação editorial: Mauro Rocha e Laura van Boekel
Design de capa: William Fuly (Cumbuca Studio)
Projeto gráfico: Suiá Taulois
Diagramação: Fagner Santos (Cumbuca Studio)
Revisão: Grupo Editorial Zit

Dados Internacionais de Catalogação na Publicação (CIP)

Lucena, Bruno

A história de todos os gols de Zico / Bruno Lucena, Marcelo Abinader, Mário Helvécio. – 1ª reimpressão – Rio de Janeiro: Tinta Negra, 2022.

280 p.

ISBN: 978-65-87370-05-7

1. Zico – Jogador de futebol. 2. Futebol – Estatística – Gol. 3. Futebol – Curiosidades. I. Abinader, Marcelo. II. Helvécio, Mário. III. Título.

CDD-796.334

Sueli Costa – Bibliotecária – CRB-8/5213
(SC Assessoria Editorial, SP, Brasil)
Índices para catálogo sistemático:
1. Esporte: Futebol 796.334

Tinta Negra Bazar Editorial (Marca do Grupo Editorial Zit)
Avenida Pastor Martin Luther King Jr, 126 Bloco 1.000
Sala 204, Nova América Offices, Del Castilho
CEP 20765-000, Rio de Janeiro
T. 21 2564-8986

Impresso no Brasil / Printed in Brazil

Zico e Nunes comemorando o gol do centroavante na final do Campeonato Carioca (Flamengo 2 x 1 Vasco), contra o Vasco em 6 de dezembro de 1981.

SUMÁRIO

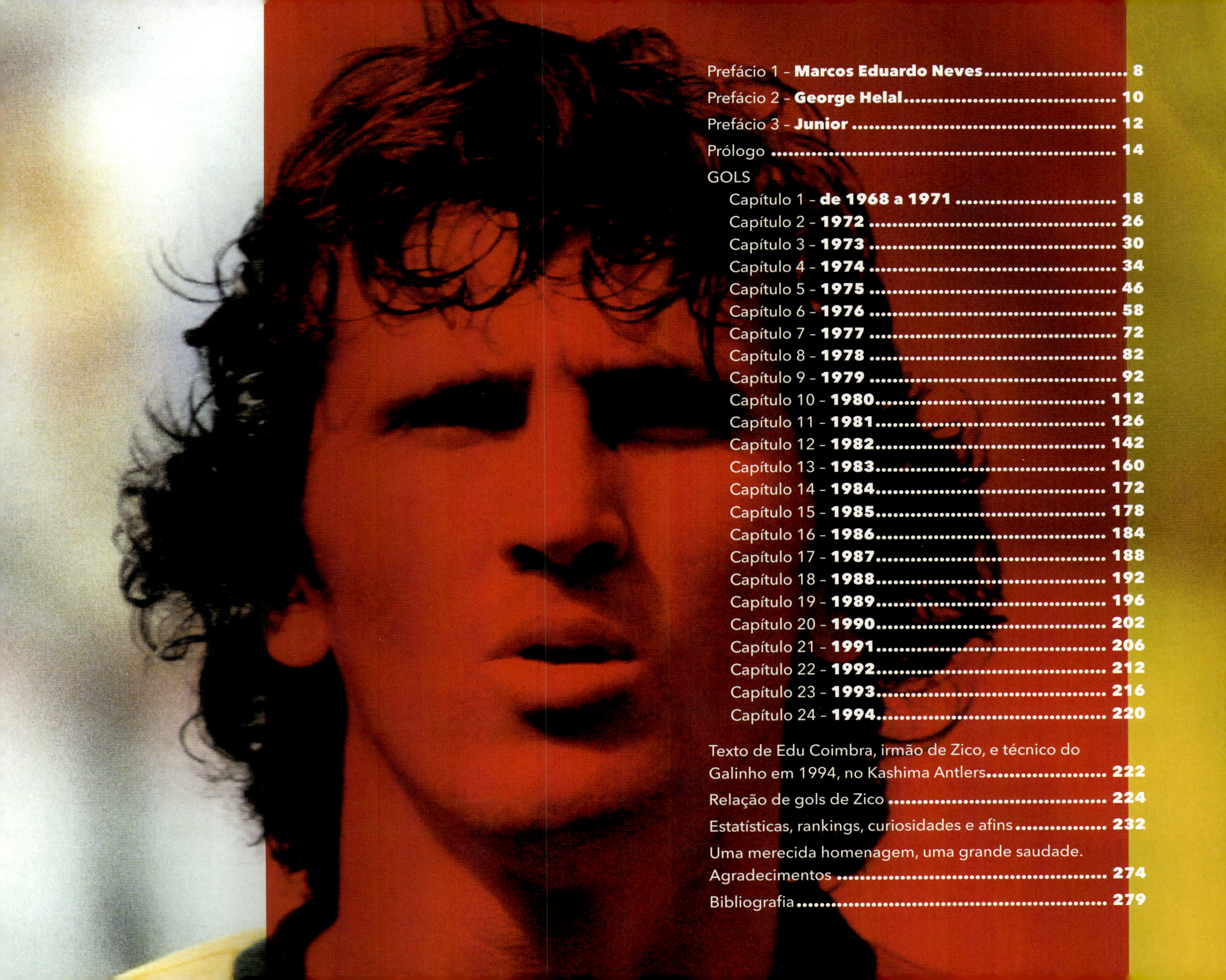

PREFÁCIO 1

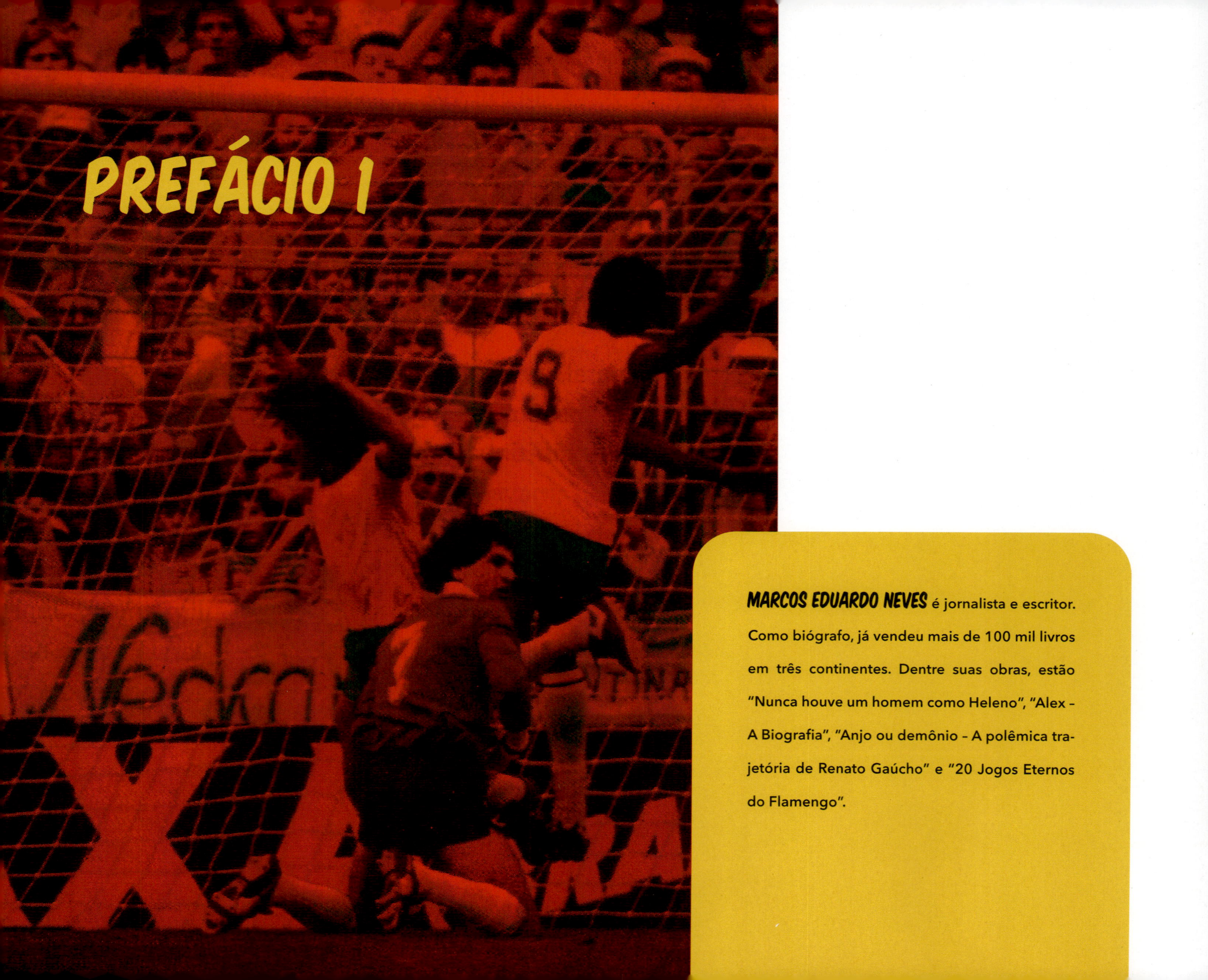

MARCOS EDUARDO NEVES é jornalista e escritor. Como biógrafo, já vendeu mais de 100 mil livros em três continentes. Dentre suas obras, estão “Nunca houve um homem como Heleno”, “Alex – A Biografia”, “Anjo ou demônio – A polêmica trajetória de Renato Gaúcho” e “20 Jogos Eternos do Flamengo”.

Estava prestes a deixar o Maracanã naquele começo de noite, dia 22 de novembro de 1987. Meu Flamengo derrotava o Santa Cruz por 2 a 1, classificando-se para as semifinais da Copa União – simplesmente o melhor Campeonato Brasileiro de todos os tempos. Zico havia marcado duas vezes. A atenção do público já estava menos no jogo do que no próximo adversário, o Atlético Mineiro, time, até então, invicto.

Espremido entre trinta ou quarenta cabeças, ergui o pescoço na boca do túnel que interligava as arquibancadas com o anel interno do estádio. Vi Alcindo sofrer falta. E falta, na entrada da área, adivinha quem vai bater?

Paramos. Eu e aquele começo de multidão. Quarenta e cinco do segundo tempo e eu, ansioso, na ponta dos pés – aos 12 anos de idade, somava pouquíssimos Maracanãs no currículo. Era ver o Galinho efetuar a cobrança e descer as rampas para pegar o primeiro ônibus.

Zico ajeitou a bola, a barreira se ajeitou, nós nos ajeitamos e Deus ajeitou sua Obra. O goleiro Birigüi nem se mexeu, ao contrário do volante pernambucano Zé do Carmo, que, do biombo humano que se interpôs entre a esfera e as redes, encontrava-se ansioso para ver onde a redonda repousaria. A parábola feita é mágica em teipes, mas só quem estava lá compreende a divindade do momento. Tanto eu como os meus cerca de, àquela altura, cinquenta ou sessenta parceiros de boca de túnel, após as inevitáveis vibrações e lágrimas, retornamos ao concreto para nos sentar de novo. Afinal, se Zico houvera feito aquele milagre e ainda estava em campo, tudo mais poderia ainda acontecer.

Somente ao apito derradeiro, a nação presente se foi. Nas nuvens. Deliciada pelo *hat-trick* do astro-rei, nosso ídolo supremo, a estrela maior do país. Eu, então...! Foram os primeiros três gols de Zico que presenciei no ex-maior estádio do mundo. Seu palco principal, sua catedral, nosso Éden.

Polêmicas sempre rondarão a quantidade de gols assinalados, não por Zico, mas por qualquer um. Jogo festivo conta? Antes de se tornar profissional, conta? Após se aposentar, conta? Pouco me importo com o número de gols que Zico fez. Cá entre nós, quinhentos gols é gol demais. Setecentos ou oitocentos, definitivamente, não é para qualquer mortal.

Quanto a Zico, quem o viu e quem o conhece sabe, não é um mortal qualquer. É tipo membro da ABL, um mortal imortal. Sua obra desde há muito já é lenda e seu nome atravessará gerações, tal qual Pelé, Leônidas, Friedenreich, Puskas, Di Stéfano, Cruijff, Beckenbauer, Maradona, Messi e o restante do panteão sagrado do planeta bola.

Neste belo livro, esculpido pela tríade de saudáveis rubro-negros Bruno Lucena, Mário Helvécio e Marcelo Abinader, após exaustivas e complexas pesquisas nacionais e internacionais, saborearei cada gol marcado por Zico como se estivesse a beber um bom vinho. Nesse caso, taças, com ou sem trocadilho, certamente não faltarão.

– Marcos Eduardo Neves

PREFÁCIO 2

Zico, o presidente George Helal e Maradona posam com a camisa do Flamengo, antes de Flamengo 3 x 1 Amigos de Zico, jogo comemorativo que celebrou a volta de Zico ao Flamengo, em 12 de julho de 1985.

GEORGE HELAL presidiu o Clube de Regatas do Flamengo de 1984 a 1986, sendo responsável pela manutenção de Zico no clube, em 1969, pagando-lhe ajuda de custo, sendo considerado, pelo Galinho, seu segundo pai.

Foi com muita honra que recebi o convite para escrever o prefácio deste livro. Minha relação com Zico é quase como a de pai para filho, já que ele me foi confiado por seu progenitor, "seu" Antunes, desde que entrou nas divisões de base do Flamengo, levado pelas mãos do radialista Celso Garcia. Sou testemunha do talento precoce e do exemplo de profissionalismo de Zico. Sinto-me altamente recompensado pela confiança depositada em mim por seu pai. Zico sempre foi um obstinado, exemplo de disciplina, de treinamento, e mudou a história do Flamengo. Costumo dizer que existem o Flamengo antes de Zico e o depois dele.

Os gols de Zico consagraram a era mais gloriosa da história do clube. Gols decisivos, de bola parada, de cabeça, entrando na área e driblando os adversários, de longe, de perto, enfim, gols de tudo quanto foi jeito. Em seu conjunto, seus gols refletem um atleta extraordinário que soube, como nenhum outro, unir raro talento ao treinamento árduo.

Alguns desses gols me marcaram mais profundamente, seja por sua importância ou beleza, seja pela relação afetiva que nos une. Seu primeiro gol na Seleção Brasileira é um exemplo. A partida foi contra o Uruguai, no Estádio Centenário, de Montevidéu, em 1976, e era válida pela Copa do Atlântico. Era sua primeira partida pela seleção. Zico marcou, de falta, o gol da vitória da seleção por 2 a 1. Uma cobrança quase improvável, já que a bola foi justamente na direção do goleiro, que foi pego no contrapé. Tive o privilégio de ser presenteado por Zico com sua camisa, com uma dedicatória dizendo que eu teria lhe dado as condições para que ele vestisse a amarelinha. Gol de placa, importante para a seleção, e gesto de tremenda humildade, uma de suas marcas registradas.

Outro gol que eu destacaria foi o segundo gol do Flamengo na vitória por 2 a 0 contra o Cobreloa, pela final da Libertadores de 1981, partida coincidentemente realizada no mesmo Estádio Centenário de Montevidéu e que nos levou, em seguida, ao título Mundial, contra o Liverpool. Zico marcou os dois gols, mas a perfeição na cobrança de falta no segundo gol – outra vez chutando no lado onde estava o goleiro, que ficou estático, talvez sem saber como ele tinha feito aquilo – e também sua efusiva comemoração, foram marcantes para a história do Flamengo. Nunca o tinha visto vibrar daquela maneira. E vibramos todos juntos, por conta das dificuldades envolvidas naquela final e da enorme importância da conquista.

Finalmente, gostaria de ressaltar outro gol inesquecível, que foi o primeiro marcado na goleada contra o Fluminense por 5 a 0 em Juiz de Fora, em 1989, sua última partida oficial pelo clube. Mais uma vez, uma falta cobrada com extrema perfeição abriu caminho para a goleada do Flamengo, em partida válida pelo Campeonato Brasileiro daquele ano. A falta tinha sido sofrida por ele mesmo, depois de dar uma caneta num jogador adversário. No segundo tempo, após dar o passe para Renato Gaúcho marcar o segundo gol da goleada, Zico foi substituído e se despediu oficialmente como atleta profissional do clube. Ao sair do campo, ele me entregou carinhosamente sua camisa. Gesto que me fez chorar e também levou meus filhos, que assistiam à partida pela televisão, às lágrimas.

Eu teria centenas de outros gols para destacar aqui, mas o espaço só me permitiu selecionar esses três. Gênio, mágico, artilheiro, destemido, "raçudo", decisivo, humilde, gentil, paciente, atencioso e sempre grato, exemplo de homem. Obrigado, Zico, por existir em minha vida. Obrigado, seu Antunes, pela confiança.

– George Helal

PREFÁCIO 3

Não sei exatamente quantos anos o Galo jogou profissionalmente, mas tenho certeza de que fui uma das melhores testemunhas de sua capacidade de colocar a bola nas redes, de todas as formas!

Vi de falta, bola rolando, pênaltis, cabeça, calcanhar, de letra e até de bunda, sem querer, mas a bola entrou assim mesmo, quando bateu exatamente ali!

Tudo isso, sem dúvida, fruto, primeiro, do seu dom em jogar futebol com o objetivo sempre de marcar gol, a razão do jogo.

Somando-se a esse talento, podemos destacar sua facilidade em saber, sempre, onde estava posicionado para chegar ao golpe fatal, mandando a bola para as redes.

Sua habilidade e técnica eram sempre voltadas para o gol. Dribles inúteis, principalmente dentro da área, não existiam. Eram visando, na maioria das vezes, vencer o goleiro adversário.

Junte-se a todas essas qualidades, a sua dedicação nos treinos para atingir a perfeição, tanto nas jogadas de bola rolando como em incansáveis batidas de faltas e treinamentos específicos para aprimorar a pontaria.

As faltas sempre foram uma especialidade, principalmente aquelas perto da área, onde era quase tão fatal como nos pênaltis.

Quando o jogo estava complicado, tentávamos uma falta perto da área, pois, assim, o Galo resolveria a parada.

Mesmo não tendo uma grande estatura, sabia, como poucos, cabecear, em função do ótimo posicionamento e da técnica de estar sempre com os olhos abertos.

Tinha um tempo de bola fora do comum, conseguindo, assim, superar os zagueiros grandalhões.

Ele sempre dizia para quem jogava na defesa, que, quando nós chegávamos perto do gol, o gol ia diminuindo, enquanto, para ele, era o contrário. Quanto mais perto, mais o goleiro ficava pequeno e o gol maior.

Sua objetividade em fazer gols jamais impediu de fazer de seus parceiros de ataque, também, artilheiros.

A fita que me deu de presente com seus gols, quando eu estava em Pescara, e que o meu filho Rodrigo, então com 5 anos de idade, via todo dia, foi a responsável pela minha volta da Itália para o Flamengo.

Bendita fita e benditos gols!!!!

– Maestro Junior

LEOVEGILDO LINS DA GAMA JUNIOR foi um grande lateral e meio-campo do futebol brasileiro, tendo atuado por diversos anos ao lado de Zico, principalmente no Flamengo e na Seleção Brasileira.

PRÓLOGO

Zico. Poucas vezes, a simples menção de um apelido de quatro letras traz consigo tanto significado. Nascido Arthur Antunes Coimbra, na casa 7 da Rua Lucinda Barbosa, no bairro de Quintino Bocaiúva, na cidade do Rio de Janeiro, então capital do Brasil (Distrito Federal), em 3 de março de 1953, logo recebeu o apelido Arthurzico, reduzido a Zico, pela primeira vez, por sua prima Linda. Estando em uma família apaixonada por futebol, cedo começou a disputar suas "peladas" na rua, no time do bairro, chamado, providencialmente, de Juventude.

Numa entrevista, aos 17 anos, para o periódico *O Jornal*, de 7 de novembro de 1970, Zico contou como foi esse início:

"O time se chamava Lucinda, por causa da rua onde moramos. Foi, também, Botafoguinho, mas todo mundo era Flamengo, então mudamos o nome para Juventude. Antes era time de onze jogadores. Eu era muito pequeno e só entrava quando o jogo estava fácil. Só fiquei como titular quando passou a ser time de oito. Nessa época, eu jogava futebol de salão no River. No primeiro ano, fiz 65 gols em 7 jogos! Aconteceu até um lance gozado. Vencemos uma partida por 31x0 e eu fiz 15 gols. No último, driblei todo o time adversário, inclusive o goleiro, e fiz o gol de letra. O juiz me expulsou e marcou pênalti contra meu time! No bicampeonato, fiz 75 gols em 10 jogos e, no tri, participei apenas de um jogo. Vencemos por 20x0 e fiz 10 gols. Depois, fui para o Juventude."

Levado pelo radialista Celso Garcia para um teste no Flamengo, em 28 de setembro de 1967, foi aprovado. No dia 10 de fevereiro de 1968 vestiu, oficialmente, pela primeira vez, a camisa do time de seu coração, o Flamengo, em um jogo da escolinha contra o Everest, no Estádio da Gávea. Zico marcou dois gols na vitória por 4 a 3.

Permaneceu na escolinha até 1970, marcando um total de 44 gols, ascendendo, então, para a categoria juvenil. O ano de 1971 foi de grandes e rápidas mudanças. Além de participar da equipe juvenil, vestiu, pela primeira vez, as camisas da Seleção Carioca da categoria e da Seleção Brasileira olímpica, marcando gols em ambas. E mais: em 29 de julho daquele ano, estreou, no Maracanã, num jogo contra o Vasco, válido pela Taça Guanabara, na equipe profissional do clube! O Flamengo venceu por 2x1, com Zico dando o passe para o primeiro gol rubro-negro. Dias depois, em 11 de agosto, na cidade baiana de Salvador, marcou seu primeiro gol como profissional, num empate em 1x1 com o Bahia. Mesmo tendo algumas chances no time principal, pelo qual fez dezessete jogos em

Mário Helvécio, Marcelo Abinader, Zico e Bruno Lucena anunciando o livro 'A história de todos os gols de Zico'.

1971 e mais oito em 1972, Zico permaneceu jogando na categoria juvenil, fazendo mais 15 gols. A partir de 1973, deixou definitivamente as categorias de base para firmar sua carreira. Com o tempo, Zico se tornou o maior símbolo e artilheiro da história do Flamengo, com incrível vantagem sobre o segundo colocado, seu ídolo de infância, Dida. Mas, ele foi além. Tornou-se um dos maiores jogadores da história da Seleção do Brasil, assim como um dos seus maiores artilheiros. E também rompeu fronteiras. Suas atuações no futebol italiano e no japonês fizeram com que sua já enorme fama tomasse um vulto fantástico pelo globo.

Esta obra pretende fazer um tributo àquele homem, que, além de craque, foi um atleta exemplar e ainda é um ser humano de ilibada conduta, sempre ciente de que seu sucesso se deve, também, ao incrível apoio recebido pelos fãs. Ele, que, ao lado de Raul, Leandro, Marinho, Mozer, Junior, Andrade, Adílio, Tita, Nunes, Lico e Paulo César Carpegiani, deu, ao seu Flamengo e ao Brasil, a oportunidade de comemorar a conquista de um título Mundial em 13 de dezembro de 1981, e que, ao lado de uma geração fantástica, nos brindou com uma das maiores e mais injustiçadas Seleções Brasileiras de todos os tempos: a de 1982. Aqui, você, leitor, terá a oportunidade de ler a descrição de quase todos os gols marcados por Zico em sua carreira no futebol (*Nota dos autores: foi impossível descobrir mais detalhes sobre a feitura de alguns gols da carreira de Zico, devido à pouca cobertura da imprensa da época às categorias de base e aos jogos internacionais, assim como em alguns jogos amistosos*), assim como declarações do próprio Galinho de Quintino. Foi um trabalho árduo de pesquisa feito em seis mãos e três cabeças, com muito amor. Para a eternidade. Para a reverência. Para seu deleite.

Os autores

NOTA DOS AUTORES: foi impossível descobrir todos os detalhes sobre a feitura de alguns gols da carreira de Zico devido à pouca cobertura da imprensa da época às categorias de base e aos jogos internacionais, assim como em alguns jogos amistosos.

GOLS

Zico marca contra a Argentina durante a Copa do Mundo de 1982.

CAPÍTULO 1

Zico comemorando gol em jogo na Gávea em 1969.

DE 1968 A 1971

GOLS 1 a 44

A carreira artilheira de Zico começou no dia 10 de fevereiro de 1968, quando estreou na equipe da Escolinha do Clube de Regatas do Flamengo, em um jogo contra o Everest, no Estádio da Gávea, na cidade do Rio de Janeiro, que, desde que a capital do país foi transferida para Brasília (em 21 de abril de 1960), passou a ser a capital do Estado da Guanabara (GB). Logo aos 13 minutos de jogo, Zico recebeu ótimo passe do zagueiro Dias e partiu, em velocidade, invadindo a grande área contrária e tocando, na saída do goleiro César, marcando, assim, o segundo gol rubro-negro naquela partida. O então garoto promissor ainda marcou, de pênalti, mais um gol, no segundo tempo. Ao final, vitória do Flamengo por 4x3.

Foi pela Escolinha que Zico fez seis gols em um jogo (recorde do Galinho). Na verdade, isso aconteceu por duas vezes: em 1968, na goleada por 10x0 sobre o Paquetá, e, em 1970, quando o Flamengo goleou o Campo Grande por 8x0. Esses dois jogos aconteceram na Gávea. Além dessas duas ocasiões, o craque voltou a marcar seis gols em um jogo, em duas partidas de 1979, já como profissional.

Os dois primeiros gols de falta de Zico, foram feitos ainda em 1970, pela Escolinha do Flamengo, em jogos contra o América carioca e o Bangu.

No mesmo ano, foi o autor de 26 gols no Campeonato Carioca, sendo, pela primeira vez, o principal artilheiro de uma competição em sua carreira.

No total de sua passagem pela Escolinha, marcou 44 gols, sendo 14 em 1968, 3 em 1969 e 27 no ano de 1970.

Em 1971, ascendeu à categoria juvenil, onde continuou aperfeiçoando sua marca de goleador. Fez um total de 24 gols, sendo 22 pelo Flamengo e 1 pela Seleção Carioca, além do seu primeiro gol por uma Seleção Brasileira.

GOLS 45, 46 e 47

Seus três primeiros gols como juvenil aconteceram em amistosos. Primeiro, na vitória de 2x1 sobre o Caxambuense, em Caxambu, Minas Gerais, depois em outro 2x1, desta vez sobre o Vasco, também em Minas, e, por fim, contra o América, num empate em 1 gol, em jogo realizado na cidade fluminense de Cabo Frio. As datas em que estes jogos aconteceram não são conhecidas.

6 de março GOLS 48 e 49

MADUREIRA-GB 1X5 FLAMENGO

São, também, da categoria juvenil, os primeiros registros narrativos de gols seus. Foram os dois gols marcados na vitória do Flamengo por 5x1 sobre o Madureira, no campo deste, em Conselheiro Galvão, pelo Campeonato Carioca Juvenil de 1971. No primeiro, aos 18 minutos de jogo, Zico recebeu passe do ponta-esquerda Aniceto, nas proximidades do gol adversário, e, mesmo cercado, fez um belo gol com um toque no canto do goleiro Tobias, fazendo 2x1 para o Flamengo.

Aos 24 minutos do 2° tempo, Zico tabelou com Fidélis, recebeu na entrada da área e chutou forte, no canto esquerdo, para marcar: Flamengo 3x1.

14 de março GOL 50

FLAMENGO 1X1 BOTAFOGO-GB

O gol seguinte ocorreu no clássico contra o Botafogo, pela mesma competição. Foi no Maracanã, e Zico empatou o jogo com um gol aos 11 minutos da etapa final. O lance começou com Fidélis, que sofreu uma falta dentro da área alvinegra. Pênalti que Zico bateu firme e rasteiro, superando o arqueiro China.

A marca de 50 gols fora atingida! Zico relembra: "O primeiro gol no Maracanã, é claro, é inesquecível. Foi contra o Botafogo no juvenil e o Botafogo tinha um time muito bom, estádio lotado, devia ter mais de cem mil pessoas. Eu acredito que o Botafogo estava ganhando de 1x0 e aí teve um pênalti, e eu, como batia os pênaltis, fui lá e bati muito bem, goleiro para um lado e bola para o outro... O goleiro era o China. Naquele ano, se não me engano, terminamos em 3º lugar e eu terminei como artilheiro do Flamengo. Não sei se fui, também, do campeonato ou se fui o segundo, porque estava uma disputa com o Tuca do Botafogo (...) e esse foi um gol que ficou marcado, a primeira vez, fazer um gol no Maracanã e comemorar, parecia que era gol do profissional, porque o estádio estava lotado... A gente tinha feito algumas preliminares e o pessoal já começava a conhecer o time, os jogadores, né? E aí o pessoal começava a chegar mais cedo pra poder ver o nosso time também. Então, nesse dia estava "entupido" e, naquela época, Flamengo x Botafogo talvez fosse o clássico de maior rivalidade (...) Não fiquei nervoso, pois já estava habituado, porque já treinava bastante. Depois que passou um filme na minha cabeça. Fazer um gol no Maracanã! Não sabia muito o que fazer. Quando vi a galera comemorando, corri em direção à geral e comemorei junto com eles, e, com exceção do meu pai, que não ia a jogo nenhum, todo o resto da família estava na arquibancada e depois do jogo estavam todos me esperando lá. Foi, realmente, um dia inesquecível."

Importante lembrar que este foi o primeiro dos 335 gols de Zico no Maracanã em toda sua carreira. Ele é, até hoje, o maior artilheiro daquele estádio.

20 de março GOLS 51 e 52

FLAMENGO 3X1 OLARIA-GB

Pela terceira rodada, Zico marcou duas vezes na vitória de 3x1 sobre o Olaria, na Gávea. Abriu o placar aos 10 minutos de jogo, desviando de cabeça um centro de Fidélis, que se deslocara pela esquerda.

Três minutos depois, em nova jogada de Fidélis, Zico foi lançado e deu um toque na bola, desviando-a completamente do goleiro Ronaldo: Flamengo 2x0. Com cinco gols marcados, Zico já era o artilheiro do campeonato, posição que manteria até o fim da competição.

27 de março GOLS 53 e 54

FLAMENGO 2X0 BANGU-GB

Zico seria mais uma vez decisivo no jogo seguinte, contra o Bangu, no Maracanã. Foram dele os dois gols da vitória rubro-negra. Aos 7 minutos de jogo, Zico recebeu passe de Léo, na entrada da área, e, com um drible curto, tirou o zagueiro Jorge do lance para, com um toque, marcar, sem defesa para o goleiro Dagoberto.

Na fase final, aos 22 minutos, Dudu deu a bola a Zico, que, num chute de primeira, da entrada da grande área, definiu o marcador, com seu décimo gol na categoria.

31 de março GOL 55

FLAMENGO 2X0 SÃO CRISTÓVÃO-GB

Quatro dias depois, ainda pelo Carioca, Flamengo e São Cristóvão se enfrentaram no campo do Bonsucesso, na avenida Teixeira de Castro. O Fla já vencia por 1x0, quando, aos 9 minutos do 2º tempo, Fidélis invadiu a área, sendo derrubado pelo lateral-direito Luís. Foi do Galinho a batida certeira da penalidade máxima, encerrando o marcador do jogo, pois Rafael, arqueiro cadete, não conseguiu defender.

4 de abril **GOL 56**

FLAMENGO 1X0 FLUMINENSE-GB

Pela primeira vez, Zico sentiu a sensação de disputar um Fla-Flu no Maracanã, perante 112.415 torcedores! E a emoção foi maior por ter sido dele o único gol do jogo. Foi com uma cabeçada certeira que o jogador, então mais conhecido como o "irmão do Edu", decidiu o clássico, aos 24 minutos da segunda metade do prélio. A jogada começou com Aniceto chutando na trave. No rebote, Fidélis centrou da ponta direita, o goleiro César Augusto saiu mal e Zico aproveitou para cabecear a bola para o fundo das redes.

17 de abril **GOL 57**

FLAMENGO 2X1 CAMPO GRANDE-GB

Treze dias depois, na Gávea, o Campusca foi a nova vítima de Zico. O Fla-

Zico no juvenil em 1970, em jogo no Maracanã.

mengo perdia por 1x0, quando, aos 24 minutos, ainda no 1º tempo, Fidélis iludiu toda a defesa adversária e centrou para Zico emendar, de cabeça para as redes de Nílson, empatando o jogo.

27 de abril **GOLS 58 e 59**

FLAMENGO 4X1 PORTUGUESA-GB

Pela décima rodada, Zico marcou dois gols na vitória de 4x1 sobre a Portuguesa, da Ilha do Governador. Ele fez o gol inaugural do placar, aos 5 minutos, e o terceiro (3x0), aos 24 minutos, ambos marcados no goleiro Sérgio, ainda no 1º tempo daquele jogo, realizado no Maracanã.

8 de maio **GOL 60**

FLAMENGO 1X1 BANGU-GB

Pela décima segunda rodada, o Mengo voltou ao Maracanã, para um confronto contra o Bangu. Parecia que a derrota era inevitável, pois o goleiro adversário, Antônio, não deixava o placar, que era de 1x0 para o alvi-rubro, se modificar. Até que, aos 37 minutos do tempo final, Zico aparou de cabeça a bola, vinda da cobrança de um escanteio, salvando o Flamengo, que jogava com um jogador a menos: 1x1, placar final. Zico já somava 60 gols no amadorismo!

25 de maio **GOLS 61 e 62**

FLAMENGO 5X1 CAMPO GRANDE-GB

Duas rodadas depois, no mesmo estádio, o Flamengo goleou o Campusca, de virada, com dois gols de Zico. O primeiro tempo terminou empatado em 1x1, sendo do Galinho o gol rubro-negro, marcado aos 33 minutos.

Já o segundo, que virou o placar em favor do Flamengo, foi marcado no primeiro minuto da etapa final, de falta, sem chances para o goleiro Wilson. Este foi o primeiro gol de falta de Zico na categoria juvenil e o primeiro nesse fundamento no Maracanã.

13 de junho **GOL 63**

FLAMENGO 1X0 BOTAFOGO-GB

Zico foi decisivo em mais um clássico. Foi dele, no primeiro minuto do 2º tempo, o gol da vitória sobre o até então considerado imbatível Botafogo, que não perdia há 122 jogos, no Maracanã. No lance, o lateral-esquerdo Vanderlei (Luxemburgo) cruzou, a bola atravessou a área alvinegra e Zico completou, de bico, de pé direito, à esquerda de China, goleiro alvinegro. O Galinho se contundiu e teve que deixar o gramado para ser atendido. O técnico Joubert, arriscando, fez duas outras substituições e o time ficou com um jogador a menos por 17 minutos, até Zico se recuperar e voltar a campo.

26 de junho **GOLS 64 e 65**

FLAMENGO 2X0 OLARIA-GB

A seguir, veio uma vitória de 2x0 sobre o Olaria, no Maracanã, com Zico marcando o primeiro aos 7 minutos do 1º tempo, e encerrando o marcador, em cobrança de pênalti, aos 25 minutos da fase final, ambos sobre o goleiro Ronaldo.

3 de julho **GOL 66**

FLAMENGO 1X0 MADUREIRA-GB

Seu próximo gol pela categoria foi o único no jogo contra o Madureira, na Gávea, pela penúltima rodada, marcado logo aos 5 minutos de bola rolando, aproveitando uma falha de Jaime, goleiro do tricolor suburbano. Zico terminou o campeonato como artilheiro da competição, com 19 gols.

18 de julho **GOL 67**

SELEÇÃO DA GUANABARA 1X0 VASCO-GB

Quinze dias depois, houve um amistoso, no Maracanã, entre as seleções principais de Brasil e Iugoslávia, para a despedida de Pelé. Na preliminar, ocorreu um amistoso de juvenis entre o Vasco e uma Seleção Carioca, que contou com Zico. E foi dele o gol solitário do jogo, aos 39 minutos do 1° tempo. O tento surgiu de um lançamento de cabeça feito por Silvinho, concluído sem defesa para o goleiro Brasília.

Mas, 1971 trouxe mais! Um grande trabalho, feito pelo Flamengo, ajudou na evolução física do garoto, que já empolgava a torcida nos jogos das divisões de base.

Veio, então, a referida estreia na equipe profissional, contra o Vasco, sob o comando de Fleitas Solich. A partir daí, Zico passou a ser opção da equipe principal, embora sem abandonar a categoria juvenil. Se a emoção de estrear nos profissionais já ocorrera, faltava o primeiro gol na categoria.

11 de agosto **GOL 68**

BAHIA-BA 1X1 FLAMENGO

E ele veio em um jogo válido pela segunda rodada do Campeonato Brasileiro daquela temporada. O Flamengo enfrentou o Bahia, recentemente proclamado bicampeão baiano, no Estádio da Fonte Nova, em Salvador, Bahia. Ao final do 1° tempo, o tricolor da boa terra vencia por 1x0. Logo aos 6 minutos da etapa final, Murilo lançou Zé Eduardo em profundidade. Este estendeu ótimo passe de cabeça a Zico, que, com a bola quicando à sua frente, esperou a saída do goleiro Renato e colocou, com categoria, empatando o jogo, placar que seria definitivo. Estava iniciada a contagem profissional de um dos maiores artilheiros da história do futebol mundial.

"Eu só lembro que foi uma bola cruzada na área e o Zé Eduardo ajeitou a bola e ela ficou quicando e eu fiquei sozinho com o goleiro, não tinha ninguém... Eu estava de frente e aí vinha chegando o zagueiro e eu só empurrei a bola assim no canto direito do goleiro, foi muito fácil (risos). Estava sozinho!", rememora Zico.

17 de outubro **GOL 69**

SANTA CRUZ-PE 1X1 FLAMENGO

O Flamengo fez mais um jogo no Nordeste, valendo, ainda, pelo Campeonato Brasileiro, em sua décima-quinta rodada. No Estádio da Ilha do Retiro, em Recife, Pernambuco, o adversário foi o Santa Cruz, tricampeão daquele estado. Mais uma vez, o placar final mostrou um empate de 1x1, mas, dessa vez, foi o Flamengo que saiu na frente... com Zico, que lembra desse gol como "maravilhoso!". O gol saiu aos 13 minutos do 1° tempo, quando, apoderando-se da bola pouco depois do meio campo, pelo lado esquerdo, e aproveitando uma indecisão do zagueiro Moacir, do Santa, que tentou lhe aplicar um drible de corpo para atrasar a bola para seu goleiro, Zico bateu por cobertura, de curva. A bola entrou no ângulo direito, ante o olhar indefeso do goleiro Detinho. Zico lembra que o chute foi de muito longe: "Esse gol foi fantástico, porque recebi uma bola de uma rebatida do goleiro, logo depois do meio de campo pelo lado esquerdo. Eu dominei, vi o goleiro fora do gol e meti de pé direito, de curva, por cima, lá no ângulo. Foi bem de longe. Uma pena não ter vídeo disso. Esses foram os dois gols que eu fiz em 1971 pelo profissional. Perdi gol pra caramba nesse campeonato, estava jogando de centroavante mesmo. Eu vinha da artilharia do juvenil, começando, e como não tinha outro... O time tinha Samarone, Cabralzinho, Zé Eduardo... Aí, me colocaram lá na frente."

Com esses 2 gols, Zico, então com 18 anos, terminou em 10° lugar na artilharia dos profissionais do Flamengo no ano de 1971.

9 de dezembro **GOL 70**

BRASIL 1X0 ARGENTINA (SELEÇÕES OLÍMPICAS)

Convocado para a Seleção Olímpica do Brasil, Zico marcou seu primeiro gol com a "amarelinha". Foi durante a disputa do Torneio Pré-Olímpico, no Estádio El Campín, em Bogotá, Colômbia. Aos 33 minutos do 1° tempo, ele fez o gol único da vitória sobre a Argentina, pela penúltima rodada do torneio. Tudo começou com uma bela jogada de linha de fundo de Roberto Carlos, que conseguiu driblar seu marcador Castello duas vezes, lançando para Zico completar de cabeça, inapelavelmente, sem defesa para o goleiro Leone. "Esse gol é outra novela, né?", lembra Zico. "O técnico era o Antoninho, né? Toda parte de treinamento com ele e tudo... Eu era reserva. Os titulares eram Claiton, do Guarani, e o Nílson Dias, do Botafogo. Enéas e eu éramos reservas. Aí, fomos para a Colômbia. Nos outros times, praticamente todos jogadores eram profissionais, inclusive as Seleções da Argentina e de Portugal eram os mesmos times que jogariam a Mini-Copa em 1972. Jogos difíceis! O primeiro jogo contra o Equador, 1x1, e eu entrei no segundo tempo. No dia seguinte, jogamos contra a Bolívia. Aí, chegou o Parreira, que vinha como preparador físico do Brasil na Copa de 1970. Escuta essa! (risos) Ele tinha ido assistir Argentina x Bolívia. Aí, fomos para a preleção. O Antoninho deu o time que ia começar jogando e tal. Então, o Parreira entra na sala e diz: "Vem todo mundo pra cá." Aí, fomos para uma outra sala e ele disse: "O time vai ser esse, aquele.... Na frente, vão jogar Roberto Carlos, Zico, Nilson..." Virou o técnico! (cara de espanto) Deu como o time iria jogar e, a partir dali, ele começou a ser o técnico. Ninguém entendeu nada! O Antoninho ficou quieto lá no canto. Ganhamos o jogo de 2x1, empatamos com a Argentina e ganhamos do Chile por 1x0. E o Parreira, a partir dali, além de técnico, passou a dar a preparação física. Começou a fazer tudo (risos). O Antoninho não reclamava e não fazia nada. Aí, classificamo-nos para pegar Colômbia, Argentina e Peru. Empatamos com os colombianos em 1x1, na altitude de Bogotá. Veio o jogo contra a Argentina, quando eu fiz o gol. Jogamos contra o Peru, ganhamos de 1x0, garantimos o título do Pré-Olímpico e aquela vitória classificou o Brasil para a Olimpíada. E é por isso que eu não entendi porque eu fui cortado dos Jogos Olímpicos. Fiz um gol que ajudou a classificar o Brasil. Como foi o gol? Ah, o Roberto Carlos, do Botafogo, foi a linha de fundo, cruzou por trás da zaga e eu, de cabeça, mandei para o gol."

Zico acabou 1971 com um total de 26 gols, sendo 22 pelo time juvenil do Flamengo, 2 pelo time principal, 1 pela Seleção Carioca juvenil e 1 pela Seleção Brasileira Olímpica.

Zico contra o Fluminense no Maracanã, no Campeonato Carioca de Juvenis em 1971.

Zico e Edu em 1968.

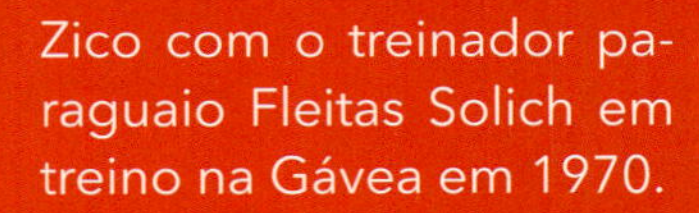

Zico com o treinador paraguaio Fleitas Solich em treino na Gávea em 1970.

Zico contra o Botafogo no Maracanã, no Campeonato Carioca de Juvenis em 1971.

CAPÍTULO 2

No ano de 1972, Zico ouviu do então técnico da Seleção Olímpica do Brasil, Antoninho, que seria chamado por ele para os Jogos Olímpicos daquele ano e, portanto, não poderia se profissionalizar, fato que impediria sua convocação, segundo o regulamento da época. Zico seguiu como jogador amador e teve a grande decepção de não ver seu nome na lista final, chegando a pensar em abandonar o futebol!

Felizmente, no entanto, foi convencido pelos familiares e seguiu na categoria juvenil do Flamengo. Durante o ano fez, também, oito jogos pela equipe profissional, sempre entrando no decorrer das partidas, sem, no entanto, marcar gols.

1972

11 de março **GOL 71**

FLAMENGO 2X0 CAMPO GRANDE-GB

Na Gávea, pela quarta rodada do Campeonato Carioca juvenil, após o atacante Ruy Rey abrir o marcador, Zico fez seu gol no goleiro Paulo Roberto, do Campusca, aos 4 minutos do segundo tempo, garantindo a vitória rubro-negra por 2x0.

15 de março **GOL 72**

BONSUCESSO-GB 0X1 FLAMENGO

Quatro dias depois, na rodada seguinte, no estádio Teixeira de Castro, campo do adversário, aos 3 minutos da segunda etapa, Zico venceu o goleiro Samuel, fazendo, de falta, o gol único da vitória.

8 de abril **GOL 73**

FLAMENGO 2X0 PORTUGUESA-GB

No estádio da Gávea, o Flamengo já vencia por 1x0, gol de Geraldo, quando Zico fez o segundo gol na vitória sobre a Lusa da Ilha do Governador.

23 de abril **GOLS 74 e 75**

FLAMENGO 2X1 FLUMINENSE-GB

Depois, Zico participou decisivamente do Fla-Flu, preliminar no Maracanã, com público de 137.002 pessoas. Aos 34 minutos de jogo, abriu o marcador. Dudu invadiu pela direita e passou a pelota ao Galinho, que driblou o goleiro Nielsen e tocou para as redes, de pé direito.

O tricolor das Laranjeiras empatou logo depois, mas, na marca dos 39 minutos, após falha do zagueiro Abel, Zico fez mais um, num chute forte e indefensável: 2x1 Flamengo, placar final.

A alegria da torcida rubro-negra foi completa, pois, no jogo principal, com uma goleada de 5x2, o Flamengo conquistou a Taça Guanabara daquele ano.

GOLS 76 a 78

COLATINENSE-ES 2X3 FLAMENGO

O Flamengo foi fazer um amistoso na cidade capixaba de Colatina (em data desconhecida) e Zico mostrou seu talento, fazendo os três gols cariocas, um deles na cobrança de um pênalti. Esse foi o único jogo em que Zico fez mais de dois gols em uma partida na categoria juvenil.

15 de julho **GOLS 79 e 80**

CAMPO GRANDE-GB 1X2 FLAMENGO

Zico voltou a balançar as redes no Campeonato Carioca juvenil. O jogo foi contra o Campo Grande, no Estádio Ítalo del Cima. Aos 5 minutos do segundo tempo, o atacante rubro-negro Sílvio tentou um cruzamento da esquerda. A bola encobriu o goleiro Paulo Roberto e Zico entrou, de pé direito, para marcar 1x0.

O segundo gol surgiu aos 33 minutos, quando o Galinho de Quintino driblou dois adversários na entrada da área e chutou forte, com o pé direito, no ângulo, sem chance de defesa para Paulo Roberto, fazendo 2x0 para o rubro-negro da Gávea. O Campusca descontaria, mas o Flamengo ganhou mais uma. O garoto já somava 80 gols marcados!

22 de julho **GOL 81**

FLAMENGO 1X0 MADUREIRA-GB

Uma semana depois, o Mengo recebeu o Madureira, na Gávea. E foi com um único gol, de Zico, aos 20 minutos da fase final, que veio mais um triunfo. No lance decisivo, Zico penetrou sozinho na área, colocando a bola no canto esquerdo do goleiro Ernani.

29 de julho **GOL 82**

SÃO CRISTÓVÃO-GB 1X1 FLAMENGO

Pela décima-nona rodada, um tropeço no empate em um gol contra o São Cristóvão, em Figueira de Melo. O time de Zico perdia até os 29 minutos do segundo tempo, quando Jayme recebeu a bola na intermediária, passou por dois defensores, foi para a ponta direita e lançou para Zico, que vinha em velocidade pelo centro. Ele dominou a bola e, de pé direito, marcou, sem chances para o arqueiro César.

GOL 83

RIACHUELO-MT 0X5 FLAMENGO

GOL 84

CORUMBAENSE-MT 0X1 FLAMENGO

Os dois gols seguintes de Zico aconteceram em amistosos disputados na cidade de Corumbá, então Estado de Mato Grosso. Hoje, esta cidade pertence ao Estado de Mato Grosso do Sul, criado em 1976. Infelizmente, não foi possível apurar as datas e as descrições destes gols.

16 de dezembro **GOL 85**

FLAMENGO 2X0 VASCO-GB

Então, veio a decisão do Campeonato Carioca Juvenil de 1972, contra o Vasco, no estádio da Gávea. Zico fez um gol, contribuindo para aquela vitória de 2x0 que deu o título estadual da categoria ao Mais Querido. Zico lembra que, após o primeiro jogo da decisão ter sido realizado em São Januário (vitória do Vasco), o time cruzmaltino conseguiu que a segunda partida saísse da Gávea para o Maracanã, numa preliminar. Mas, o Flamengo venceu, forçando uma terceira e decisiva partida, que foi realizada no campo rubro-negro.

"Nesse jogo," diz Zico, "eu passei mal o primeiro tempo todo e queria sair no intervalo. O técnico Bria disse: "Quer sair, sai." Meus irmãos disseram: "Não vai sair nada! Vai jogar como está". Aí, o seu Bria disse: "Então, troca com o Fidélis e fica lá na frente". Com diarreia e com vômito! O estádio da Gávea estava lotado. Já perto do final do jogo, o Nei cruzou uma bola, eu dominei na coxa, o zagueiro Marcelo veio, e eu dei um toque por cima da coxa dele. A bola caiu na esquerda e, aí, eu bati meio de voleio, cruzado, no canto. Esse foi o segundo gol e acabou o jogo. O gol foi bonito. O Mazarópi era o goleiro. Foi muito emocionante. Estava toda a minha família na Gávea."

Zico, com os 15 gols marcados nesse ano, encerrou sua participação no amadorismo com 85 gols marcados, no total de sua carreira, sendo dois pela equipe profissional, em 1971. Ele também jogou oito vezes na equipe principal em 1972, mas não fez nenhum gol.

Zico, pelo time profissional, contra o Vasco em 1972. Vemos o meia Samarone, do Flamengo e o zagueiro Moisés e o goleiro Andrada, ambos do Vasco.

Zico contra o Fluminense, pelo time profissional em 1972.

CAPÍTULO 3

Zico na Gávea.

1973

1973 trouxe a definitiva profissionalização do Galinho de Quintino. E o seu incrível faro de artilheiro se confirmava jogo a jogo, mesmo sendo ele um ponta-de-lança, e não um atacante:

28 de janeiro **GOLS 86 e 87**

ATLÉTICO-MG 2X3 FLAMENGO

Era um jogo válido pelo Torneio do Povo, disputado no Mineirão, em Belo Horizonte, Minas Gerais. O Galo mineiro vencia por 1x0, quando, aos 14 minutos, ainda na primeira etapa, Zico tirou, com um drible de corpo, os zagueiros Grapete e Márcio da jogada e chutou forte com a perna esquerda, indefensável para o goleiro Mussula, com a bola entrando no canto direito. O irmãozinho do Edu (do América e da Seleção) começava a encantar.

O Flamengo virou o jogo com um gol de Caio "Cambalhota" e, aos 36 minutos daquele período inicial, o ponta-direita Rogério, após passar seu marcador, chutou, com violência, ao gol atleticano. Mussula defendeu, soltou e, antes que pudesse segurar a bola definitivamente, Zico apareceu, como um raio, mandando a bola às redes: Flamengo 3x1. Pela primeira vez, nos profissionais, dois gols em uma partida! Isso ainda com 19 anos de idade!

Uma coisa curiosa acontecia naquele ano. Zagallo era o técnico do Flamengo e, também, da Seleção Brasileira. Quando estava a serviço do Brasil, Joubert, ex-jogador do clube, como Zagallo, assumia o comando. Conhecedor e apreciador do futebol de Zico, sempre o colocava para jogar, mas, quando Zagallo voltava, lá ia Zico para o banco. Às vezes, nem isso. Foi sob o comando de Joubert que ele jogou contra o Atlético Mineiro e só viria a voltar a marcar gols em amistosos, mais uma vez sob a batuta do treinador substituto, quando o principal excursionava com a Seleção.

23 de maio **GOL 88**

DESPORTIVA-ES 1X1 FLAMENGO

O Flamengo iniciou uma excursão pelo Brasil. A primeira parada foi no Espírito Santo, no Estádio Engenheiro Araripe, em Cariacica, na Grande Vitória. Zico começou na reserva. Após um primeiro tempo sem abertura da contagem, Joubert o colocou no lugar do argentino Doval. Logo aos 5 minutos, Sérgio "Galocha" fez excelente jogada, penetrando pela direita, driblando dois adversários e servindo o garoto Zico, que completou de cabeça para o gol, na saída do goleiro Edalmo: Flamengo 1x0.

25 de maio **GOL 89**

UACEC-ES 1X6 FLAMENGO

Dois dias depois, outro jogo no estado capixaba, mas agora na cidade de Colatina, no Estádio Municipal Justiniano de Mello e Silva. O adversário era o time do UACEC (União Atlética Colégio Estadual de Colatina). Apesar de começar perdendo, o Flamengo virou para uma grande goleada. O 5° gol rubro-negro foi de Zico, aos 35 minutos da etapa final, quando Vicentinho, lançado pela direita do ataque, passou pelo zagueiro Gaúcho, foi ao fundo do campo e cruzou. Zico cabeceou, vencendo o goleiro Garibaldo.

30 de junho **GOL 90**

SELEÇÃO DE CACHOEIRO DE ITAPEMIRIM-ES 1X3 FLAMENGO

Após jogos por outros estados brasileiros, o Flamengo voltou a atuar no Espírito Santo no mês seguinte, quando, no Estádio Estrela do Norte, enfrentou, na cidade de Cachoeiro de Itapemirim, o selecionado municipal. O time carioca vencia por 2x1, quando, aos 25 minutos do 2º tempo, o ponta-esquerda Julinho cobrou escanteio pela esquerda e Zico, entrando livre, marcou, com uma cabeçada firme, no canto direito do goleiro Norberto, dando números finais ao jogo.

Zagallo volta da Seleção e Zico sai do time titular. Mas, as evidências começaram a mudar o julgamento do "Velho Lobo", que passou a lhe dar mais oportunidades aqui e ali.

23 de setembro **GOL 91**

FLAMENGO 2X2 VASCO-GB

Mas, foi apenas em setembro que o Galinho voltou a marcar. E este foi um gol com características históricas. Disputava-se o Campeonato Brasileiro (8ª rodada da 1ª fase) e Flamengo e Vasco mediram forças no Maracanã. Zico já era titular e o 0x0 estava teimoso no placar. O Flamengo atacava já perto do fim do 1º tempo. Aloísio centrou sobre a área adversária. A bola quicou e o zagueiro vascaíno Moisés a tocou com a mão. Pênalti claro marcado pelo árbitro Oscar Scolfaro. Zico bateu com precisão, rasteiro, no canto direito do goleiro Carlos Henrique: Flamengo 1x0 aos 45 minutos. Segundo disse Zico, ao Jornal dos Sports, em 1979: "No momento em que o árbitro marcou o pênalti a favor do Flamengo, o Fred (zagueiro) saiu lá de trás, gritando para eu bater!" Mesmo com o time tendo vários jogadores já consagrados, como Doval, Paulo Cezar "Caju", Afonsinho e o artilheiro Dario, o "Dadá Maravilha", Zico não só bateu, como fez o gol.

Nos profissionais, foi o primeiro gol de Zico no estádio e seu primeiro gol de pênalti. E, também, o primeiro sob o comando técnico de Zagallo.

26 de setembro **GOL 92**

CEARÁ-CE 1X1 FLAMENGO

O jogo seguinte por aquela competição nacional foi no Estádio Presidente Vargas, em Fortaleza, no Ceará. Logo aos 11 minutos, o Flamengo abriu a contagem: Doval lançou Zico, que levou vantagem sobre o lateral cearense Paulo Tavares, adiantou um pouco, e chutou, cruzado, com violência, sem chances para o goleiro Hélio "Show".

3 de outubro **GOL 93**

FLAMENGO 4X1 NÁUTICO-PE

O Flamengo recebeu o Náutico, no Maracanã, ainda pelo Campeonato Brasileiro. O rubro-negro já vencia por 2x0, quando, Paulo César, após tabelar com Zico, foi derrubado dentro da área pelo zagueiro Miro. Pênalti que o Galinho de Quintino cobrou com perfeição, aos 34 minutos do 1º tempo, no canto esquerdo de Luís Fernando, que nem se mexeu.

21 de outubro **GOL 94**

REMO-PA 2X1 FLAMENGO

O Estádio Evandro Almeida, em Belém, Pará, foi o palco do gol seguinte de Zico. O jogo valia pelo Campeonato Brasileiro e o Flamengo perdia por 1x0, quando o lateral-direito Moreira, avançando pela direita, invadiu a área para finalizar a gol, sendo, então, calçado pelo zagueiro Mendes. Zico cobrou o pênalti no canto esquerdo de Dico, empatando o jogo aos 38 minutos do 2º tempo. Como o Remo marcou mais um gol, este foi o primeiro gol de Zico em uma derrota como jogador profissional.

17 de novembro **GOL 95**

FLAMENGO 1X1 AMÉRICA-MG

Maracanã, ainda pelo Campeonato Brasileiro. O América Mineiro vencia por 1x0 e a torcida estava nervosa com aquele péssimo resultado, quando Zagallo colocou Zico, então no banco, no lugar do ponta-direita Paulinho "Carioca". O Flamengo passou a dominar, em busca do empate. O tempo passava e, já aos 33 minutos do 2° tempo, Zico recebeu a bola na meia, invadiu a grande área, sendo derrubado por Juca Show. Pênalti marcado por Armando Marques, que Zico converteu, no canto direito de Neneca.

9 de dezembro **GOL 96**

FLAMENGO 1X0 BOTAFOGO-GB

O Campeonato Brasileiro proporcionava a emoção de um clássico estadual no Maracanã. O alvinegro começou melhor, mas, aos 27 minutos da fase inicial, o ponta-direita Rogério driblou o lateral-esquerdo Marinho Chagas e o zagueiro Nílson Andrade, foi até a linha de fundo, de onde cruzou. Zico recebeu a bola na entrada da pequena área, girou o corpo e, com o bico do pé direito, colocou a pelota no canto esquerdo do goleiro Cao, no que foi o gol da vitória.

Nas palavras de Zico: "O Rogério fez uma jogadaça pela direita, cruzou pra trás, eu dominei e girei rápido. Dei de bico um toquinho lá no cantinho. Esse foi um "daqueles" últimos jogos de 1973 que eu joguei e fiz gol em todos. O Flamengo já estava eliminado e como o Zagallo iria assumir a Seleção ele colocou pra jogar quem não vinha tendo muitas oportunidades, aí eu acabei o ano como titular. Vencemos os três últimos jogos do ano e ganhamos o prêmio da C.B.D. como o time carioca com mais vitórias no campeonato."

12 de dezembro **GOL 97**

FLAMENGO 2X1 OLARIA-GB

Naquele ano, o Olaria montou uma boa equipe que disputou, inclusive, o Campeonato Brasileiro. O Flamengo o enfrentou, no Maracanã. A vitória veio, mas com dificuldades, por 2x1. Coube a Zico abrir o marcador, com um gol aos 6 minutos do 1° tempo. A jogada começou com o meia Afonsinho roubando a bola de Roberto Pinto pelo meio e tocando para o lateral-esquerdo Mineiro. Este lançou Rodrigues Neto pela esquerda. O passe seguinte foi para Zico, na entrada da área. O Galinho dominou e desferiu um chute fortíssimo e rasteiro, no canto esquerdo, sem chance para Ubirajara Alcântara, goleiro bariri.

15 de dezembro **GOL 98**

FLAMENGO 3X2 AMÉRICA-GB

Ainda no Maracanã, outro jogo regional pelo Campeonato Brasileiro. O Flamengo iniciou o jogo partindo com tudo à frente e não demorou a abrir a contagem... com Zico. Aos 10 minutos de jogo, ele recebeu um lançamento de Paulinho e, aproveitando-se de uma falha do zagueiro Wilson, penetrou a grande área, esperou o goleiro americano Miguel sair e chutou em seu canto direito, com Zico marcando, assim, nos três últimos jogos do Flamengo no ano. Com 8 gols, foi o artilheiro da equipe na competição nacional.

Ao final de 1973, Zico, com 13 gols marcados, foi o terceiro artilheiro do Flamengo, atrás, apenas dos já consagrados Dario e Doval. No total, com a camisa profissional do clube, atingiu a marca de 15 gols. E estava há apenas dois gols do gol número 100 no total de sua carreira! Prenúncio de que muito mais viria por aí.

CAPÍTULO 4

Zico comemorando o título de Campeão Carioca de 1974, após o empate de 0 x 0 com o Vasco.

1974

O ano de 1974 começaria, para o futebol rubro-negro, no dia 18 de Janeiro, no Maracanã, com um jogo internacional de grande apelo, principalmente em função da presença da dupla na qual o Flamengo apostava para a temporada: Doval e Zico. Joubert assumiu o cargo de técnico efetivo do Flamengo. No primeiro treino do ano, o técnico definiu o ataque titular com Rogério, Afonsinho, Dario, Doval e Paulo César. Isto é, sem Zico, que havia acabado o ano anterior como titular. Zico lembra que pensou de novo em largar tudo. Os companheiros Fred e, principalmente, Arílson, o convenceram a mostrar em campo que merecia. "Cara!", diz Zico. "Acabei com o treino. Foi 2x0 para o time reserva. Eu fiz os dois gols, com o Liminha me dando porrada e dizendo para eu parar de correr. Dois dias depois, cheguei na Gávea para outro coletivo. Joubert chamou, para a sala dele, Doval, Dario e a mim. E disse que, daquele momento em diante, eu seria titular e os dois outros iriam disputar posição. Curiosamente, o barrado sempre aparecia 'machucado' (risos)." Zico ganhou a titularidade, para nunca mais perdê-la. O adversário era o Željezničar, da então Iugoslávia, país que hoje se dividiu em cinco nações independentes. Com dois gols do Galinho, a marca centenária atingida e o prenúncio de que grandes coisas estavam por vir.

18 de janeiro **GOLS 99 e 100**

FLAMENGO 3X1 ŽELJEZNIČAR - IUG

Logo aos 8 minutos de jogo, Zico recebeu a bola de Aluísio, na entrada da área, driblou o ponteiro Kojovic e chutou forte, rasteiro, no canto direito do goleiro Janius, que ainda tocou na bola, mas não impediu sua entrada rumo às redes: Flamengo 1x0.

Já no segundo tempo, aos 16 minutos, Zico fez bela jogada individual, penetrando na área, passando por vários adversários, inclusive o goleiro e tocando, com calma, para as redes, apesar da cobertura de outros dois zagueiros: Flamengo 2x0. Foi o centésimo gol de Zico em sua carreira, desde a Escolinha.

24 de janeiro **GOL 101**

DESPORTIVA-ES 1X1 FLAMENGO

Este amistoso aconteceu no Estádio Engenheiro Araripe, em Cariacica, Espírito Santo. O único gol do Flamengo foi feito aos 27 minutos de jogo. Paulo César cobrou uma falta. A bola bateu na barreira, sobrando para Zico, que, de pé direito, desviou do goleiro Edalmo, fazendo 1x0 para o Flamengo. Foi o 100° gol marcado pelo Galinho de Quintino em território brasileiro.

3 de fevereiro **GOLS 102 e 103**

GOIATUBA-GO 2X6 FLAMENGO

Então, o Flamengo se apresentou na cidade goiana de Goiatuba, contra o time local, no Estádio Divino Garcia Rosa. A goleada contou com duas colaborações de Zico. Ele marcou, aos 43 minutos do 1° tempo, o segundo gol do Flamengo e do jogo, resultado de uma perfeita cobrança de falta, que fora sofrida por Rogério, na entrada da área. A bola entrou no ângulo direito do goleiro Zé Borracha. Foi seu primeiro gol de falta como jogador profissional.

Aos 13 minutos da etapa final, Zico tabelou com Dario, recebeu na frente e, com um toque sutil, desviou do goleiro para colocar 3x0 no placar.

10 de fevereiro **GOLS 104 a 106**

ICASA-CE 1X7 FLAMENGO

Neste amistoso, realizado no Estádio Mauro Sampaio, em Juazeiro do Norte, Ceará, uma semana depois, Zico marcou, pela primeira vez como profissional, três gols em um único jogo. Aos 10 minutos da 1ª etapa, em jogada pessoal, vindo com a bola desde a intermediária, passou por dois adversários e abriu a contagem, chutando por baixo do goleiro Zé Antônio, no canto esquerdo do gol.

Mais 10 minutos de jogo e Zico, aproveitando um cruzamento de Rogério, furou o gol de Zé Antônio novamente, estabelecendo já um 3x0 no placar para o time carioca.

Foi só aos 15 minutos do 2º tempo que o terceiro gol do Galinho saiu, em tabela com Dario, o "Dadá Peito-de-Aço", sendo este o sexto do Flamengo contra nenhum do Icasa.

17 de fevereiro **GOLS 107 e 108**

FLAMENGO 5X1 CORINTHIANS-SP

Mais um amistoso, este no Maracanã. O Timão, do campeão mundial de 1970, pela Seleção Brasileira, Rivellino, saiu na frente, sem ter ideia do que estava provocando. Perto do final da etapa inicial, Geraldo veio tabelando com Zico desde a intermediária adversária. Ao chegar na entrada da área, o camisa 8 foi calçado pelo zagueiro Wagner. Zico cobrou a falta com maestria, colocando a bola no lado direito do goleiro Armando, que mal se mexeu, empatando o jogo aos 44 minutos.

O Flamengo veio arrasador para o segundo tempo. Logo de cara, Geraldo desempatou e, aos 6 minutos, nasceu o terceiro gol, o segundo de Zico, que, após receber a bola no meio do campo, iniciou uma série de dribles de corpo, deixando para trás o cabeça-de-área Tião, os zagueiros Wagner e Pescuma, esperou a saída de Armando e colocou no canto esquerdo, com calma e categoria, de perna esquerda. Um belíssimo gol! Dario, com mais dois gols, encerrou a goleada.

Zico lembra de uma conversa, no dia seguinte ao jogo, com Dario, seu amigo de Quintino, quando Dadá era aluno interno da Escola Quinze (depois, Funabem, Faetec etc...). Dario falou: "Garoto, quero falar contigo! Ó! Você não faz mais o que você fez comigo no Maracanã não, hein? Não dá a bola limpa! Dá a bola na dividida com o zagueiro. Você me dá limpa, é uma responsabilidade grande de fazer o gol. Dá no meio dos zagueiros lá, na dividida". Zico respondeu: "Pô, Dadá, eu não sei fazer isso!". Dario finalizou a conversa: "Joga lá no meio. Quando tiver dois, eu vou correr e você mete a bola lá."

22 de fevereiro **GOLS 109 e 110**

SELEÇÃO DO ZAIRE 4X4 FLAMENGO

O Flamengo iniciou uma excursão internacional pelo Zaire, atual República Democrática do Congo, na África. Infelizmente, a cobertura jornalística desses jogos não nos permite descrever, neste livro, detalhes dos gols marcados.

No primeiro jogo, na cidade de Kinshasa, o Rubro-Negro enfrentou a seleção nacional daquele país, classificada para a disputa da Copa do Mundo daquele ano, na então Alemanha Ocidental. Zico fez os dois primeiros gols dos visitantes, empatando o jogo após os africanos abrirem 2x0. O primeiro gol saiu ainda no 1º tempo e o segundo no começo da etapa final. Ele relatou suas lembranças deste jogo, ressaltando interessantes curiosidades e a parcialidade do árbitro local:

"No Zaire, a gente vivia de refrigerante e pão. A comida local... sem chance! Veio o dia do jogo. Nós entramos em campo. Aí, entrou a Seleção do Zaire, inclusive os reservas, nos rodearam e começaram a dançar e cantar: Uu-uu--uu-uu! E a gente sem entender nada! Era uma mandinga! O jogo começou, nós fizemos 3x2 e o juiz começou a ajudar o Zaire. Chegou ao ponto de ele lançar uma bola ao chão só com um jogador deles! Um jogador local entrou de carrinho, errou a bola e o juiz deu pênalti, sem nenhum jogador nosso no lance! Depois, marcou outro pênalti. O Flamengo reclamou e ele expulsou o Paulo César Caju e a mim. Um dirigente desceu e disse que ninguém podia ser expulso e todos voltaram ao jogo. Então, ficou 4x3 para eles. O time do Flamengo combinou de não jogar, já que o juiz era claramente parcial. Então, ficamos tocando bola em nosso campo e o time deles lá atrás não entendendo nada! Aos poucos, fomos adiantando o toque para o campo deles. Aí, quando eles estavam distraídos, uma bola foi rolada para o Zé Mário, que deu uma pancada de longe e empatou o jogo. Depois do jogo, o empresário veio falar que a gente não podia ganhar o jogo, pois não pegaria bem para uma seleção, que ia disputar a Copa do Mundo, perder para um time, e que ia nos pagar bicho integral, de vitória. Aí, nós perguntamos: "Mas, tem mais um jogo. Como vai ser?". Ele respondeu que nós não poderíamos ganhar de novo!"

24 de fevereiro GOL 111
SELEÇÃO DO ZAIRE 3X3 FLAMENGO

Dois dias depois, novo confronto na mesma cidade e novo empate, desta vez em 3x3, após os africanos abrirem 3x0. Zico, autor do segundo gol do Flamengo, marcado aos 30 minutos da segunda etapa, relembra, gargalhando:

"Já sabendo da mandinga deles, nós entramos em campo e perfilamos. Quando eles se aproximaram, nosso time debandou, cada um para um lado, e eles não conseguiram repetir a dança!"

Menos de vinte dias depois, em 14 de março, o Zaire conquistou seu único título da Copa da África, vencendo Zâmbia nas finais, após dois jogos disputados no Egito.

1 de março GOLS 112 e 113
SELEÇÃO DA ARÁBIA SAUDITA 2X2 FLAMENGO

O Flamengo obteve novo empate contra seleções nacionais, agora na Arábia Saudita, na Ásia. Zico fez os dois gols dos brasileiros, ambos na etapa inicial. O Galinho recorda que o calor era tão intenso na cidade de Riade, sede do jogo, que não se via ninguém nas ruas. O campo foi montado em placas de grama, que se desnivelavam, impedindo o correr da bola, que, praticamente só quicava!

3 de março GOL 114
SELEÇÃO DO KUWAIT 2X3 FLAMENGO

Na Cidade do Kuwait, capital do país, ainda no continente asiático, Zico, que fazia aniversário (21 anos), fez o primeiro gol desta vitória do Flamengo, no 1° tempo. Zico relembra outra história:

"Na volta da viagem, saindo do Kuwait, paramos na África do Sul, em Joanesburgo. Nós, jogadores decidimos passear pela cidade, já que iríamos ficar horas esperando o próximo voo. Mas, não fomos, porque teríamos que separar os jogadores brancos dos negros no ônibus e nós não aceitamos! Então, ficamos as nove horas de espera num saguão pequeno. As horas pareciam que não passavam!"

17 de março GOL 115
FLAMENGO 1X1 VASCO-GB

De volta ao Brasil, um clássico carioca agitou o Campeonato Brasileiro, no

Maracanã. O Flamengo abriu a contagem, logo aos 4 minutos de jogo. O meio-campo Zé Mário recebeu de Vicentinho, na direita, driblou o lateral-esquerdo Alfinete e cruzou para a área. Dario pulou com Fidélis, levando vantagem. A bola sobrou para Zico chutar com categoria, no canto esquerdo do goleiro Andrada.

23 de março **GOL 116**

FLAMENGO 4X0 TIRADENTES-PI

Ainda no Maracanã e pelo Campeonato Brasileiro, o Flamengo recebeu a visita do piauiense Tiradentes e aplicou-lhe uma goleada: 4x0. O segundo gol foi do Galinho de Quintino: Geraldo passou a bola a Aloísio, que driblou duas vezes o lateral-esquerdo adversário, Neto, e centrou alto para a área, para Zico marcar, de cabeça, sem chances para o goleiro Toinho, aos 20 minutos do 2º tempo.

30 de março **GOL 117**

BAHIA-BA 0X2 FLAMENGO

No Estádio da Fonte Nova, em Salvador, o Flamengo foi aplaudido, ao final do jogo, até pelos torcedores adversários, pela bela exibição demonstrada na vitória sobre o Bahia. Aos 8 minutos do 2º tempo, Zico marcou o segundo gol, após driblar o bom goleiro Buttice e, com tranquilidade, tocar para o gol vazio.

13 de abril **GOL 118**

INTERNACIONAL-RS 1X1 FLAMENGO

O Fla foi a Porto Alegre, no Rio Grande do Sul, enfrentar o Inter, ainda pelo Campeonato Brasileiro, no Estádio Beira-Rio, e saiu perdendo, apesar de atuar bem. Mas, logo aos 3 minutos da fase final, ocorreu uma ótima triangulação entre Geraldo, Dario e Zico, que, recebendo a bola, livrou-se da marcação do zagueiro chileno Figueroa e chutou, sem defesa para o goleiro Rafael, empatando a partida.

21 de abril **GOL 119**

ATLÉTICO-PR 1X2 FLAMENGO

Mais um jogo no Sul, desta vez contra os paranaenses do Atlético no Estádio Couto Pereira, em Curitiba. Era o centésimo jogo de Zico como jogador profissional do Flamengo. E o Flamengo venceu, por 2x1, com Zico abrindo o marcador, aos 22 minutos do 1º tempo, após perfeito lançamento de Dario. O Galinho se adiantou, recebeu a bola na frente, penetrou na área, pelo meio, driblou o goleiro Altevir, e, com categoria, chutou para marcar.

24 de abril **GOL 120**

FLAMENGO 4X0 DESPORTIVA-ES

De volta ao Maracanã, a equipe grená capixaba foi a próxima adversária. O jogo, também válido pelo Brasileirão, foi fácil, com o Galinho deixando o seu. E foi o primeiro da goleada, aos 19 minutos do tempo inicial. Paulinho desarmou o lateral adversário Adalberto e lançou Zico, que, completamente livre, marcou, sem problemas, no arco defendido por Edalmo.

27 de abril **GOL 121**

AVAÍ-SC 0X1 FLAMENGO

Ainda no Campeonato Brasileiro, mais uma viagem ao sul do país. Em Florianópolis, Santa Catarina, o jogo, no estádio Orlando Scarpelli, foi duro, mas Zico decidiu, marcando aos 37 minutos do 1º tempo. O goleiro local, Rubens, repôs mal a bola em jogo, que sobrou para o lateral-esquerdo rubro-negro, Rodrigues Neto. Este passou para Zico, que, de fora da área, chutou violento e rasteiro, no canto direito, pegando de surpresa o arqueiro. Com este gol, Zico passou a ser um dos artilheiros do campeonato, ao lado de Fischer (Botafogo), Luisinho Lemos (América), Zé Roberto (Coritiba) e Serginho 'Chulapa' (São Paulo), com sete gols marcados.

1 de maio GOL 122

C.E.U.B.-DF 2X2 FLAMENGO

Numa folga no Brasileirão, o Flamengo foi à capital federal para um amistoso no Estádio Rei Pelé, contra o C.E.U.B. (Centro de Ensino Unificado de Brasília), no Dia do Trabalhador, desfalcado de Paulinho, Dario e Aloísio, poupados. No empate, Zico fez o segundo do Mengão, desempatando o jogo, aos 35 minutos do 1º tempo, após uma jogada individual, num chute que furou a rede! A bola foi ao canto direito do goleiro Édson e ainda bateu na trave antes de entrar.

11 de maio GOL 123

FLAMENGO 1X0 GRÊMIO-RS

Nesse dia, o Maracanã presenciou um dos gols mais bonitos e importantes de Zico, segundo opinião do próprio Galinho de Quintino. Até então, o Rubro-Negro nunca havia vencido aquele rival, naquele estádio. No último minuto da etapa inicial deste jogo, válido pelo Campeonato Brasileiro, Vanderlei Luxemburgo foi à linha de fundo e centrou à meia altura. Zico apareceu feito um foguete e emendou de primeira, pegando a bola no ar. Uma "bomba" sem defesa para Picasso, goleiro gremista. Fim do jejum e o Flamengo estava classificado para a segunda fase, com sete rodadas de antecedência! Agora, com oito gols, Zico dividia a artilharia do campeonato junto com o argentino Fischer, do Botafogo, e Pelé, do Santos.

"Eu mexo com o Luxemburgo dizendo que as pessoas só lembram dele como jogador por causa desse gol! (risos)", lembra Zico. "O Geraldo meteu uma bola para ele, que cruzou. Ela quicou e eu peguei de voleio, na corrida. Pô! Pegou na veia! (risos) Um golaço! O goleiro era o Picasso, argentino. É aquele gol que, se você erra o chute, joga lá na geral! (risos) E esse jogo foi na véspera do dia das mães. Minha mãe foi no campo, recebeu flores... Foi bem bacana!"

9 de junho GOL 124

FLAMENGO 2X0 BOTAFOGO-GB

Ainda no Maracanã e pela mesma competição, mas quase um mês depois, o Flamengo vencia o Botafogo por 1x0, quando, aos 34 minutos, ainda do 1º tempo, Zico avançou, com passes sendo trocados por Nei, Arílson e Geraldo. Este lançou para o camisa 10, que, na corrida, deslocou-se da direita para o interior da área, passou por quatro adversários, o lateral-direito Miranda, os zagueiros Mauro Cruz e Osmar e o goleiro Jair Bragança, concluindo com chute rasteiro no canto direito, determinando o placar final daquela vitória com este golaço, um dos mais bonitos daquele campeonato, segundo o *Jornal dos Sports*!

Zico relembra: "Ah! Esse gol foi uma tabela que eu fiz com o Geraldo. – Eu tenho esse gol todo fotografado em sequência – Recebi a bola entre dois zagueiros, driblei, acho que o Valtencir, o goleiro saiu, eu driblei também e dei uma pancada lá no ângulo (risos). Foi 2x0, o Doval fez um gol e eu fiz esse. Aí, o pessoal ficou maluco com esse gol (risos). E, nesse ano, eu fiz gol pra caramba. Até hoje, é a melhor média da história da Bola de Ouro da revista *Placar*: 8,74. Foi a primeira Bola de Ouro que eu ganhei."

29 de junho GOL 125
FLAMENGO 3X0 GUARANI-SP

Pela primeira rodada da segunda fase do campeonato, o adversário foi o Bugre campineiro, no Maracanã. O Fla já vencia por 2x0, quando, aos 43 minutos da fase final, Geraldo avançou com a bola, saindo da intermediária do Flamengo e indo até a do Guarani, onde tabelou com Zico e Rodrigues Neto. O lateral-esquerdo cruzou para a área. A zaga paulista rebateu e a bola sobrou para Arílson, que chutou mal. Geraldo interceptou a bola e esta sobrou para o Galinho, que passou pelo zagueiro Bezerra e pelo goleiro Tobias para, então, com categoria, marcar mais um gol.

17 de julho GOLS 126 e 127
FLAMENGO 6X0 PAYSANDU-PA

Na despedida do Flamengo do Campeonato Brasileiro, em 17 de Julho, o jogo contra o "Papão da Curuzu" foi realizado no campo do Bonsucesso, localizado na Avenida Teixeira de Castro, na cidade do Rio de Janeiro. Zico fez dois gols naquela goleada. O primeiro deles, o terceiro do Flamengo, ocorreu aos 12 minutos já da etapa final, quando Zico interceptou uma bola mal atrasada pelo zagueiro Nilo para o goleiro Omar, driblando-o e, mesmo escorregando, concluiu com sucesso.

O segundo do Galinho foi o quarto do jogo, aos 26 minutos. Começou numa jogada pessoal de Paulinho, que driblou três adversários, invadiu a área e chutou forte para o gol. Omar rebateu e Zico chutou colocado, no canto esquerdo. O Galinho, com 12 gols, foi o artilheiro da equipe na competição.

3 de agosto GOL 128
FLAMENGO 1X1 BANGU-GB

Primeira rodada do Campeonato Carioca em seu 1° turno, correspondente à Taça Guanabara. No Maracanã, o Flamengo decepcionou e só empatou com o Bangu. O gol rubro-negro surgiu após Ivanir aproveitar-se de uma falha do zagueiro banguense Serjão, ir à linha de fundo e cruzar para trás. Zico cabeceou, sem chances de defesa para o goleiro Luís Alberto, aos 33 minutos do 2° tempo, com o Flamengo fazendo 1x0.

10 de agosto GOL 129
FLAMENGO 1X2 MADUREIRA-GB

O surpreendente início ruim da equipe continuou com uma derrota na Maracanã para o tricolor suburbano, uma semana depois. O Flamengo perdia por 1x0, quando Zico converteu um pênalti, causado pelo toque na bola com as mãos por parte de um zagueiro, aos 29 minutos do 1° tempo. O goleiro Dorival pulou para o canto direito, com a bola indo para o lado oposto.

18 de agosto GOL 130
FLAMENGO 2X1 AMÉRICA-GB

Oito dias depois, no mesmo estádio, o Flamengo enfrentou o excelente time do América, fazendo, enfim, e com uma boa atuação, as pazes com a vitória. E ela começou com Zico cobrando um pênalti do zagueiro americano Geraldo em Doval, que tinha sido lançado em profundidade pelo Galinho. A bola foi ao canto direito e o goleiro Rogério para o esquerdo: 1x0 aos 20 minutos do 2° tempo.

24 de agosto **GOL 131**

FLAMENGO 1X0 PORTUGUESA-GB

Mais um jogo difícil, pela Taça Guanabara, no Estádio Jornalista Mário Filho. A Lusa segurou o ataque do Flamengo até que, aos 24 minutos do 1° tempo, Vanderlei foi à linha de fundo, driblou Daniel, partiu em direção ao gol defendido por Norival, sendo derrubado, na grande área, por Miguel, lateral-direito da Portuguesa. Pênalti + Zico = gol! Flamengo 1x0 na marca dos 27 minutos.

1 de setembro **GOL 132**

FLAMENGO 1X2 FLUMINENSE-GB

Era o primeiro dia de um novo mês e o Maracanã recebia um Fla-Flu, ainda pela Taça GB, em sua sexta rodada. O tricolor vencia por 2x0, quando, já aos 44 minutos do 2° tempo, Zico cobrou uma falta com incrível maestria, enganando o goleiro Félix, que coberto pela barreira, nada viu. A infração foi cometida por Bruñel em Ruy Rey. Foi o primeiro gol de falta de Zico no Maracanã, em sua carreira profissional.

4 de setembro **GOL 133**

FLAMENGO 2X0 OLARIA-GB

Foi no então maior estádio do Mundo que Zico atingiu a marca de 50 gols em sua carreira profissional. E em uma de suas especialidades: a cobrança de penalidade máxima. O jogo valeu pela sétima rodada da Taça Guanabara e a vítima foi a equipe do Olaria, aos 31 minutos da segunda etapa, definindo-se, assim, placar final do jogo em 2x0. O pênalti foi cometido pelo zagueiro bariri Miguel em Paulinho (posteriormente conhecido como Paulinho Carioca) e batido com a costumeira perfeição.

7 de setembro **GOL 134**

FLAMENGO 2X2 BONSUCESSO-GB

A Taça Guanabara foi, para o rubro-negro, de muitos tropeços. Dessa vez, não passou de um empate contra o rubro-anil leopoldinense, no Maracanã. Mas, o Flamengo esteve perdendo por 2x0, quando reagiu. O gol que determinou o placar final foi de Zico, aos 10 minutos do 2° tempo. No lance, o lateral-direito Nei, que havia substituído Rondinelli, cruzou alto, o goleiro Pedrinho saiu mal do gol, rebatendo a bola que sobrou para Paulinho. O ponta-direita voltou a colocar a bola na área. Zico acompanhou a jogada e chutou forte. Antes de entrar, a bola ainda bateu no travessão: 2x2.

15 de setembro **GOLS 135 e 136**

FLAMENGO 2X2 BOTAFOGO-GB

Oito dias depois, no mesmo local, o dilema se repetiu. O Botafogo fez 2x0 e o Flamengo teve que correr atrás. Zico fez os dois gols do empate final. O primeiro só saiu aos 30 minutos do 2° tempo, de pênalti, ocorrido quando Zico investiu com a bola para driblar o lateral-esquerdo alvi-negro Waltencir, sendo derrubado por este dentro da área. O goleiro Wendell foi para o canto direito, enquanto a bola foi enviada para o lado oposto. Foi seu centésimo gol no Estado do Rio de Janeiro.

Sete minutos depois, o empate: Zico dominou a bola quase na intermediária e partiu para a área do Botafogo. Numa arrancada espetacular e que já se tornara uma característica sua, driblou os zagueiros Osmar e Mauro Cruz, colocando a bola à direita de Wendell, que saiu em seu encalço, tentando, em vão, evitar o gol.

21 de setembro **GOL 137**

FLAMENGO 1X0 VASCO-GB

Na despedida da Taça GB, no Maracanã, o Flamengo não disputava o troféu, mas vencer um clássico seria bom para preparar o time para os dois turnos que ainda viriam pela frente. E o Rubro-Negro venceu. O gol único do jogo aconteceu ainda no 1º tempo, na altura dos 42 minutos, quando Paulinho lançou Arílson, que foi até a linha de fundo pela esquerda e cruzou para Zico marcar seu décimo gol na competição, num chute firme, sem defesa para Carlos Henrique, o goleiro vascaíno. O Galinho acabou a Taça GB como artilheiro, ao lado de Luisinho (América) e Roberto (Vasco). Foi esta a primeira competição em que Zico terminou como artilheiro na carreira profissional.

29 de setembro **GOLS 138 e 139**

FLAMENGO 4X1 AMÉRICA-GB

A estreia no 2º turno do Campeonato Carioca não poderia ser mais complicada. O time enfrentou, simplesmente, o campeão da Taça Guanabara, no Maracanã. Mas, o Flamengo não iria repetir o início ruim do 1º turno. Aos 28 minutos da 1ª fase, o zagueiro Geraldo, do América, tentou parar o meio campo Geraldo, do Flamengo, com botinadas. Não conseguiu e este último, com inteligência, enviou a bola a Zico, que se livrou da marcação de Álvaro e completou para as redes do goleiro Rogério: Flamengo 1x0.

Aos 17 minutos do 2º tempo, Geraldo, o craque rubro-negro, partiu, com sua incrível classe, para a área americana, com dribles seguidos sobre os zagueiros, tirando-os da jogada e servindo Zico, que mandou para o gol, colocando 2x0 no placar. A torcida, após gritar o nome do autor do gol, ovacionou Geraldo.

5 de outubro **GOL 140**

COMERCIAL-MT 1X1 FLAMENGO

Seis dias depois, o Flamengo jogou um amistoso no estádio Pedro Pedrossian (o Morenão), na cidade de Campo Grande, no então Estado de Mato Grosso (Hoje, esta cidade é a capital do Estado de Mato Grosso do Sul, criado em 1977). Todos esperavam um jogo fácil, mas o time carioca não se achava. E a grande surpresa aconteceu quando o Comercial abriu o placar. Isto aos 42 minutos do 2º tempo! Zico acordou para o que acontecia e, demonstrando muita categoria, partiu do meio de campo, driblando quatro adversários e empatando o jogo, aos 44 minutos. O goleiro Jair só pôde buscar a bola nas redes. Gol de placa!

Chegando ao Rio de Janeiro, Zico declarou ao *Jornal dos Sports*: "Fiz o gol com raiva. Eles marcaram um a zero e, na saída da bola, eu fui driblando uma porção. Honestamente como perdi a conta. Não podíamos sair derrotados."

9 de outubro **GOLS 141 e 142**

FLAMENGO 5X1 MADUREIRA-GB

De volta ao Maracanã e ao Campeonato Carioca, o reencontro com o Madureira, causador de uma derrota do Flamengo na Taça Guanabara. O pesadelo parecia que iria se repetir, quando o tricolor suburbano abriu a contagem no primeiro minuto de jogo! O quadro, no entanto, começou a se reverter aos 29 minutos, quando Zico marcou o gol de empate, cobrando um pênalti cometido por Celso Alonso em Doval, no canto direito baixo, sem defesa para o goleiro Dorival.

Dez minutos depois, falta na entrada da área. Adivinha quem bateu? O camisa 10 da Gávea: Zico! Gol da virada do Flamengo e início da goleada, que vingou, com juros, a derrota do 1° turno.

20 de outubro **GOL 143**

FLAMENGO 1X1 VASCO-GB

Veio o clássico contra o Vasco, no Maracanã, que recebeu mais de 85.000 espectadores. O time de São Januário vencia por 1x0, quando Miguel cometeu uma falta sobre Doval. O time do Flamengo protestou, dizendo que a infração havia acontecido dentro da área, mas o árbitro não concordou. Para Zico, não fazia muita diferença. Cobrança perfeita, sem chance para o goleiro Andrada, e o jogo empatado, aos 33 minutos do 2° tempo. Agora, Zico liderava a artilharia do campeonato, ao lado de Luisinho, do América, com 15 gols cada.

20 de novembro **GOL 144**

FLAMENGO 1X0 MADUREIRA-GB

O segundo turno foi conquistado pelo Vasco. Agora, a única chance de disputar o título estadual era vencendo o terceiro turno. Então, aconteceu, no Maracanã, mais um jogo dramático contra o Madureira. Aos 9 minutos do 2° tempo, ainda com 0x0 no placar, Arílson se contundiu, tendo que sair do jogo, deixando o Flamengo com apenas 10 jogadores em campo, pois as duas substituições permitidas já haviam sido feitas. Mesmo assim, a dois minutos de se encerrar o tempo regulamentar, veio o gol único da vitória. Seu autor: Zico. O lance começou com Édson, que fez ótimo lançamento para Doval. O argentino entrou pela esquerda, passou por Valtinho e chutou prensado com o zagueiro. A bola bateu no goleiro Dorival e sobrou para Zico, que, livre, desviou de pé direito: Flamengo 1x0.

24 de novembro **GOL 145**

FLAMENGO 3X1 VASCO-GB

A seguir, um jogo importante contra o Vasco, no Maracanã. Tropeçar complicaria muito as chances do clube da Gávea. O Flamengo começou com tudo. Paulinho fez 1x0 e, aos 26 minutos ainda da primeira etapa, veio um cruzamento do novo lateral-direito Junior, da direita para a grande área. Zico subiu entre dois zagueiros vascaínos (Fidélis e Miguel) e não perdoou, testando forte para as redes de Andrada o segundo gol do Flamengo e do jogo.

Zico lembra de um dado estatístico: "Foi nesse jogo que eu igualei o recorde do Dida de quantidade de gols em único ano. O Dida tinha feito 47 gols *(Nota dos autores: em 1959)* e, com esse gol, eu cheguei a 47. Foi um cruzamento do Junior e eu entrei de cabeça no meio dos zagueiros. O goleiro era o Andrada. Foi um gol de centroavante. Uma cabeçada forte."

4 de dezembro **GOL 146**

FLAMENGO 1X2 BONSUCESSO-GB

Nesse dia, foi disputada a penúltima rodada do 3° turno. No Maracanã, o Flamengo decepcionou e perdeu para o Bonsucesso. O gol único do rubro-negro foi de Zico, que, após tabelar com Geraldo, driblou o zagueiro Nílson com um jogo de corpo, escapando da falta, e chutou forte no canto direito do goleiro Pedrinho, aos 13 minutos da etapa final, empatando o jogo naquela ocasião.

8 de dezembro **GOL 147**
FLAMENGO 2X1 AMÉRICA-GB

Veio, então, a última rodada e, também, a última chance para vencer o turno e continuar na competição. Só a vitória servia, mas o América, então líder, saiu na frente. Junior, marcando seu primeiro gol como profissional, deixou tudo igual, ainda na fase inicial do jogo. Aos 12 minutos do 2° tempo, Ivo fez falta sobre Zé Mário, no lado direito da entrada da área. Suspense no Maracanã. Zico bateu com calma e perfeição no ângulo esquerdo. O goleiro Rogério nada pôde fazer. Gol da virada, da vitória e da conquista do 3° turno do Campeonato Carioca de 1974. Foi o 50° gol do Galinho no Maracanã.

"Esse foi o gol de falta, né?", recorda o Galinho de Quintino. "Quando nós ganhamos o 3° turno. O goleiro do América era o Rogério. Foi um golaço."

15 de dezembro
FLAMENGO 2X1 AMÉRICA-RJ

22 de dezembro
FLAMENGO 0X0 VASCO-RJ

Zico não marcou gol nas duas partidas do triangular decisivo – vitória de 2x1 sobre o América e empate de 0x0 com o Vasco -, mas participou, com grandes atuações, desses jogos, que possibilitaram sua primeira conquista no futebol profissional, atuando: Campeão Carioca de 1974. A escalação do Flamengo no jogo decisivo, contra o Vasco, foi a seguinte: Renato; Junior, Jayme, Luís Carlos e Rodrigues Neto; Zé Mário, Geraldo e Édson; Paulinho, Zico e Julinho (Ivanir).

Ao final de 1974, Zico, com 49 gols marcados, foi, pela primeira vez, o maior artilheiro do Flamengo em uma temporada. Com um total de 64 gols, ainda estava longe de entrar para a galeria dos maiores de todos os tempos. Neste ano, Zagallo, técnico da Seleção Brasileira, optou por não convocar Zico para a Copa do Mundo, disputada na então Alemanha Ocidental, por achá-lo ainda muito "verde". Com um time bom, mas envelhecido, o Brasil não passou de um quarto lugar, com três vitórias em sete jogos realizados.

Golaço de Zico contra o Botafogo pelo Campeonato Brasileiro em 9 de junho de 1974.

CAPÍTULO 5

A vibração do jovem Zico em 1975.

1975

O Flamengo começou o ano ainda comandado por Joubert. A base foi mantida e havia esperança de grandes conquistas.

26 de janeiro GOL 148
SELEÇÃO DE VASSOURAS-RJ 0X6 FLAMENGO

No primeiro amistoso do ano, na cidade fluminense de Vassouras, Zico marcou o quinto gol na goleada de 6x0 do rubro-negro sobre o selecionado daquele município, aos 18 minutos do 2º tempo, após receber lançamento de Silvinho, dominar e tocar com categoria no canto esquerdo do goleiro Osvaldo.

2 de fevereiro GOLS 149 e 150
FLAMENGO 4X2 INTERNACIONAL-RS

Neste amistoso no Maracanã, o Flamengo começou arrasador e, após marcar 1x0 com Ivanir, ampliava o marcador, ainda aos 11 minutos de jogo. Édson recebeu uma carga faltosa de Pontes, próximo à meia-lua da entrada da área gaúcha. Zico bateu bem no ângulo, sem chance para o goleiro Manga, que pulou atrasado.

O Inter descontou, mas, ainda na primeira fase, Paulinho foi lançado pela direita. Quando ia alcançar a bola, foi deslocado com o braço pelo lateral-esquerdo colorado, Vacaria, em pênalti claro. Manga se mexeu antes da cobrança, mas não adiantou. A batida de Zico foi bem no cantinho, à esquerda do goleiro: Flamengo 3x1, aos 21 minutos.

Zico lembra: "Nesse jogo eu fiz um de falta e outro de pênalti. Nesse jogo eu brinquei com o Manga. (risos) Manguinha, você me ferrava lá no Botafogo, te peguei aqui (gargalhadas)."

16 de fevereiro GOL 151
GUANABARA 1X1 SÃO PAULO

O Maracanã recebeu as seleções carioca e paulista para aquele então tradicional confronto. Em jogo, a taça Heleno Nunes. Os visitantes saíram na frente no marcador. Já na metade da etapa final, Zico fez ótimo lançamento para Rivellino, que, penetrando, driblou o arqueiro Leão, sendo por este derrubado, quando ia finalizar. Zico cobrou com categoria, empatando o jogo aos 23 minutos. A seleção guanabarina venceu, nos pênaltis, por 4x1, com uma das cobranças convertidas por Zico.

Osvaldo Brandão, que foi efetivado como técnico da Seleção do Brasil naquele ano, assim comentou sobre a atuação do Galinho e do lateral Toninho: "Eu já conhecia os dois pela televisão, mas ainda não tinha tido a oportunidade de vê-los correndo uma partida inteira, assim como aconteceu desta vez. Zico é um atacante sensacional. Ele tem a medida da jogada, sabe quando deve passar a bola ou invadir a área. Duas armas importantes para qualquer ponta-de-lança. Zico é um craque muito acima da média."

2 de março GOL 152
FLAMENGO 2X2 VASCO-GB

A primeira rodada da Taça Guanabara, correspondente ao 1º turno do Campeonato Carioca de 1975, trouxe, logo, as emoções de um clássico no maior estádio do Mundo. No Vasco, a presença de Edu, irmão de Zico. O jogo estava empatado em um gol, quando, aos 21 minutos do 2° tempo, Zico marcou um gol antológico. Recebeu passe de Geraldo, na intermediária, e partiu em direção à área vascaína, driblando todos que apareciam em seu caminho com fantásticos dribles de corpo. Ficou frente à frente com o goleiro Andrada, enganou-o, também, e marcou, chutando entre a trave e o lateral vascaíno Alfinete, que, em desespero, se precipitou para a frente da meta. Uma pintura de gol! Até o arqueiro adversário aplaudiu a jogada de Zico!

12 de março **GOL 153**
SELEÇÃO DE GOIÁS 0X3 FLAMENGO

Pausa no Campeonato Carioca e viagem a Goiás para disputar o Torneio Quadrangular Internacional de Goiânia. A estreia, no Estádio Serra Dourada com 60.000 espectadores, foi contra a seleção goiana, que levou um passeio do time carioca. O segundo gol da goleada foi de Zico, aos 29 minutos da etapa inicial. Doval recebeu passe de Zico, penetrou e foi derrubado, próxima à meia-lua da entrada da grande área. A falta foi batida com perfeição, pelo alto, para o canto esquerdo do gol. O goleiro Nílson nada pôde fazer para impedir.

16 de março
FLAMENGO 1X0 PALMEIRAS-SP

Derrotando o Palmeiras na decisão, por 1x0 com gol de Paulinho, o Flamengo, que atuou com Renato; Junior (Vanderlei), Jaime, Luís Carlos e Rodrigues Neto; Liminha e Geraldo (que foi expulso); Paulinho, Doval (Ivanir), Zico e Luiz Paulo (Léo), sagrou-se Campeão do Torneio Quadrangular Internacional de Goiânia 1975, também chamado de Torneio Governo do Estado e Torneio Internacional Leonino Caiado, que contou, também, com a participação da Seleção da Argentina.

29 de março **GOLS 154 e 155**
FLAMENGO 2X3 SÃO CRISTÓVÃO-RJ

Em 15 de Março de 1975, o Estado da Guanabara foi extinto, fundindo-se ao Estado do Rio de Janeiro. A cidade do Rio de Janeiro passou a ser a capital do novo estado. De volta à Taça GB, o Maracanã abriu as portas para uma das grandes zebras do campeonato. O Flamengo enfrentou o São Cri-Cri e largou na frente com dois gols de Zico no 1° tempo, mas, incrivelmente, permitiu a virada. Logo aos 2 minutos, Paulinho centrou para Zico completar, de cabeça nas redes de Sérgio, com a bola entrando no ângulo esquerdo do gol, sem que nenhum jogador adversário tenha sequer tocado na bola no desenrolar do lance. Com este gol, Zico chegou à marca de 70 gols marcados pelo time profissional do Flamengo, superando Silva, 'O Batuta' (craque e ídolo do Rubro-Negro nos anos de 1965 a 1968).

Trinta e seis minutos depois, o camisa 10 da Gávea foi lançado em profundidade, invadiu a área, driblou Sérgio e concluiu, chutando com raiva, de direita, para o gol vazio: Flamengo 2x0.

9 de abril **GOLS 156 a 159**
FLAMENGO 5X1 CAMPO GRANDE-RJ

Nesse jogo no Maracanã, válido pela oitava rodada da Taça Guanabara, Zico atingiu mais uma marca: pela primeira vez, como profissional, quatro gols em um só jogo! Geraldo abriu o placar. Depois, o Galinho assumiu a festa: logo aos 15 minutos de jogo, colocava 2x0 no placar, ao cobrar pênalti de Jorge Cruz sobre Doval, no canto esquerdo. O goleiro Moacir pulou para o lado oposto.

Aos 26 minutos, outro pênalti, este cometido pelo lateral-direito Haroldo em Luiz Paulo, empurrando-o com as duas mãos, foi convertido por Zico: Flamengo 3x0.

Já na etapa final, Zico marcou o quarto gol do jogo, aos 11 minutos, depois de receber belo cruzamento de Luiz Paulo, chutando no canto direito, na saída do arqueiro adversário.

O Campusca descontou, mas, novamente de pênalti, uma de suas especialidades, Zico, na marca dos 27 minutos, decretou o placar final do jogo. A penalidade foi cometida por Péricles sobre Paulinho.

15 de abril **GOLS 160 a 162**

FLAMENGO 5X0 BANGU-RJ

Flamengo e Bangu se enfrentaram, em São Januário, ainda pelo 1º turno do Campeonato Carioca, em sua décima rodada. Zico fez três gols no goleiro Luís Alberto. Aos 20 minutos, Rodrigues Neto bateu uma falta, rasteira. A bola desviou no calcanhar do goleiro banguense e sobrou para Zico que, livre, concluiu para marcar.

Os outros dois, batendo penalidades máximas, respectivamente aos 28 minutos do 1º tempo, quando o próprio Galinho chocou-se com o goleiro dentro da pequena área (Flamengo 2x0) e aos 39 minutos do 2º tempo (O último gol do jogo). Este marcado após o zagueiro Luís Alberto II, do Bangu, salvar com a mão um chute de Zico com endereço certo, após boa assistência de Geraldo.

Com esses três gols, Zico agora era o artilheiro isolado do campeonato, com 10 gols marcados.

1 de maio **GOL 163**

FLAMENGO 5X0 MADUREIRA-RJ

No Dia do Trabalho, Flamengo e Madureira se enfrentaram, pela primeira rodada do 2º turno do Campeonato Carioca, no Maracanã. O jogo foi fácil e o Mengo goleou. Zico fez o último, aos 24 minutos da etapa final, cobrando um pênalti, ocasionado quando Luisinho recebeu lançamento e fez um passe para o Galinho de Quintino, que, livre, invadiu a área na corrida, até ser derrubado pelo goleiro Dorival. A cobrança foi no canto esquerdo. Com esse gol, Zico atingiu a marca de 79 gols como profissional do Flamengo, superando Fio 'Maravilha' (ídolo Rubro-Negro entre 1965 e 1972).

14 de maio **GOL 164**

FLAMENGO 3X2 PORTUGUESA-RJ

Treze dias depois, um jogo difícil contra a Lusa da Ilha do Governador, no Maracanã. O Flamengo perdia por 2x1, quando Zico iniciou a virada definitiva, marcando, após excelente passe de Luisinho, com um chute de pé direito, já na entrada da pequena área, o gol de empate sobre o goleiro Sérgio, aos 22 minutos do 2º tempo.

18 de maio **GOL 165**

FLAMENGO 2X1 FLUMINENSE-RJ

Pela 5ª rodada do 2º turno, mais um Fla-Flu no Maracanã, com Zico de um lado e Rivelino do outro. Zico abriu a contagem, aos 20 minutos do 1º tempo. Rodrigues Neto, pela esquerda, lançou para a entrada da área. Luisinho disputou a bola, que sobrou para Doval na ponta direita. O argentino invadiu a área, passou pelo zagueiro Edinho e tocou para o Galinho, que dominou com a coxa direita, se livrou da marcação de Pintinho, esperou o quique da bola, antes de completar, de pé direito, nas redes de Félix, acertando o canto direito baixo do gol.

31 de maio **GOL 166**

FLAMENGO 2X0 SÃO CRISTÓVÃO-RJ

No último dia do mês, o reencontro, no mesmo Maracanã, com o time que aprontou para cima do Flamengo na Taça Guanabara. Era hora de vingar aquela derrota. Mais uma vez, o Flamengo abriu 2x0... mas, desta vez, o placar ficou o mesmo até o fim. Foi de Zico, de pênalti, o segundo gol do jogo, marcado aos 34 minutos da segunda etapa. No lance que originou a falta máxima, após uma confusão na área, a bola sobrou para Paulinho, que chutou de primeira. O zagueiro Neném partiu para interceptar, mas a bola tocou em sua mão, dentro da área. Zico chutou no canto direito do goleiro Zé Henrique.

8 de junho **GOL 167**

FLAMENGO 2X1 VASCO-RJ

Ainda no Maracanã, um clássico decisivo às pretensões do Flamengo na competição. O jogo estava empatado (1x1), quando, aos 12 minutos do 2° tempo, Geraldo passou para Junior pela meia-direita, perto da entrada da área. O lateral-direito adiantou demais a bola, que tocou no zagueiro vascaíno Moisés, sobrando para Zico, na altura da meia-lua. O camisa 10 invadiu a área, deixou a bola quicar e, no meio de três adversários, chutou, de pé direito, no canto direito baixo de Andrada, fazendo o que seria o gol da vitória.

11 de junho **GOLS 168 a 170**

FLAMENGO 5X0 BANGU-RJ

No 1° turno, o Flamengo fez 5x0 no Bangu, em São Januário, e Zico fez três gols. No 2° turno, tudo se repetiu, desta vez no Maracanã. Zico abriu o marcador, cobrando pênalti de Serjão sobre Luisinho, logo aos 4 minutos de jogo, rasteiro, no canto esquerdo, sem defesa para Luís Alberto.

Aos 22 minutos do 2° tempo, Zico cobrou uma falta, sofrida por Luisinho. A bola desviou na barreira e se encaminhou para as redes, entrando no ângulo esquerdo: Flamengo 3x0.

E, cinco minutos depois, Rodrigues Neto chutou a gol. Luís Alberto deu rebote, que Zico não desperdiçou: Flamengo 4x0.

14 de junho **GOL 171**

FLAMENGO 2X1 AMÉRICA-RJ

Na última rodada do 2° turno, no Maracanã, o América, que vencera o Flamengo na Taça Guanabara, saiu na frente, marcando aos 10 minutos de jogo. O gol de empate só surgiu no segundo tempo, aos 17 minutos, quando Zico recebeu pela direita e, ao tentar driblar o zagueiro Biluca, dentro da área, foi derrubado. A cobrança foi no canto esquerdo do goleiro País, que pulou para o outro lado. Com este gol, Zico chegou a 87 gols pelo time profissional do Flamengo, superando Gérson, 'O Canhotinha de Ouro' (craque rubro-negro entre 1958 e 1963). Apesar de terminar invicto este turno, um ponto perdido para o Campo Grande tirou o primeiro posto do Flamengo.

18 de junho **GOL 172**

BAHIA-BA 2X1 FLAMENGO

Antes do início do 3° turno do Campeonato Carioca, o Flamengo fez alguns amistosos. O primeiro deles foi na Fonte Nova, em Salvador, capital da Bahia, contra o tricolor da Boa Terra. O Flamengo saiu perdendo, com um gol na etapa inicial. Aos 12 minutos do 2° tempo, Junior roubou uma bola no meio-campo e tocou para Luiz Paulo que, de primeira, estendeu, em velocidade, para Zico invadir a área e marcar, na saída do goleiro Luís Antônio, chutando no ângulo direito de seu gol, empatando. Mas, o Bahia venceu o jogo por 2x1.

5 de julho **GOL 173**

FLAMENGO 2X1 JUVENTUS-IT

Já em Julho, o Flamengo fez um amistoso internacional contra a italiana Juventus, da cidade de Turim, no Maracanã. O jogo estava 1x1, graças a um gol de pura raça de Doval, quando, aos 30 minutos do 2º tempo, Geraldo cobrou uma falta curta, fazendo o passe a Zico. Ele deu dois passos e chutou forte, rasteiro, com a bola passando entre as pernas do goleiro Zoff: importante vitória sobre a equipe campeã italiana da temporada recém-terminada.

"Esse foi uma das primeiras vezes que eu sofri assim, uma marcação individual... de europeu, né?" disse Zico. "A gente não estava muito acostumado a jogar com marcação homem a homem. O Gentile até me lembrou o nome do cara que me marcou: era o Furino. Eles já tinham jogado contra o Palmeiras, lá em São Paulo, e vieram jogar com a gente aqui e eu fiz o gol da vitória, né? De canhota, de fora da área, limpei a bola prá esquerda e bati cruzado. Não sei se era o Zoff no gol. (A Juventus) Era um timaço. Tinha o Causio, Tardelli, Cabrini, Scirea, Bettega..."

9 de julho **GOLS 174 e 175**

FLAMENGO 3X0 PORTUGUESA-RJ

Quatro dias depois, no mesmo estádio, o clube da Gávea estreava no 3º turno do Campeonato Carioca contra a Portuguesa. Logo aos 17 minutos de jogo, o lateral-direito da Lusa, Calibé, fez falta sobre Luisinho a poucos passos da área. O goleiro Íris armou a barreira, mas não teve chances de defesa. Zico bateu por sobre a muralha humana, colocando a bola fora de seu alcance, no canto direito: Flamengo 1x0.

Mais tarde, Luisinho sofreu falta, agora dentro da área, cometida por Jair. Zico bateu o pênalti no canto esquerdo aos 25 minutos e marcou o segundo gol do Flamengo e do jogo. Com este gol, Zico empatou com Roberto, do Vasco, na liderança da artilharia do campeonato, com 21 gols cada.

16 de julho **GOLS 176 a 178**

FLAMENGO 5X0 BANGU-RJ

Parecia filme antigo, mas não era. Pela terceira vez naquele campeonato, Flamengo e Bangu se enfrentaram. Pela terceira vez, o placar final foi de 5x0 para os rubro-negros. E, pela terceira vez, Zico marcou três gols nos "mulatinhos rosados"! O primeiro, naquele jogo, valendo pelo 3º turno do Campeonato Carioca, aconteceu aos 10 minutos da 1ª etapa, mas foi o segundo gol do jogo. Zico, partiu em velocidade pelo meio, após receber bom passe de Édson, aplicou um "lençol" no zagueiro Serjão, e concluiu forte, de fora da área, sem defesa para o goleiro adversário Luís Alberto, que viu a bola entrar à sua direita.

Mas, após esse início arrasador, o placar só voltou a se movimentar no 2º tempo. E de pênalti, do zagueiro Valderi em Paulinho, aos 23 minutos. Era a fórmula quase perfeita: Pênalti + Zico = Gol! Flamengo 3x0.

Por fim, na marca dos 36 minutos, Luiz Paulo fez bela jogada, concluída por Zico, com chute forte, da entrada da área, encerrando, assim, a goleada no Maracanã: 5x0, de novo!

Com esses três gols, o Galinho chegou a 24 gols no campeonato, assumindo a artilharia isolada da competição. Além disso, Zico tornou-se o 15º na lista dos principais artilheiros da história do Flamengo, com 94 gols, superando seu companheiro Doval.

19 de julho **GOLS 179 a 181**

FLAMENGO 4X0 BOTAFOGO-RJ

Por incrível que pareça, após uma sonora goleada sobre um grande adversário, a torcida do Flamengo saiu do Maracanã, naquele dia, com um gosto de "queria mais". A razão é que o Flamengo perdera uma oportunidade rara de devolver uma humilhante derrota sofrida para o mesmo Botafogo, três anos antes. O troco fora adiado. De qualquer maneira, a atuação do Flamengo foi empolgante e envolvente. O placar foi iniciado aos 5 minutos do 1° tempo. Geraldo tomou a bola do cabeça-de-área botafoguense, Carlos Roberto, e deu logo para Luisinho. Este, rápido, passou para Zico, que estufou as redes do goleiro Ubirajara Alcântara.

Oito minutos depois, já com 2x0 no placar, graças a um gol de Luisinho, a goleada apareceu em mais um passe de Doval, centrando da direita, para conclusão do Galinho, na pequena área, girando o corpo e tocando, de pé direito e no canto direito: treze minutos e 3x0. A vingança dos 0x6 de 1972 nunca esteve tão perto!

Mas, incrivelmente, o Flamengo diminuiu o ritmo e o placar não mais se mexeu, até que, aos 27 minutos da etapa final, Waltencir derrubou Luisinho, dentro da área, após boa jogada de Doval. Pênalti cobrado por Zico com perfeição e 4x0 no placar. E, apesar dos insistentes gritos vindo das arquibancadas, pedindo mais gols, o time preferiu segurar o resultado.

Aqui, Zico rememora: "Esse foi o jogo que a torcida queria virar o carro do Luisinho "Tombo". Ele tinha um maverick (risos). A gente tinha feito 3x0 com uns 15 minutos de jogo. O goleiro do Botafogo era o Ubirajara, que entrou de calça (risos) e foi gol prá tudo o que era lado e a torcida gritando "QUEREMOS SEIS, QUEREMOS SEIS". Esse jogo ganhamos de 4 e saímos vaiados de campo pela torcida. Eles queriam 6. Eu fiz 3 gols nesse jogo. Dois no primeiro tempo e um de pênalti no segundo. O jogo estava 4 a 0 prá gente e o Luisinho começou a perder gol à beça! Saímos vaiados e quiseram virar o carro do Luisinho. Foi num sábado à noite."

Com seus 3 gols nesse jogo, Zico se tornou o maior artilheiro de uma competição oficial, na era Maracanã, com 27 gols marcados até aqui, superando Ademir Menezes (do Vasco, em 1950) e Quarentinha (do Botafogo, em 1959 e 1960), que fizeram 25!

23 de julho **GOL 182**

FLAMENGO 3X1 MADUREIRA-RJ

Quatro dias se passaram e Flamengo e Madureira preliaram no Maracanã, valendo pela quinta rodada do terceiro turno da competição estadual. O gol de abertura foi de Zico, aos 37 minutos de partida, de pé esquerdo, após bela tabela com Édson. O goleiro Dorival nada pôde fazer para impedir a bola de entrar, rasteira, em seu canto direito.

26 de julho **GOLS 183 e 184**

FLAMENGO 3X1 AMÉRICA-RJ

Três dias depois, no mesmo local, um jogo que se tornou histórico para Zico. O maior estádio do Mundo presenciou duas marcas do artilheiro. Era dia de festa da inauguração de mais uma torcida organizada: a Fla12, mas o América queria estragar. Fez 1x0 de início, mas, já aos 3 minutos daquele primeiro tempo, após dar nova saída, Édson fez lançamento a Zico, que tirou o zagueiro Alex e o lateral-direito Fidélis da jogada e chutou à direita de Rogério, surpreendendo o goleiro com sua velocidade e eficiência. Era mais do que o empate. Era o 100° gol profissional da carreira de Zico e o 6.800° gol da história do Flamengo!

O Flamengo já havia virado o jogo com um gol de Rodrigues Neto, quando, aos 15 minutos do 2° tempo, Zico recebeu de Édson após um escanteio, tentou virar o corpo para tocar por cima de Fidélis, mas o lateral tocou a bola com a mão. O juiz deu o pênalti, que o próprio Zico converteu, no canto esquerdo, fazendo 3x1. Foi o 100° gol de Zico, pelo Flamengo, como jogador profissional!

Apesar de seu time terminar fora da briga pelo título, Zico foi o principal artilheiro do Campeonato Carioca de 1975, com 30 gols.

13 de agosto **GOLS 185 e 186**

TREZE-PB 1X2 FLAMENGO

Entre a disputa do Campeonato Carioca e o início do Campeonato Brasileiro, o Flamengo fez dois amistosos na Paraíba. No primeiro, no estádio Ernani Sátyro, na cidade de Campina Grande, o Treze saiu na frente, mas Zico empatou aos 10 minutos, completando, de cabeça, um cruzamento de Édson, vindo da esquerda.

Aos 11 minutos do tempo final, Zico partiu, em jogada individual, driblou dois adversários, invadiu a área e chutou firme no canto direito do goleiro Renato, virando a partida. Com este gol, Zico alcançou a marca de 102 gols como jogador profissional do Flamengo, igualando-se a Alfredo (que atuou pelo clube de 1934 a 1937) e Evaristo de Macedo (ídolo da torcida rubro-negra no tricampeonato carioca de 1953/4/5, tendo atuado pelo clube de 1953 a 1957 e de 1964 a 1966) como décimos segundos maiores artilheiros da história do clube.

15 de agosto **GOL 187**

AUTO ESPORTE-PB 0X3 FLAMENGO

Inaugurando os refletores do estádio Almeidão, na goleada sobre o Auto Esporte, na capital João Pessoa, Zico, aproveitando centro de Édson, marcou o segundo do Mengão, com uma certeira cabeçada aos 26 minutos do 2° tempo, no arco defendido por Fernando. Com este gol, Zico alcançou a marca de 103 gols como jogador profissional do Flamengo, isolando-se como o 12° maior artilheiro da história do clube.

21 de agosto **GOL 188**

FLAMENGO 1X2 SPORT-PE

A estreia no Campeonato Brasileiro foi com uma derrota em pleno Maracanã, para o Sport Recife. O jogo já estava 2x0 para os visitantes, quando, aos 8 minutos da fase final, Doval investiu pela direita, livrou-se de um marcador e centrou. Junior tocou de cabeça para trás, caindo a bola nos pés de Zico, que dominou na entrada da área e completou, de pé direito, de bico, sem defesa para Toinho. Infelizmente, a reação parou por aí.

7 de setembro **GOL 189**

FLAMENGO 2X4 VASCO-RJ

No Dia da Independência, o clássico carioca das multidões agitou o Maracanã, valendo pela competição nacional. O Vasco fez 1x0, Rodrigues Neto empatou, mas o time de São Januário tornou a passar à frente no placar. Aos 23 minutos do 2° tempo, Junior bateu uma falta da meia-direita, cruzando a bola para a área. O zagueiro Moisés tirou, de cabeça, mandando a bola para o volante Zanata, que não a dominou, perdendo o lance para Doval. O argentino avançou e tocou para Zico, que, da entrada da área, penetrou, driblou os zagueiros Moisés e Deodoro e, com o pé direito, chutou com força, no canto direito de Mazarópi, empatando, de novo a partida. O Vasco marcou mais dois gols e a derrota derrubou o técnico Joubert. Até a aquisição de um substituto definitivo, Modesto Bria assumiu interinamente.

11 de outubro **GOL 190**

COMB. OLYMPIQUE DE MARSEILLE/PARIS SAINT-GERMAIN-FR 0X1 FLAMENGO

Houve um intervalo no Campeonato Brasileiro, no qual alguns clubes aproveitaram para excursionar. Foi o caso do Flamengo, que foi à Europa, já com novo técnico: Carlos Froner. Em Toulouse, na França, enfrentou um fortíssimo combinado, formado por dois dos maiores times do país. E o Flamengo venceu! O gol foi aos 6 minutos do 2° tempo, de Zico, em cobrança de penalidade máxima cometida pelo goleiro iugoslavo Pantelić sobre Luisinho, quando este se preparava para chutar. O Flamengo saiu de campo aplaudido de pé pelos torcedores!

19 de outubro **GOL 191**

FLAMENGO 2X0 AMÉRICA-RJ

De volta ao Brasil e ao Campeonato Nacional, Flamengo e América se enfrentaram, no Maracanã. O Flamengo superou o cansaço e venceu. Foi de Zico o segundo gol da vitória, marcado aos 11 minutos do 2° tempo. Ele fez um lançamento longo para Luisinho. O goleiro americano País conseguiu chegar primeiro, mas, em vez de rebater, optou por driblar o atacante flamenguista, perdendo a bola, na sequência, para Paulinho, que deu a Zico. Com o gol livre, o ponta-de-lança chutou, quase do meio do campo, por cobertura, para o gol abandonado, marcando um golaço!

21 de outubro **GOL 192**

FLAMENGO 3X0 PALMEIRAS-SP

O Flamengo estava devendo uma grande atuação no Campeonato Brasileiro. E ela veio no Maracanã, sobre o Palmeiras, de Ademir da Guia e do arqueiro Leão, que caiu de goleada, com direito a um golaço de Zico. O placar já era de 2x0, gols de Tadeu e Luisinho, e a torcida se deliciava nas arquibancadas, nas cadeiras e na geral, quando, aos 40 minutos da etapa final, Jayme fugiu pela esquerda e passou a bola a Zico. Este arrancou, enganando, de forma brilhante, dois jogadores do Palmeiras, aparecendo sozinho, frente a Leão, driblando-o para o lado e colocando mansamente a bola nas redes: 3x0 e um delírio no estádio!

Zico diz: " O que eu lembro desse jogo é da jogada do Jayme, que veio pela esquerda e cruzou pra entrada da área. Eu me antecipei ao zagueiro - acho que era o Eurico -, estiquei a perna, antecipei, o Leão saiu, eu ameacei, ele caiu, eu limpei dele e rolei pro gol. O Palmeiras tinha um timaço!"

Com esse gol, Zico chegou à marca de 108 gols pelo Flamengo, igualando-se a Esquerdinha (que atuou pelo clube de 1948 a 1955) na 11ª colocação histórica da artilharia rubro-negra.

25 de outubro **GOL 193**

FLAMENGO 1X2 REMO-PA

A participação do Flamengo nesse campeonato teve apenas lampejos. A torcida sofreu uma grande decepção com uma derrota, em pleno Maracanã, para o Clube do Remo, do Pará. Mas, o gol único do Flamengo foi uma pintura: o Flamengo perdia por 1x0, quando, aos 43 minutos, ainda da primeira metade do jogo, Geraldo matou a bola com incrível categoria, encobriu um adversário e tocou bonito para Zico, que recolheu de direita, levantando ligeiramente a bola. Quando ela caiu, enfiou o pé esquerdo direto e mandou no fundo das redes do goleiro Dico, no canto esquerdo do gol.

Com 109 gols, o Galinho era, agora isolado, o 11° maior artilheiro da história do Flamengo.

29 de outubro GOL 194

TIRADENTES-PI 3X2 FLAMENGO

Passaram-se, apenas, quatro dias daquela surpresa e veio nova e inesperada derrota no Campeonato Brasileiro. Desta vez, no Piauí, para o Tiradentes, no Estádio Alberto Silva. E olha que, aos 31 minutos do 1° tempo, Zico colocou o Flamengo na frente do marcador: 2x1, em cobrança de falta, sofrida por Luisinho, junto à entrada da área. Jorge Hipólito, goleiro do time local, nada pôde fazer.

4 de novembro GOL 195

ATLÉTICO-MG 1X1 FLAMENGO

Enfrentar o Galo em Minas nunca foi tarefa fácil. Mas, o Flamengo buscava uma reabilitação na competição. Naquele jogo realizado no Mineirão, o Atlético vencia por 1x0, quando, logo no começo do 2° tempo, Luisinho foi derrubado pelo goleiro Zolini, dentro da área. Zico bateu com perfeição o pênalti, empatando a partida aos 2 minutos corridos.

16 de novembro GOL 196

FLAMENGO 1X1 SÃO PAULO-SP

Clássico nacional disputado no Maracanã pela segunda rodada da terceira fase do Campeonato Brasileiro. Mais uma vez, a categoria de Zico em cobranças de pênaltis salvou o Flamengo, empatando o jogo, de forma definitiva, aos 39 minutos, ainda na fase inicial. A jogada se iniciou com Luisinho recebendo um passe de Zico. O centroavante tocou na frente, invadiu a área e, quando ia chutar, perto da marca do pênalti, foi derrubado, por trás, pelo zagueiro Paranhos. Zico cobrou rasteiro, no canto esquerdo de Waldir Peres, goleiro sampaulino.

22 de novembro GOL 197

FLAMENGO 3X0 NÁUTICO-PE

Na quarta rodada, o pernambucano Náutico não resistiu à força do Flamengo no Maracanã e caiu por 3x0. Zico "abriu os trabalhos" aos 21 minutos do 1° tempo. Geraldo bateu um lateral para Paulinho, que passou a bola a Junior. O então lateral-direito cruzou para a área. Zico, antecipando-se ao zagueiro Sidclei, completou para o gol, com muito oportunismo, tirando do goleiro Neneca.

Com 113 gols marcados pelo profissional do Flamengo, Zico se igualou a Nonô, que jogou pelo clube de 1921 a 1930 e foi o primeiro jogador a marcar (e superar) a marca de 100 gols pelo clube, na décima posição entre os maiores artilheiros da história rubro-negra.

4 de dezembro GOL 198

FLAMENGO 1X3 SANTA CRUZ-PE

O empate, nesse jogo válido pela última rodada da terceira fase, classificaria o Flamengo para as semifinais do Campeonato Brasileiro de 1975. O "convidado" do Nordeste, no entanto, também estava na briga e abriu o placar aos 27 minutos do 1° tempo. Um minuto após, o goleiro pernambucano Jair derrubou Tadeu na área e o juiz marcou o pênalti. Zico bateu no canto esquerdo e empatou. Jair nem chegou a pular! Mas, com dois gols marcados na etapa final, o Santa venceu e essa foi a despedida do Flamengo, terminando a competição num honroso quinto lugar.

Com 114 gols, o Galinho era, agora isolado, o 10° maior artilheiro da história do Flamengo.

Zico marca de pênalti na derrota do Flamengo por 3 x 1 para o Santa Cruz em pleno Maracanã pelo Campeonato Brasileiro em 4 de dezembro de 1975.

11 de dezembro **GOL 199**

FLAMENGO 2X1 GRÊMIO-RS

O ano não podia terminar sem uma conquista do Mengão. O rubro-negro foi à cidade paulista de Jundiaí para disputar um torneio, com participação do Corinthians-SP, do Grêmio-RS e do time da casa, o Paulista. Na estreia, no estádio Jayme Cintra, contra o tricolor gaúcho, uma boa vitória habilitou o time a decidir o troféu. Foi de Zico o segundo gol, fazendo 2x0 então, aos 25 minutos do 1° tempo, após receber a bola de Tadeu, ainda na linha média, passar pelo zagueiro Ancheta e o meia Iúra, chutando ao gol com violência, no canto direito, sem defesa para o goleiro Picasso.

Com este tento, Zico, com 115 gols, se igualou a Joel (jogador nos anos de 1951/8 e 1961/3) na 9° posição entre os maiores artilheiros da história do Flamengo.

Golaço de Zico contra o Vasco em 1975, pelo Campeonato Carioca.

Zico marcando gol em 1975.

13 de dezembro

PAULISTA-SP 0X0 FLAMENGO (PÊNALTIS: 6X7)

Na decisão, após um empate sem gols nos 90 minutos regulamentares, o Flamengo, que atuou com Cantarele; Nei (Dequinha), Rondinelli, Luís Carlos e Rodrigues Neto; Merica e Tadeu; Caio (Doval), Luisinho, Zico e Luiz Paulo (que foi expulso), venceu o Paulista nos pênaltis, por 7x6, e se sagrou Campeão da Taça Cidade de Jundiaí 1975.

Zico, com 51 gols marcados, foi, novamente, o maior artilheiro do Flamengo em uma temporada, batendo seu próprio recorde. Com um total de 115 gols, já era o nono maior artilheiro da história do clube, ao lado de Joel.

CAPÍTULO 6

As faltas sempre foram uma especialidade, principalmente perto da área.

1976

Foi com Carlos Froner ainda como técnico que o Flamengo começou a temporada de 1976, aberta com três amistosos.

18 de janeiro **GOLS 200 a 202**
CENTRAL-RJ 1X11 FLAMENGO

Na cidade fluminense de Miguel Pereira, a estreia na temporada acabou em uma estrondosa goleada, na qual Zico fez três gols. Pela primeira vez, o Galinho atuou ao lado de seu irmão Edu, contratado pelo clube, em outubro do ano anterior. Tadeu abriu o marcador e, aos 9 minutos da etapa inicial, deu excelente passe para Zico, que invadiu a área, driblou o zagueiro Valtinho e, na saída do goleiro Vítor, tocou macio para as redes: Flamengo 2x0. Este foi o 200° gol no total de sua carreira, desde a escolinha. Com este gol, Zico superou Joel e se isolou como o nono maior artilheiro da história do Flamengo, agora com 116 marcados.

O placar já atingira 6x1, quando, aos 26 minutos do 2° tempo, Luiz Paulo fez boa jogada pela esquerda para Zico, metendo-se entre os zagueiros, fazer belo gol, de cabeça.

Cinco minutos depois, Zico driblou dois jogadores do Central e colocou a pelota no ângulo esquerdo do goleiro: Flamengo 8x1.

20 de janeiro **GOL 203**
PORTELA-RJ 0X2 FLAMENGO

Dois dias depois, outro jogo, agora no distrito de Governador Portela, pertencente ao município de Miguel Pereira. A vitória foi por um placar modesto, aberto logo aos 3 minutos de jogo por Zico, cobrando uma falta da entrada da área, sofrida por Tadeu. Geraldinho era o goleiro do Portela, que atuou reforçado por jogadores do Bonsucesso-RJ e do Central-RJ.

25 de janeiro **GOL 204**
ITABUNA-BA 0X5 FLAMENGO

Do Rio de Janeiro para a Bahia, onde o Flamengo visitou a cidade de Itabuna, para enfrentar a equipe de mesmo nome. O 1° tempo acabou com a vantagem de um gol para o clube carioca, mas, na etapa final, a goleada veio. E começou com um gol do Galinho de Quintino, aos 17 minutos. Zico recebeu um passe preciso de Paulinho na entrada da área, driblou o zagueiro Aílton e o goleiro Edalmo, para marcar 2x0 para o Flamengo.

Com esse gol, Zico se igualou a Durval (atacante que atuou pelo clube de 1948 a 1951), com 120 gols pelo Flamengo, na oitava posição entre os maiores artilheiros da história rubro-negra.

5 de fevereiro **GOL 205**
BRASÍLIA-DF 1X2 FLAMENGO

No mês seguinte, o Flamengo partiu para Brasília para a disputa do Troféu Prefeito do Distrito Federal 1976. A estreia foi contra os vermelhos do Brasília. O jogo estava empatado em 1x1, quando, aos 42 minutos da etapa complementar, Edu, irmão de Zico, invadiu a área, sendo derrubado pelo goleiro Norberto. A categoria do Galinho na cobrança do pênalti decretou a vitória e a classificação do time para a decisão.

Zico, assim, alcançou a marca de 121 gols como jogador profissional do Flamengo, superando Durval e isolando-se como o oitavo maior artilheiro da história do clube.

7 de fevereiro GOL 206
C.E.U.B.-DF 1X2 FLAMENGO

A final, dois dias depois, foi contra outra equipe candanga: o C.E.U.B.. Aos 28 minutos de jogo, Edu abriu a contagem. Dois minutos depois, Zico marcou, após driblar vários adversários, inclusive o goleiro Paulo Vítor (posteriormente titular do Fluminense em quase toda a década de 1980) e foi aplaudido pela torcida local, ampliando o placar para 2x0. A equipe brasiliense marcou um gol, mas ficou nisso. Com esta vitória, o Flamengo, que atuou com Cantarele; Toninho, Dequinha, Rondinelli e Junior; Merica, Geraldo e Tadeu (Caio); Edu (Dendê), Zico (Paulinho) e Zé Roberto, sagrou-se Campeão do Troféu Prefeito do Distrito Federal 1976.

11 de fevereiro GOLS 207 a 210
FIGUEIRENSE-SC 0X4 FLAMENGO

O estádio Orlando Scarpelli, em Florianópolis, capital de Santa Catarina, foi palco de um grande show de Zico, em mais um amistoso. O 0x0 permanecia no marcador até que, aos 36 minutos do 1° tempo, Zico, em magnífica jogada individual, passou por dois adversários e chutou na saída do goleiro Nílson, inaugurando o placar.

Nada fazia supor o que aconteceria, pois o placar magro permaneceu até dez minutos para o final do tempo regulamentar, quando Tadeu passou a bola a Zico. Deste partiu um chute forte e indefensável: Flamengo 2x0. Foi seu 200° gol em gramados brasileiros.

Um minuto depois, Paulinho foi ao fundo e cruzou. Zico, colocado no interior da grande área, apenas desviou a bola para as redes.

Mas, teve mais. Aos 40 minutos, Caio "Cambalhota" chutou da entrada da área, mas a zaga catarinense rebateu. A bola sobrou para Zico, que, com o pé direito, aumentou a goleada, fechando o placar: Zico 4x0.

14 de fevereiro GOLS 211 e 212
MARCÍLIO DIAS-SC 1X3 FLAMENGO

De Florianópolis para Itajaí, o Mengão continuou a se apresentar para o público catarinense, em mais um jogo amistoso. Aos 8 minutos do início, Vanderlei cruzou e Zico marcou: Flamengo 1x0.

O 1° tempo acabou empatado em um gol. Na etapa final, Caio colocou o Flamengo novamente na frente, aos 9 minutos, para Zico definir o placar com o terceiro gol rubro-negro, aos 26 minutos, pegando o rebote do goleiro Tico, de um forte chute de Zé Roberto.

17 de fevereiro GOL 213
INTERNACIONAL-RS 1X1 FLAMENGO

Descendo no mapa do Brasil, a próxima parada foi Porto Alegre, no Rio Grande do Sul. No Estádio Beira-Rio, o Inter, campeão brasileiro há dois meses e contando com o craque Falcão, abriu o marcador, mas, pouco depois, o jogador colorado Marinho Peres cometeu pênalti sobre Caio. Zico bateu e, aos 25 minutos da etapa inicial, decretou o placar definitivo do amistoso, não dando chances de defesa para o goleiro Manga, com a bola entrando rasteira em seu canto esquerdo.

25 de fevereiro GOL 214
URUGUAI 1X2 BRASIL

Esse dia, sem dúvida, está na memória de Zico. Foi sua estreia (enfim!) na Seleção Brasileira principal, então comandada por Osvaldo Brandão. E a parada era duríssima! Enfrentar os violentos uruguaios no estádio Centenário, em Montevidéu, era prova difícil para qualquer um. O jogo valia pela Copa Rio

Branco, disputada apenas entre aquelas seleções, e pela Copa do Atlântico 1976 que incluía, também, a Argentina e o Paraguai. Na fase inicial, Nelinho fez 1x0 para o Brasil numa bela cobrança de falta, de longe, e o Uruguai empatou, numa falha de Waldir Peres. No 2° tempo, os locais pressionaram em busca da vitória, abusando da violência, que irritava os brasileiros. Segundo o regulamento, os árbitros foram locais, em todos os jogos. E o uruguaio Roque Cerullo deu sua ajudinha patriota, expulsando dois dos destaques brasileiros: Rivellino e Nelinho. Com dois jogadores a menos, o Brasil sofria. Mas, havia Zico em campo! Pelo lado esquerdo do ataque brasileiro, o centroavante Palhinha driblou três uruguaios, até ser visivelmente calçado dentro da área. Porém, o árbitro marcou falta, dizendo que a infração fora antes da linha. Os dois expulsos eram exatamente os cobradores oficiais, mas a torcida brasileira, que assistia ao jogo pela televisão, se arrepiou quando viu o Galinho ajeitando a pelota. Bola no lado esquerdo do goleiro Santos, resvalando na trave, e vitória brasileira aos 40 minutos do tempo final: 2x1. Zico mostrou, na estreia, que veio para ficar!

Nas palavras de Zico: "Esse foi o meu jogo de estreia na Seleção principal. O primeiro tempo estava 1 a 0, gol do Nelinho de falta, e Rivellino e Nelinho foram expulsos. Aí os uruguaios empataram, gol do Darío Pereyra, que era ainda meio-campo, número 10 do Uruguai. Aí, o Palhinha foi lançado na esquerda e, quando trouxe para o meio, acho que foi o Ramírez que veio e lhe deu um sarrafo. Falta no bico da área pelo lado esquerdo. Quando eu percebi que Rivellino e Nelinho não estavam em campo, pensei: "Vou lá bater" (risos). Aí, o Marinho Chagas chegou perto da bola, perturbando (risos). Pensei: "Vou bater no canto dele". O goleiro se mexeu para um lado e eu meti lá no outro, no ângulo. Bati forte. Aí, foi uma pressão danada, com dois a menos, né?. Logo depois, recebi uma bola no meio, dei um balãozinho num uruguaio e tomei uma pancada tão violenta que o uruguaio foi expulso. Aí, o jogo acabou (risos). Desse jogo, eu tenho uma recordação maravilhosa, que é uma flâmula do Uruguai. O Márcio Papa, que era dirigente do Palmeiras, ao final do jogo, me deu de presente a flâmula com que a Seleção Uruguaia havia presenteado à Seleção Brasileira."

Após marcar o gol, seu primeiro de falta no exterior, Zico correu para abraçar o massagista Nocaute Jack, que, anos depois, relembrou o fato: "Fui o primeiro a ser abraçado por ele, que gritava meu nome! Ele poderia ter abraçado um companheiro. Por isso, eu fiquei muito emocionado com aquilo. É um grande caráter."

27 de fevereiro **GOL 215**

ARGENTINA 1X2 BRASIL

Apenas dois dias depois, a seleção estava em campo no estádio Monumental de Nuñez, em Buenos Aires, para enfrentar a Argentina, valendo pela Copa Roca, disputada apenas entre brasileiros e argentinos, e pela Copa do Atlântico. O batismo de fogo de Zico continuava. Sem Nelinho e Rivellino, a missão se tornou ainda mais complicada. O Brasil saiu na frente, com um gol de Lula. Já no 2° tempo, os portenhos pressionavam, quando o árbitro marcou uma falta para o Brasil, quase sobre a linha frontal da área, pela direita do ataque. A jogada começou na intermediária, com Zico fazendo um ótimo lançamento para Flecha. O ponta-direita estava quase penetrando na área, quando foi calçado. Falta que Zico cobrou, certeiro, por cima da barreira, com a bola entrando no ângulo superior direito do goleiro Lavolpe, que nem se mexeu: Brasil 2x0, aos 21 minutos. O país tinha um novo ídolo!

E ele conta: "Aí fomos para a Argentina. Sabe quem deu a preleção? Cláudio Coutinho. O Coutinho tinha ido ver Argentina x Paraguai. Nessa época, ele era somente um observador da Escola de Educação Física. Veio o jogo. Fizemos 1x0 e teve outra falta, do outro lado, mais um pouco para o meio. Resolvi bater novamente no canto do goleiro e, mais uma vez, acertei (risos).

Nesse jogo, teve um negócio, cara." Continua Zico. "Tinha um tal de Bochine, que era o número 10 da Argentina. Eu dei o maior balãozinho da história nele (risos). Ele era baixinho. Veio no mano a mano, de frente comigo, eu parei e apenas levantei a bola por cima dele, e ele, como não esperava aquilo, ficou sem ação e eu segui na jogada."

7 de março GOLS 216 a 219

FLAMENGO 4X1 FLUMINENSE-RJ

De volta da seleção, mais apresentações no seu clube. Naquele Fla-Flu amistoso, no Maracanã, estava em disputa a Taça Nélson Rodrigues. Aos 14 minutos do 1° tempo, Luiz Paulo cruzou da esquerda para Luisinho, que dividiu com os tricolores Carlinhos e Renato, o goleiro, que espalmou. A bola sobrou para Paulinho, na direita, que centrou de primeira. Zico surgiu como um raio e fuzilou, de pé direito, para o canto esquerdo: Flamengo 1x0.

Na etapa final, o Fluminense empatou com um gol de pênalti. Já na marca dos 20 minutos, o zagueiro tricolor Edinho empurrou Luiz Paulo próximo da entrada da área. Falta marcada a favor do Flamengo. O Mundo já sabia o que isso significava. Zico se posicionou, deu três passos para trás, correu e chutou, em curva, no ângulo esquerdo de Renato, que pulou, mas nada pôde fazer. Bola na rede e Flamengo 2x1 no placar.

Quatro minutos se passaram e Caio, penetrando pela direita, cruzou para a área. A bola desviou em Carlos Alberto, zagueiro do Flu, e voltou para Caio, que, de primeira, deu a Zico, que não perdoou, chutando forte, no canto esquerdo: Flamengo 3x1.

Com a torcida do Flamengo cantando em delírio, aos 35 minutos, Tadeu ganhou uma dividida com o lateral-esquerdo Carlinhos. A bola foi para a ponta-direita, onde Caio, marcado por Edinho, atrasou para Tadeu, mas o meio-campista a deixou para Toninho. O baiano dominou e, de pé esquerdo, fez o passe a Geraldo. O "Assoviador" fez um belo passe de calcanhar para Zico, desmontando, com a surpresa do lance, toda a defesa adversária. O Galinho agradeceu mandando mais uma bola para o barbante, ao esticar a perna direita e chutar por cima do goleiro: Flamengo 4x1, placar final daquele jogo, que ficou conhecido como **Zicovardia**!

O *Jornal dos Sports* publicou a seguinte nota: "Um potente e alegre coro de torcedores, dirigentes e jogadores, saudava a atuação e os quatro gols de Zico no Fla-Flu. Jorge Ben acabara de compor um samba em homenagem ao jogador, mas estava com receio de lançá-lo, pois já tivera problemas com músicas mencionando nomes de jogadores. A emoção, porém, foi maior! E Jorge começou a cantar: "É falta na entrada da área. Adivinha quem vai bater? É o camisa 10 da Gávea! É o camisa 10 da Gávea!" Com o refrão, Jorge Ben caracterizou a felicidade de Zico nas cobranças de falta e aumentou a festa no vestiário do Flamengo."

Zico conta: "Esse jogo vai passar no meu canal do YouTube, porque me perguntam qual a melhor falta que eu bati. E eu digo que esta falta é a mais difícil que eu bati. Por quê? Porque quem treinava comigo no Flamengo era o Renato, o goleiro que estava no Fluminense, então ele sabia exatamente como eu batia. Na época de Flamengo, ele me incentivava demais, me chamava pra treinar faltas e tal. Estava 1x1 o jogo e a falta foi do lado direito e ele, ao invés de colocar a barreira para cobrir esse lado, botou a barreira lá do outro lado, para tentar me confundir. Aí, eu tive que bater na bola bem por fora da barreira. Ele se esticou todo, todo, raspou na bola, mas não conseguiu chegar (risos)... Então, essa falta foi a mais difícil que eu bati. Ela só entrou (risos) porque foi lá no ângulo mesmo, cara! E não estava perto, não! E eu não treinava esse tipo de falta. Foi recurso de última hora mesmo. Tive que brincar com o Renato (risos). Disse que eu treinava aquilo e tal (risos). O primeiro gol desse jogo, o Paulinho Carioca recebeu lançamento na direita, dominou e cruzou pra trás. Eu peguei forte, de primeira, rasteiro e fiz o gol. O segundo foi esse de falta. O terceiro foi uma jogada boa do Caio, que passou pra mim, eu dominei na barriga e dei uma pancada (risos). E o quarto foi uma grande jogada, em que o Toninho tabelou com o Geraldo, que meteu para mim de calcanhar, meio de letra. Eu entrei de bico e chutei no alto. Recebi outro dia as fotos desse jogo. Foi a Zicovardia (risos)."

10 de março **GOL 220**

DESPORTIVA-ES 0X3 FLAMENGO

A série de amistosos pelo Brasil continuou em Cariacica, no Espírito Santo, no estádio Engenheiro Araripe. Na goleada modesta, conseguida toda no 2º tempo, mais um gol de Zico. Foi o segundo do Flamengo, marcado aos 33 minutos, após receber excelente passe de Tadeu, que penetrara na área, driblando. Com um drible de corpo, o Galinho de Quintino tirou o goleiro Gil da jogada e tocou para o fundo das redes.

17 de março **GOLS 221 e 222**

FLAMENGO 3X0 MADUREIRA-RJ

Começou o Campeonato Carioca de 1976. Na segunda rodada do 1º turno, correspondente à Taça Guanabara, o Maracanã viu mais dois gols de Zico em outra vitória do Flamengo. O primeiro surgiu aos 13 minutos do 1º tempo, abrindo o placar. Tadeu bateu escanteio da esquerda. A bola veio baixa e Zico, junto à baliza direita, mandou a bola às redes, com um toque de letra, com o calcanhar, no canto, para surpresa do goleiro Gílson e da defesa do Madureira.

O segundo de Zico foi o terceiro do Flamengo, marcado aos 39 minutos do 2º tempo. Em uma jogada que começou na intermediária, Zico passou a Geraldo, que driblou o zagueiro Paulo César e devolveu ao camisa 10 rubro-negro, deixando-o frente a frente com Gílson, já dentro da área, para a finalização precisa. A beleza do gol rendeu aplausos da torcida presente.

27 de março **GOLS 223 e 224**

FLAMENGO 3X1 CAMPO GRANDE-RJ

Dez dias depois, pela quarta rodada da Taça Guanabara, o Maracanã seria brindado com mais dois gols daquele que se tornaria seu maior artilheiro. O placar foi aberto por Zico, aos 36 minutos de jogo, em bonita cabeçada, completando boa jogada de Caio. Este fora lançado pela direita e deu um drible estonteante no lateral-esquerdo Péricles, que ficou completamente perdido. O cruzamento, da direita, atravessou a área e Zico, do lado esquerdo, chegou mais rápido que o goleiro Moacir e finalizou no ângulo esquerdo superior. A bola ainda bateu na trave antes de entrar.

Aos 6 minutos da etapa final, Tadeu tabelou com Junior, que, já dentro da área, chutou cruzado, rasteiro. O goleiro Moacir não alcançou a bola e Zico apareceu livre para tocar macio para o fundo do gol, fazendo 3x0 para o Flamengo.

4 de abril GOLS 225 e 226

FLAMENGO 3X1 VASCO-RJ

Pela sexta rodada, o Maracanã recebeu 174.770 torcedores, o quarto maior público da história do estádio, segundo em um jogo entre clubes, no Brasil, e recorde na carreira de Zico. Aos 25 minutos do 2° tempo, o Flamengo vencia por 1x0, quando Tadeu lançou Junior, mas a bola bateu em Toninho e sobrou para Zico, que se livrou da marcação que sofria, emendando um violento chute, com o pé esquerdo, ao ângulo superior direito do gol defendido por Mazarópi, ampliando a vantagem rubro-negra.

Mais à frente, Zico avançou pela meia-esquerda com a bola dominada, atravessando a linha do meio-campo, entre dois adversários, até que passou para Luisinho, na ponta-esquerda. O centroavante conduziu a bola para o meio e, mesmo marcado por três jogadores, devolveu ao camisa 10. Zico, com um toque de gênio, de calcanhar, deixou Luisinho em boas condições para entrar na área e driblar o zagueiro Abel, mas o atacante rubro-negro foi calçado pelo vascaíno quando ia ficar de frente com o goleiro. Pênalti claro! O Galinho cobrou rasteiro, no canto direito de Mazarópi, que já estava indo para o lado oposto e nem chegou a pular: Flamengo 3x0, aos 35 minutos.

11 de abril GOL 227

MIXTO-MT 0X1 FLAMENGO

O Flamengo deu uma pausa na Taça GB e foi ao Mato Grosso para disputar um torneio. Vencendo o Operário de Várzea Grande, habilitou-se para disputar o título, contra o Mixto, em Cuiabá. E foi com um gol de Zico, aos 22 minutos da etapa inicial, que a partida foi decidida. No lance, Geraldo lançou Caio, que driblou o goleiro Saldanha e chutou para o gol. O zagueiro Nelson saltou e cortou com a mão. Pênalti, que Zico converteu, com a bola batendo na trave antes de entrar. Este gol fez Zico alcançar a marca de 141 gols como jogador profissional do Flamengo, igualando-se a Zizinho, o Mestre Ziza, (craque e ídolo rubro-negro de 1939 a 1950) na sétima colocação da artilharia da história do clube. E com essa vitória, o Flamengo, que atuou com Cantarele; Toninho, Rondinelli, Jayme e Junior (Vanderlei); Tadeu, Geraldo (Dendê) e Zé Roberto; Caio (Paulinho), Luisinho (Júnior Brasília) e Zico (Edu), sagrou-se Campeão do Torneio de Inauguração do Estádio José Fragelli.

13 de abril GOL 228

SELEÇÃO DO AMAZONAS 1X2 FLAMENGO

Dois dias depois e o time estava em Manaus, para enfrentar a seleção amazonense, no Estádio Vivaldo Lima lotado. O primeiro gol do jogo foi de Zico, batendo, com maestria, um pênalti, em falta do goleiro Borrachinha sobre Luisinho, aos 25 minutos do 1° tempo.

Com este gol, Zico, agora com 142 gols, passou a ser, isolado, o sétimo maior artilheiro da história do Flamengo.

21 de abril GOL 229

FLAMENGO 3X0 PORTUGUESA-RJ

Pela oitava rodada da Taça Guanabara, Flamengo e Portuguesa se defrontaram em São Januário. O segundo gol da fácil vitória foi de Zico aos 29 minutos do 2º tempo. Luiz Paulo, lançado pelo Galinho e aproveitando falha do zagueiro Luís Carlos, foi derrubado pelo zagueiro Mário, dentro da área. Zico bateu o pênalti, enviando a bola às redes de Chico Santos. Com este resultado, o Flamengo atingiu uma invencibilidade de 31 jogos, a maior de sua história até então!

28 de abril **GOL 230**

BRASIL 2X1 URUGUAI

De volta à Seleção e às disputas da Copa Rio Branco e da Copa do Atlântico 1976. No Maracanã, aconteceu o jogo da volta contra a Celeste Olímpica. Muita catimba e, até, lances muito violentos, como caracterizavam quase todos os confrontos entre brasileiros e uruguaios. O jogo seguia empatado em um gol, quando, aos 28 minutos do 2º tempo, Roberto "Dinamite", lançado por Rivelino, invadiu a área e foi derrubado pelo zagueiro Chagas, quando estava pronto para concluir. Pênalti que Zico cobrou, firme, no canto esquerdo baixo do goleiro Corbo, que ainda tocou na bola, sem, no entanto, conseguir evitar o gol. Foi o 110º gol dele no então maior estádio do Mundo. Com esta vitória, o Brasil, que atuou com Jairo; Toninho (Orlando), Miguel, Amaral e Marco Antônio; Chicão e Rivellino; Gil, Zico, Enéas (Roberto) e Lula, conquistou a Copa Rio Branco 1976. Esse foi o primeiro título de Zico com a Seleção do Brasil.

5 de maio **GOL 231**

FLAMENGO 1X0 BONSUCESSO-RJ

Já pela décima-segunda rodada da Taça Guanabara, o Maracanã viu o Flamengo tentando furar uma forte retranca. O gol único do jogo só saiu aos 29 minutos da fase final, quando Zico, em jogada individual, pela esquerda, foi à linha de fundo, voltou para buscar ângulo, invadiu a área e na saída do goleiro Pedrinho, chutou colocado para decidir a partida.

9 de maio **GOL 232**

BANGU-RJ 0X3 FLAMENGO

Na rodada seguinte, quatro dias após, uma ida até o bairro de Bangu para confrontar a equipe local. Foi uma vitória tranquila, com Zico, aos 10 minutos do 2º tempo, marcando o segundo gol do Flamengo, após receber belo passe de Tadeu, invadir a área e chutar colocado, no canto direito do goleiro banguense Luiz Alberto.

31 de maio **GOL 233**

BRASIL 4X1 ITÁLIA

Com a Seleção Brasileira, Zico foi aos Estados Unidos da América para a disputa de um importante torneio. Ia em busca de seu quarto troféu, pois, sem a presença do Galinho, o Brasil já vencera a Argentina (2x0) no Maracanã, conquistando, de uma só vez, a Copa Roca 1976 e, com uma rodada de antecedência, a Copa do Atlântico 1976. Os canarinhos passaram pela Inglaterra e pelos E.U.A., que atuaram reforçados pelo inglês Bobby Moore e o italiano Chinaglia, que jogavam no futebol local. Chegou, então, a partida decisiva, contra a *Squadra Azzurra*. O jogo foi no Yale Bowl, na cidade de New Haven. O Brasil vencia por 2x1, gols de Gil, quando Zico resolveu dar o golpe de misericórdia, aos 27 minutos do 2º tempo. Tudo começou com Miguel tomando a bola, na defesa, e tocando para Givanildo, livre na meia-direita. Este, em jogada inteligente, tocou para Zico, que entrava pelo centro. Na sequência, uma jogada épica: Zico partiu com a bola, livrando-se de três adversários, em velocidade e com gingas de corpo, e, por fim, chutando forte e colocado, de pé esquerdo, na saída do goleiro Zoff. Um golaço! Roberto faria o quarto gol. Com essa vitória, o Brasil, que atuou com Leão; Orlando (Getúlio), Miguel, Amaral e Marco Antônio (Beto Fuscão); Falcão (Givanildo), Zico e Rivellino; Gil, Roberto e Lula (que foi expulso), sagrou-se Campeão invicto do Torneio do Bicentenário da Independência dos E.U.A..

"Esse foi um golaço! O Givanildo meteu a bola no meio da zaga. Eu me enfiei ali, no meio dos caras, driblei e fiz o gol. Minutos antes, eu quase tinha feito um parecido. Sofri até um pênalti que o juiz não marcou, acabei chutando e o Zoff pegou. A Itália tinha feito 1x0 com o Capello", lembra Zico.

2 de junho GOL 234

SELEÇÃO DO BRASIL 4X3 UNIVERSIDAD NACIONAL (PUMAS UNAM)-MÉX

Depois, a Seleção Brasileira fez um amistoso em um lugar icônico: o Candlestick Park, em San Francisco, nos E.U.A., local que recebera, em 29 de Agosto de 1966, o último show dos Beatles. O adversário, um time mexicano, também conhecido como Pumas, deu trabalho. Zico, como capitão da seleção pela primeira vez, aos 13 minutos da etapa inicial, fez o segundo gol brasileiro. Na jogada, Orlando "Lelé" recebeu ótimo passe de Geraldo e avançou, pela direita, cruzando, a seguir, pelo alto, para fulminante cabeçada de Zico, vencendo o goleiro Del Mercado.

9 de junho GOL 235

BRASIL 3X1 PARAGUAI

De volta ao Brasil, havia, ainda, um jogo a cumprir pela já decidida Copa do Atlântico, mas que valia um troféu, disputado nos dois confrontos contra os guaranis. No primeiro jogo, no Paraguai, houve um empate de 1x1. Neste jogo, no Maracanã, o Brasil já vencia por 1x0 - gol de Roberto -, quando, aos 15 minutos do 2° tempo, Getúlio cruzou à meia altura. Zico, na entrada da pequena área, antecipou-se ao zagueiro e fulminou o goleiro Fernandez com uma cabeçada, ampliando o placar. Roberto marcaria, também, o terceiro do Brasil. Com essa vitória, o Brasil, que atuou com Leão; Getúlio, Miguel, Beto Fuscão e Marco Antônio; Geraldo (Neca), Givanildo e Zico; Gil, Roberto e Flecha (Edu), conquistou a Taça Oswaldo Cruz 1976, além de ter terminado invicto a disputa da Copa do Atlântico. Zico completou cinco títulos conquistados pela Seleção em seu ano de estreia. Nada mal!

20 de junho GOL 236

GOYTACAZ-RJ 1X1 FLAMENGO

O segundo turno do Campeonato Carioca começou com o Flamengo indo a Campos dos Goytacazes, no noroeste do estado, e tropeçando. E foi Zico quem abriu o marcador, aos 35 minutos do 1° tempo, após bela jogada de Tadeu, que, depois de passar por dois marcadores, deixou o camisa 10 da Gávea livre para marcar de bico, rasteiro, sem defesa para o goleiro Miguel.

23 de junho GOL 237

FLAMENGO 1X0 VOLTA REDONDA-RJ

Três dias depois, o Voltaço foi o adversário, em jogo realizado no maior estádio do Mundo. A vitória veio magra, com um gol aos 16 minutos do início do jogo. No lance, Zé Roberto cobrou um escanteio, interceptado pelo defensor Aloísio. O ponta-esquerda flamenguista recuperou a bola e cruzou, agora com precisão, para Zico, de cabeça, dar a vitória ao Flamengo. A bola chegou a bater no goleiro Valdir, antes de entrar.

Este foi o 147º gol de Zico como profissional do Flamengo. Assim, ele se igualou a Índio (atacante que atuou pelo clube da Gávea em 1949 e de 1951 a 1957) na sexta colocação entre os maiores artilheiros da história rubro-negra.

27 de junho **GOL 238**

FLAMENGO 4X1 VASCO-RJ

Pela terceira rodada do segundo turno, o Maracanã recebeu o reprise do clássico que decidiu a Taça GB a favor do Vasco, nos pênaltis. Era hora da forra! E ela veio... com goleada! Todos os gols do jogo aconteceram na etapa final. O Fla saiu na frente, mas o Vasco logo empatou. Foi quando, aos 11 minutos, o cruzmaltino Gaúcho recuou mal uma bola. Luisinho, já dentro da área, foi esperto e a pegou, tocando-a para Zico, mais atrás. Este entrou como um raio, driblou um zagueiro e chutou forte, no canto esquerdo de Mazarópi: Flamengo 2x1. Um gol feito com raiva e habilidade e muito comemorado. Zico era, agora isolado, o sexto colocado entre os artilheiros do Flamengo, de todos os tempos, com 148 gols.

3 de julho **GOL 239**

FLAMENGO 1X0 AMÉRICA-RJ

Pela quarta rodada, o Mequinha foi osso duro para o Mengão roer. O gol único só saiu após uma arrancada do recém-contratado atacante Claudiomiro, aos 30 minutos do 2º tempo. Zico fez um lançamento. O lateral-direito Orlando "Lelé" bobeou, confundindo Zecão, o goleiro rubro, e permitindo que a bola chegasse até o ponta-esquerda Luiz Paulo, que cruzou para dentro da área. Claudiomiro recebeu, partiu livre para a meta adversária, mas escorregou, caiu, levantou-se e, quando ia chutar, foi empurrado pelo lateral-esquerdo Álvaro. Pênalti que Zico cobrou, com categoria, no canto direito, o oposto ao escolhido pelo arqueiro, para alívio e delírio da torcida rubro-negra no Maracanã.

24 de julho **GOLS 240 e 241**

FLAMENGO 3X0 OLARIA-RJ

O Maracanã foi o palco da estreia do Flamengo no 3º turno do Campeonato Carioca. A goleada aconteceu, mas graças a dois pênaltis convertidos por Zico. No primeiro, o segundo gol do jogo, Luiz Paulo invadiu a grande área, passou por Garrido, sendo derrubado por ele. A cobrança foi no canto direito do goleiro Ernani, que pulou no canto certo, mas não alcançou a bola. Isto aos 42 minutos de jogo.

O gol derradeiro só saiu aos 43 minutos do segundo tempo, após Luisinho sofrer falta, feita pelo zagueiro Manguito. Zico, mais uma vez, cobrou com perfeição e definiu o placar do encontro.

Com esses dois gols, Zico atingiu a marca de 151 gols como jogador profissional do Flamengo, empatando com Leônidas da Silva (centroavante e ídolo rubro-negro entre 1936 e 1941), ambos na quinta colocação, na lista dos maiores artilheiros da história do clube.

27 de julho **GOLS 242 e 243**

FLAMENGO 4X2 GOYTACAZ-RJ

Pela segunda rodada, o Goytacaz foi o adversário, em jogo realizado, também, no Maior do Mundo. E Zico somou mais dois gols para sua galeria, ajudando decisivamente em mais uma vitória. O Flamengo já vencia o jogo, quando, aos 21 minutos da 1ª etapa, Tadeu lançou Zico, que invadiu a área, driblou o goleiro Miguel, e, quando ia marcar, foi derrubado pelo lateral-direito Totonho. O pênalti foi batido no canto esquerdo, rasteiro: Flamengo 2x0.

O jogo se complicou com uma inesperada reação dos campistas, quando, aos 27 minutos do 2° tempo, Merica, após passar por vários adversários, fez lançamento cruzado para Zico, que colocou a bola na rede, na saída de Miguel: Flamengo 4x2, placar definitivo.

Com os dois gols marcados, Zico completou 153 gols como jogador profissional do Flamengo, superando Leônidas e Jarbas (este último, ponta-esquerda, que atuou pelo clube de 1933 a 1946, tendo feito 152 gols), tornando-se o quarto maior artilheiro da história do rubro-negro carioca.

11 de agosto GOL 244

FLAMENGO 6X1 VOLTA REDONDA-RJ

Tropeços contra Fluminense e Americano dificultaram a vida do Flamengo, que precisava vencer o Voltaço no Maracanã, pela sexta rodada, para manter suas esperanças. E o Mengão massacrou: 6x1, com direito a um gol do Galinho de Quintino, fazendo 2x0 aos 29 minutos do 1° tempo, após receber ótimo passe de Merica, que havia roubado a bola no meio de campo. Zico enganou o zagueiro Fred com um drible de corpo e, frente a frente com o goleiro Miguel, chutou firme no canto esquerdo, de pé direito.

25 de agosto GOL 245

CEARÁ-CE 0X2 FLAMENGO

Entre o fim do Campeonato Carioca e o início do Campeonato Brasileiro, o Flamengo recebeu convites para jogos pelo Brasil. Num deles, o Flamengo bateu o Ceará, que estava invicto há 36 jogos, no Castelão, em Fortaleza, capital cearense. Coube a Zico a abertura do marcador, contra o goleiro Sérgio Gomes, aos 32 minutos do 1° tempo. Neste amistoso, esteve em disputa a Taça Duque de Caxias, conquistada pelo clube carioca.

A alegria pela vitória, no entanto, foi curta, pois, no dia seguinte a esse jogo, o meio-campo Geraldo, grande amigo de Zico, companheiro no Flamengo e na Seleção Brasileira, faleceu, no Rio de Janeiro, após uma complicação pós-cirúrgica de extração das amígdalas, aos 22 anos de idade.

1 de setembro GOLS 246 e 247

FLAMENGO 2X0 ABC-RN

O Flamengo, com o elenco abalado, só voltaria a campo para a estreia no Campeonato Brasileiro, no Maracanã, contra o time potiguar do ABC. O Flamengo apareceu com calções pretos, em homenagem ao seu jogador recém-falecido. Zico homenageou Geraldo com os dois gols da vitória rubro-negra. O primeiro aos 5 minutos de jogo, aproveitando cruzamento da direita de Paulinho. A defesa do ABC falhou e Zico nem precisou pular para cabecear e marcar 1x0.

Aos 31 minutos, ainda na etapa inicial, Luisinho chutou e o lateral-esquerdo Vuca rebateu. Zico recebeu a sobra do lance e chutou de canhota no ângulo esquerdo, sem defesa para o goleiro Hélio, fazendo 2x0 para o Flamengo. E foi só.

4 de setembro GOLS 248 e 249

FLAMENGO-PI 2X3 FLAMENGO

Pela segunda rodada, o Flamengo foi a Teresina, Piauí, para enfrentar o seu homônimo nordestino, no Estádio Alberto Silva. A vitória foi apertada e Zico fez dois dos gols cariocas. A equipe local saiu na frente. Zico empatou, aos 24 minutos do 1° tempo, completando boa jogada de Merica, pela esquerda. Ainda na primeira fase, Junior virou o placar para o Flamengo do Rio.

Aos 15 minutos da etapa final, Tadeu lançou o centroavante Luisinho, que avançou, foi à linha de fundo e cruzou. Zico esperou a bola passar pelo zagueiro Maurício, que pulou, mas não a alcançou, e completou com um chute colocado, no canto direito do goleiro Hindemburgo: Flamengo-RJ 3x1.

Com os quatro gols marcados nas duas primeiras rodadas, Zico era o artilheiro do campeonato, ao lado do argentino Fischer, atacante do Vitória, da Bahia.

16 de setembro **GOLS 250 a 252**

FLAMENGO 8X1 SAMPAIO CORRÊA-MA

Pela quinta rodada do Brasileirão, no Maracanã, o Flamengo, agora tendo Cláudio Coutinho como técnico, marcou uma avalanche de gols nos maranhenses do Sampaio Corrêa, naquela que seria a maior goleada daquele campeonato. Zico fez três. Ele abriu a contagem, logo aos 4 minutos de jogo, desviando, de cabeça, para a esquerda do goleiro Crésio, uma bola que veio de um cruzamento de Toninho.

Aos 14 minutos, foi de Zico, também, o segundo gol do jogo. O lance veio de Toninho, que lançou Paulinho na ponta-direita. O camisa 7 cruzou alto, na segunda trave, onde se encontrava Luisinho. O centroavante, já na pequena área, tentou cabecear para o gol, mas se enrolou com a bola, que sobrou para Zico completar, de pé direito, livre de marcação e com o gol vazio.

Aos 3 minutos do 2° tempo, Zico marcaria mais um, em cabeçada à direita de Crésio, aproveitando novo cruzamento de Toninho: Flamengo 5x0. Com três rodadas de antecedência, o Flamengo já estava classificado para a próxima fase da competição nacional.

19 de setembro **GOLS 253 e 254**

COMBINADO ITABAIANA/SERGIPE-SE 0X3 FLAMENGO

O Brasil todo queria ver Zico jogar. Era só pintar uma brecha no calendário para aparecer convite para amistoso. Como nesse jogo, quando duas das melhores equipes sergipanas montaram um combinado para enfrentar o Mengo, no estádio Lourival Batista, em Aracaju. As esperanças de vitória dos locais sumiram aos 11 minutos de jogo, quando o Flamengo já vencia por 2x0... gols de Zico. No primeiro, aos 8 minutos, Tadeu fez passe pelo alto. Zico matou a bola no peito, já dentro da área, e girou, marcando bonito gol.

Três minutos depois, Toninho, depois de receber excelente lançamento de Dendê, cruzou para a cabeça de Zico. Daí para as redes do goleiro Tenisson: Flamengo 2x0. O visitante diminuiu o ritmo, mas ainda marcou mais um, com Tadeu, na etapa final.

30 de setembro **GOLS 255 e 256**

FLAMENGO 4X0 VOLTA REDONDA-RJ

Pelo Campeonato Brasileiro, o Voltaço era o adversário, no Maracanã, pela última rodada da primeira fase. O 1° tempo acabou com vitória do Flamengo por 2 gols. Aos 26 minutos da 2ª etapa, Zico cobrou uma falta da meia-lua, magnificamente, no ângulo direito do goleiro Miguel, que não pôde impedir: Flamengo 3x0

Três minutos após, Junior avançou, pela meia-esquerda, e tocou para Zico na entrada da área. Este puxou a bola com o pé esquerdo para o meio, se livrou do zagueiro Vágner e, de pé direito, já frente a frente com Miguel, tocou no canto esquerdo, encerrando a goleada.

Com os dois gols marcados nesse jogo, Zico voltou à liderança da artilharia do campeonato, empatado com Dario, do Internacional-RS, com nove gols cada.

10 de outubro **GOL 257**
VITÓRIA-BA 0X3 FLAMENGO

Pela primeira rodada da segunda fase do Campeonato Brasileiro, o Flamengo foi à Fonte Nova, em Salvador, enfrentar o rubro-negro baiano. Zico, gripado, ficou o 1° tempo no banco e o placar não se movimentou. Entrou no lugar de Adílio e abriu a contagem, logo aos 8 minutos da segunda etapa. Luiz Paulo fez jogada pela esquerda e cruzou para a área. Zico acompanhou e tocou de cabeça no canto esquerdo do goleiro Andrada. O Mengo fez mais dois e goleou.

Com 10 gols, Zico seguia empatado com Dadá "Maravilha" na artilharia do Brasileirão.

24 de outubro **GOLS 258 e 259**
SÃO PAULO-SP 1X2 FLAMENGO

Na quinta e última rodada da segunda fase, a parada era dura: enfrentar o tricolor paulista no Morumbi. O 1° tempo acabou sem gols. Aos 15 minutos do reinício, Júnior Brasília cruzou da direita. Luisinho, já dentro da área, matou no peito e rolou no meio para Dequinha que, com um leve toque, entre dois zagueiros, deixou Zico frente a Waldir Peres. Um toque de pé direito, rasteiro, desviando a bola pela esquerda do goleiro, abriu o marcador do jogo.

Apenas dois minutos se passaram e, novamente, Júnior Brasília veio pela direita, recuou para Toninho, que cruzou pelo alto, na segunda trave. Na entrada da pequena área, pelo lado esquerdo, Luisinho só ajeitou para o meio, de cabeça, para Zico. Este dominou a bola e, com o pé esquerdo, venceu Waldir Peres mais uma vez: Flamengo 2x0.

Zico e Dario seguiam empatados na briga pela artilharia, agora com 12 gols cada.

31 de outubro **GOL 260**
FLAMENGO 2X1 ATLÉTICO-MG

Mais um grande clássico, no Maracanã, pela primeira rodada da terceira fase do Campeonato Brasileiro. Com apenas 5 minutos de bola rolando, Luiz Paulo, após driblar o lateral-direito Alves e o zagueiro Modesto, cruzou para a área. Zico entrou rápido, entre os atleticanos Vantuir e Dionísio, e chutou de pé direito, rasteiro, no canto esquerdo do goleiro argentino Ortiz, fazendo Flamengo 1x0.

Agora com 13 gols, Zico era artilheiro isolado da competição.

24 de novembro **GOL 261**
FLAMENGO 5X1 GRÊMIO-RS

Este foi, talvez, o melhor jogo de Luisinho Lemos, o Luisinho "Tombo", com a camisa do Mengão. Ele comandou essa surpreendente goleada sobre o excelente time gremista, marcando quatro dos gols cariocas. O outro foi de Zico. O jogo estava 3x1 e o Grêmio esboçava uma reação, quando, aos 37 minutos do 2° tempo, Zico recebeu de Luisinho na intermediária e partiu em uma de suas características jogadas individuais, sendo parado faltosamente na entrada da área. Nem o ótimo goleiro argentino Cejas conseguiu alcançar o chute forte, dirigido ao ângulo esquerdo de seu gol. Foi o último gol de Zico pelo Flamengo nesta temporada, terminando na vice-artilharia do campeonato, com 14 gols, contra 16 de Dario.

1 de dezembro **GOL 262**

BRASIL 2X0 U.R.S.S.

Zico deixou o melhor para o fim, quando o Brasil recebeu a União das Repúblicas Socialistas Soviéticas para um amistoso no Maracanã. O jogo foi de altíssimo nível e muito disputado e o placar teimava em não sair do 0x0. Falcão abriu a contagem, já aos 34 minutos do 2º tempo, alegrando a torcida canarinho. Foi quando, aos 43 minutos, Zico, com a faixa de capitão no braço, após Rivellino ter sido substituído, recebeu um passe vindo da direita, do próprio Falcão, na intermediária de ataque. Olhou para a frente e partiu com a bola. Primeiro, veio um drible seco em Olshanski. Continuou, invadindo a grande área. Deu outro drible, este desconcertante, em Parov. O goleiro Gontar saiu em seu encalço. Zico só rolou a bola, macia, rasteira, fora de seu alcance, fazendo-a entrar no canto esquerdo do gol. O Maracanã quase veio abaixo com tanta euforia! Zico consolidava-se como craque nacional.

Ele se recorda assim: "Esse é especial (risos). O Falcão me deu a bola na entrada da área. Eu ameacei chutar e driblei o primeiro, ameacei o chute de novo e, com dois toques, driblei mais um e coloquei de mansinho no canto do goleiro. Golaço! (risos)"

Zico segura uma bola na Gávea em 1976.

Na temporada de 1976, Zico foi o artilheiro do Flamengo, com 56 gols marcados, superando seu próprio recorde pelo segundo ano consecutivo. Com um total de 171 gols, já era o quarto maior artilheiro da história do clube, aos 23 anos de idade! Foi, também, no ano de seu "debut", o vice-artilheiro da Seleção do Brasil, com 7 gols, e, pela primeira vez, o principal artilheiro brasileiro no ano, com 63 gols – juntando os gols pelo Flamengo e pela Seleção.

CAPÍTULO 7

Zico comemora gol no Maracanã.

1977

Zico começou o ano de 1977 com a Seleção Brasileira, de Osvaldo Brandão, treinando para amistosos e para as eliminatórias para a Copa do Mundo de 1978. E, lá, recomeçou a marcar gols.

6 de fevereiro **GOL 263**
MILLONARIOS-COL 0X2 SELEÇÃO DO BRASIL

Preparando-se para a estreia nas Eliminatórias, contra a Colômbia, o Brasil resolveu fazer um amistoso, no mesmo país, para se ambientar. O adversário foi um tradicional clube local: o Millonarios, que já havia enfrentado a Seleção canarinho em três oportunidades, duas em 1954 e uma em 1969, perdendo todas. E o primeiro gol do jogo, realizado no Estádio El Campín, em Bogotá, foi de Zico. Aos 10 minutos de jogo, Zé Maria fugiu pela direita e cruzou para a área. Roberto recebeu a bola, escorando-a para Zico, que dominou e, com o pé direito, encobriu o goleiro Riquelme, tocando para o fundo do gol.

3 de março **GOL 264**
SELEÇÃO DO BRASIL 6X1 COMB. BOTAFOGO/ VASCO-RJ/BR

O empate com a Colômbia, na primeira partida pelas Eliminatórias, com um futebol fraco, causou o final da era Osvaldo Brandão. Cláudio Coutinho, que era o técnico do Flamengo e havia sido o preparador físico da Seleção Tri-Campeã Mundial em 1970, acumulou o posto no comando canarinho, que, naquela época, não tinha treinador exclusivo. Zico rememora: "O Brandão tinha caído contra a Colômbia no 0 a 0. Ele estava com um problema muito sério. O filho dele estava com um câncer na cabeça e ele estava desesperado. O Brandão, toda noite, conversava comigo. Estava realmente muito mal, arrasado. Tínhamos ganho um amistoso lá e, depois, empatamos com a Colômbia, num jogo ruim demais. Aí, ele tirou o Marinho e botou o Wladimir e pegaram no pé dele prá caramba. Foi quando entrou o Coutinho."

A estreia, num amistoso, no Maracanã foi estupenda! E a goleada impiedosa contou com um gol do Galinho de Quintino, que aniversariava (24 anos). A seleção já vencia o jogo, quando, aos 32 minutos do 2º tempo, Zico recebeu de Gil na ponta-direita, passou pelo zagueiro Renê e fez um passe preciso para Paulo César, que finalizou a gol. O zagueiro adversário Geraldo desviou a bola com o braço, dentro da área. Pênalti, que Zico converteu, chutando forte no canto direito do goleiro Wendell, que pulou para o canto oposto: Seleção Brasileira 4x1.

9 de março **GOL 265**
BRASIL 6X0 COLÔMBIA

Seis dias depois, o mesmo estádio recebeu o jogo de returno contra os colombianos, pelas Eliminatórias, com um público de 162.774 torcedores. Com absoluta superioridade, o Brasil passeou em campo... e fez gols. Seis no total, sendo o segundo deles, aos 26 minutos da etapa inicial, de Zico. Paulo César bateu forte uma falta de longa distância, pelo lado esquerdo do ataque. O goleiro López tentou defender, mas o chute foi na trave direita. Na volta da bola ao campo, Zico ajeitou e, entrando na pequena área, concluiu para as redes, no canto esquerdo do arqueiro, marcando seu décimo gol pela seleção nacional. Neste jogo, aconteceu a primeira expulsão de Zico, como jogador profissional, após se desentender com o zagueiro Zarate, aos 32 minutos do 2º tempo.

26 de março **GOL 266**

FLAMENGO 1X1 OLARIA-RJ

Zico volta ao seu clube para a estreia no Campeonato Carioca, em seu 1° turno, que também era a Taça Guanabara. Como já dito, o técnico rubro-negro era o mesmo da Seleção: Cláudio Coutinho. Mas, o Flamengo decepcionou o público no Maracanã, apenas empatando com a equipe bariri. E o Mengo saiu na frente do marcador, aos 26 minutos de jogo, após linda jogada de Paulo César Carpegiani. O apoiador penetrou bem, pela esquerda da área, passou por dois adversários e, com calma e categoria, deu um passe perfeito para a entrada de Zico. O chute foi de primeira, em um sem-pulo, resultando em um belo gol, com a bola entrando no canto direito do goleiro Ernani, que nem se mexeu.

2 de abril **GOL 267**

FLAMENGO 2X0 BONSUCESSO-RJ

Novamente no maior estádio do Mundo, a primeira vitória, na segunda rodada. O Bonsuça aguentou o 0x0 na primeira fase, mas logo no começo do 2° tempo, Osni furou a retranca rubro-anil. E, aos 31 minutos, após bonita tabelinha com Junior, Zico penetrou livre e, na saída do arqueiro Pedrinho, colocou a bola mansamente, rasteira, no canto esquerdo, definindo o placar final.

6 de abril **GOL 268**

FLAMENGO 1X1 INTERNACIONAL-RS

Sempre havia espaço para amistosos. O Maracanã se abriu para o clássico entre o rubro-negro carioca e o colorado gaúcho. Aos 36 minutos da 1ª etapa, Luiz Paulo recebeu de Carlos Alberto Torres, foi à linha de fundo e cruzou. Zico recebeu dentro da pequena área e com um leve toque no contrapé, deslocou o goleiro Manga, que pulou para a esquerda enquanto a bola entrava do outro lado. O Fla fazia 1x0. Falcão, colega de Zico na Seleção, empatou no 2° tempo.

10 de abril **GOL 269**

BANGU-RJ 1X2 FLAMENGO

Terceira rodada da Taça GB. Em Moça Bonita, o adversário foi o dono da casa. O Flamengo fez 1x0 com Marciano e, quatro minutos depois, isto é, aos 36 minutos do 1° tempo, ampliava o marcador. Após uma troca de passes entre Carpegiani e Zico, o camisa 10 chutou forte. O zagueiro banguense Sérgio Cosme, ao tentar interceptar o lance, meteu a mão na bola. Pênalti marcado, o goleiro Luís Alberto até pulou para o canto certo, mas não deu. Zico marcou 2x0 para o Mengão.

21 de abril **GOL 270**

PORTUGUESA-RJ 0X4 FLAMENGO

Pela quinta rodada, o Fla foi à Ilha do Governador, jogar contra a Lusinha, no Estádio Luso-Brasileiro. O jogo foi fácil e Zico fez o último da goleada, aos 22 minutos da fase final. Luiz Paulo fez o cruzamento da linha de fundo para Zico aproveitar, de cabeça, nas redes do gol defendido por Gílson.

27 de abril **GOLS 271 e 272**

FLAMENGO 2X0 MADUREIRA-RJ

De volta ao Maracanã, o Madura era o inimigo da sétima rodada. Zico fez um gol em cada tempo. Aos 13 da primeira fase, houve um cruzamento de Vanderlei da esquerda. Luisinho, na primeira trave, tentou um "peixinho", mas não alcançou a bola, que Zico, livre, concluiu com violência, com o pé direito, de modo indefensável para o goleiro, que se chamava Gílson, assim como o arqueiro da Portuguesa. Esse foi o 200° gol do craque no estado do Rio de Janeiro.

O segundo gol só saiu aos 44 minutos do 2° tempo. Mas, valeu a espera do torcedor. Golaço de falta, no ângulo direito. Foi o 20° gol de falta na carreira de Zico.

7 de Maio **GOLS 273 e 274**

FLAMENGO 3X0 GOYTACAZ-RJ

Pela nona rodada, o time azul de Campos dos Goytacazes era o visitante do Maracanã. Naquele jogo, começaria a contagem regressiva para o gol 200 do Galinho como jogador profissional. O Goyta segurou o 0x0 até os 45 minutos da primeira etapa, quando Zico marcou, em cobrança de falta. Tudo começou quando Luisinho foi à linha de fundo, até ser derrubado pelo zagueiro Paulo Marcos. No exato momento em que Zico bateu a falta, um torcedor invadiu o campo, na outra área, abraçando o goleiro Cantarele, do Flamengo. Paulão, goleiro campista, se distraiu e nem viu a bola entrar. Pelo menos, foi o que ele declarou!

Com um gol de Luisinho, feito já no 2° tempo, o Mengo já vencia de 2x0, quando, aos 28 minutos, Merica foi derrubado pelo zagueiro Paulo Marcos dentro da área, em pênalti claro. Zico bateu duas vezes (na primeira, houve invasão de Toninho), invertendo os lados e marcou em ambas: Flamengo 3x0. Na cobrança que valeu, a bola entrou à esquerda do goleiro.

Este foi o 300° jogo de Zico pelos profissionais do Flamengo.

11 de maio **GOLS 275 e 276**

FLAMENGO 6X0 SÃO CRISTÓVÃO-RJ

A tabela marcava, pela décima rodada, um jogo contra o São Cri-Cri, no Maraca. Ninguém esperava a sensacional atuação do Flamengo no 1° tempo, quando marcou 5x0! Zico fez o segundo, de pênalti, logo aos 4 minutos, após o lateral adversário Júlio derrubar Luisinho, que fora lançado por Zico, já dentro da área. A bola entrou no canto esquerdo baixo do goleiro Jair, que foi para o lado direito.

O time veio para a segunda etapa relaxado. Nenhum gol mais aconteceu e a torcida, que pagou pelos dois tempos, começou a vaiar. Zico, como torcedor que também é, entendeu o recado e, aos 44 minutos, marcou o sexto, para alegria da Nação. Este gol começou no meio-campo, onde Luisinho ganhou a bola e fez o passe a Adílio. Deste, a bola partiu limpa para o Galinho, que a mandou ao canto esquerdo, sem chances de defesa.

22 de maio **GOL 277**

FLAMENGO 2X0 FLUMINENSE-RJ

A 12ª rodada trouxe, ao Maracanã, um Fla-Flu. Os gols só vieram na segunda metade do jogo. No primeiro, aos 16 minutos, Toninho inverteu a bola para a ponta esquerda, onde Luiz Paulo dominou, avançou e abriu para Vanderlei. Este tentou o cruzamento, com a bola batendo no defensor tricolor Miranda e voltando para o lateral rubro-negro. Então, Vanderlei passou pelo lateral adversário, invadiu a área e, com a perna direita, tocou para trás, na altura da marca do pênalti. Zico, que estava à frente da jogada, voltou, girou o corpo e, com a perna esquerda, de virada, acertou o ângulo direito de Wendell, marcando um belo gol. Toninho foi o autor do segundo gol.

26 de maio GOLS 278 e 279

FLAMENGO 7X1 VOLTA REDONDA-RJ

Pela rodada seguinte, uma grande goleada ocorreu no Maracanã. O Voltaço levou um baile, com direito a dois gols de Zico. Aos 33 minutos do 1° tempo, ele fez 2x0, em jogada iniciada por Luisinho, que passou a Osni. O ponta habilidoso, que tinha apenas 1 metro e 56 centímetros de altura, foi à linha de fundo e cruzou alto, na segunda trave. Zico, na entrada da pequena área, apareceu e cabeceou firme para o gol, no canto direito do goleiro Miguel, que nem chegou a esboçar uma defesa. Esse foi o 200° gol de Zico marcado em jogos realizados na cidade do Rio de Janeiro.

O placar já marcava 6x1, quando, aos 41 minutos do segundo tempo, o zagueiro Ari Martins fez falta em Osni dentro da área. Zico bateu a penalidade máxima, colocado, à direita do arqueiro, encerrando a festa de gols.

29 de maio GOLS 280 a 282

FLAMENGO 5X1 CAMPO GRANDE-RJ

Na última rodada da Taça GB, o Mengo enfrentou o Campusca, em Bangu. Pela primeira vez no ano, Zico fez três gols num só jogo. O Campo Grande fez 1x0, mas, aos 42 minutos, veio o empate, após um lançamento longo feito pelo zagueiro Paulo Roberto para Zico, que, virando o corpo, emendou de primeira, com o pé direito. Um lindo chute de fora da área, com a bola entrando no ângulo direito do gol defendido por Moacir.

A virada só veio na segunda etapa, em cobrança de pênalti, sofrido por Osni, derrubado por Moacir, após invadir a área. Zico cobrou no canto direito, com o arqueiro caindo para o outro lado, aos 5 minutos após o reinício do jogo.

Luisinho fez o terceiro gol rubro-negro e sofreu a falta que originou o quarto, cometida pelo volante Tião Tomé. Zico cobrou com violência, rasteiro. A bola ainda bateu na trave esquerda do goleiro e entrou: 4x1, aos 35 minutos. Moacir tentou defender com o pé e se deu mal. E foi Luisinho quem encerrou a goleada.

Com esses três gols, o Galinho terminou empatado com Roberto (Vasco), na liderança da artilharia da Taça Guanabara, ambos com 16 gols em 14 jogos disputados.

23 de Junho GOL 283

BRASIL 2X0 ESCÓCIA

A Seleção voltou a se reunir para diversos amistosos, preparando-se para a fase final das Eliminatórias. Surpreendentemente, Zico fora barrado e esperava, no banco de reservas, com profissionalismo e respeito, nova chance de jogar. O jogo era contra a Escócia, no Maracanã, e os britânicos seguravam o ataque brasileiro. Antes mesmo que a primeira fase terminasse, a torcida começou a pedir a entrada do Galinho. Cláudio Coutinho concordou e Zico veio a campo, na volta do intervalo. O 0x0 continuava teimoso, nervoso, até que, por volta dos 25 minutos, o zagueiro Edinho avançou com a bola dominada pelo lado esquerdo, na altura do meio-campo, sempre marcado por um adversário. Na corrida, passou por dois jogadores escoceses, indo em direção à grande área. Então, fez um passe a Zico, posicionado perto da meia-lua. O Galinho recebeu e, de primeira, devolveu a Edinho, mas, durante o passe, foi derrubado na entrada da área pelo zagueiro Forsyth. Edinho ficou chateado, pois levara vantagem, estando sozinho de frente para o goleiro Rough. Mas, o Maracanã não se importou. Em silêncio expectante, parecia já saber o fim daquele lance. Zico bateu, a bola foi ao ângulo esquerdo e Rough nem se mexeu: Brasil 1x0 e a titularidade de volta. Zico ainda deu o passe para o segundo gol, marcado por Toninho Cerezo. De quebra, Zico atingiu a marca de 200 gols como jogador profissional!

Após o jogo, o técnico escocês, MacLeod, declarou: "Se não fosse aquela cobrança de falta, cobrada magistralmente por Zico, o jogo terminaria empatado. Com a entrada dele, após o intervalo, o Brasil cresceu muito em campo. Acho que ele é um excelente meio-campista. Sabe conduzir a bola e organiza muito bem as jogadas."

14 de Julho GOLS 284 a 287

BRASIL 8X0 BOLÍVIA

Depois de vencer o Peru (1x0), o Brasil precisava de um empate contra a Bolívia para garantir vaga na Copa do Mundo de 1978, na Argentina. O jogo foi realizado no Estádio Pascual Guerrero, em Cáli, na Colômbia, onde foram disputados todos os três jogos desse triangular final das Eliminatórias. Logo aos 5 minutos, Zico cobrou uma falta, cometida por Aragonés sobre Rivelino, pela esquerda do ataque, próximo à área boliviana. A bola desviou no zagueiro Lima, que estava na barreira, e entrou no canto esquerdo, enganando o goleiro Jiménez, que já tinha dado dois passos para a direita. Quando tentou voltar, já era tarde demais: Brasil 1x0.

Cinco minutos depois, Zico arrancou, desde o círculo central do campo, com a bola, até que, da entrada da área, desferiu um forte chute, de pé direito. A bola entrou no ângulo direito: 2x0. O chute saiu tão forte que a bola bateu na rede e voltou para o campo.

Depois de dar um passe para Roberto marcar o terceiro gol, Zico, aos 27 minutos, marcou, de pênalti, o quarto tento brasileiro. A jogada começou com o zagueiro Luís Pereira avançando pela intermediária e abrindo para Zico, na ponta-direita. Ele, então, cruzou na área, na direção do próprio zagueiro brasileiro, que dividiu com o goleiro Peinado, que entrara no lugar de Jiménez, e cabeceou na direção do gol, mas, quando a bola ia entrando, o zagueiro boliviano Rimaza a deslocou com a mão esquerda. Pênalti que Zico cobrou com categoria, no alto, à esquerda do goleiro, que, deslocado, nem chegou a pular.

Já no 2º tempo, Gil, de passe de Zico, colocou 5x0 no placar. Aos 15 minutos, veio o sexto gol. Rivelino recebeu de Roberto, posicionado na ponta-direita, tabelou com Zico em velocidade, até o Galinho de Quintino, já na entrada da área, completar para as redes, com um belo toque com a perna esquerda, por cobertura no canto direito de Peinado, com a bola resvalando na trave, antes de terminar no barbante.

Zico ainda participou, diretamente também, do sétimo gol, chutando forte. Peinado soltou e Toninho Cerezo mandou para o gol. O oitavo e último gol foi de autoria de Marcelo, cinco minutos após ter substituído Zico, que saiu ovacionado pela torcida. O Brasil estava em mais uma Copa do Mundo. Com os quatro gols desse jogo e mais o que marcou contra a Colômbia, na primeira fase, Zico foi o principal artilheiro das Eliminatórias Sul-Americanas para a Copa do Mundo de 1978, com cinco gols.

"O melhor desse jogo foi a preleção." lembra o Galinho. "Eu estava voltando de suspensão, pois tinha sido expulso no outro jogo, contra a Colômbia. Contra o Peru, ficamos concentrados numa cooperativa (risos). Uma droga de lugar, cheio de mato, tinha sapo (risos). O Zé Maria jogava água quente neles e eles subiam. Ele pegava os sapos e colocava na porta do quarto do Rivelino (risos). O Riva e o Rondinelli corriam de medo (gargalhada). Aí, veio esse jogo com a Bolívia e o "espião" Jairo Santos falou um monte. Que a Bolívia era isso e aquilo, desenhou e tal, como se a Bolívia fosse a Alemanha Ocidental campeã do mundo, cara! Ele só esqueceu de dizer que eles faziam tudo isso lá em cima, na altitude. Mas, ajudou. Nós entramos ligados: "Esse time deve ser bom". Entramos para enfrentar a "Alemanha Ocidental" (risos). Foi gol pra tudo que é lado (gargalhada). O segundo gol, então, foi um chute forte de fora da área, lá na gaveta. Fiz um outro de falta, que desviou na barreira e enganou o goleiro, um de pênalti e o quarto gol, que foi uma tabela espetacular entre mim e o Rivelino, né? Eu passei para ele, ele passou para mim. Duas vezes. Aí, eu meti de canhota lá no canto. Bati com a parte externa do pé prá lá e o goleiro veio pra cá (risos)"

31 de julho **GOL 288**

PORTUGUESA-RJ 0X4 FLAMENGO

De volta ao Flamengo, iniciou-se a disputa do 2° turno do Campeonato Carioca. Valendo pela 2ª rodada, o time foi à Ilha do Governador enfrentar o clube local. O placar final foi amplo, mas o primeiro gol só saiu aos 15 minutos do 2° tempo. Toninho cruzou na área. Uma rebatida precipitada do zagueiro luso Ernesto fez a bola bater em seu companheiro de zaga, Fernando, e sobrar para Zico, livre, na área. Este emendou forte, de primeira, rasteiro, na diagonal, fazendo com que a bola entrasse no canto direito do gol de Chico Santos.

10 de agosto **GOL 289**

FLAMENGO 5X0 MADUREIRA-RJ

Pela quinta rodada, no Maracanã, a vítima foi o tricolor suburbano. No terceiro gol, ocorrido aos 11 minutos do 2° tempo, Carpegiani lançou Toninho pela ponta-direita. Este cruzou para a área, onde Zico surgiu entre os beques e chutou forte, estufando as redes do goleiro Gílson e ficando a dez gols da marca de 200 marcados profissionalmente pelo Flamengo.

13 de agosto **GOLS 290 e 291**

FLAMENGO 4X0 OLARIA-RJ

Pela rodada seguinte, o jogo foi no estádio de Moça Bonita, em Bangu. O 1° tempo acabou com vitória do Flamengo por 1x0. Logo aos 2 minutos do reinício, Adílio, completamente livre, foi derrubado dentro da área por Lulinha. Zico bateu o pênalti com chute forte no canto esquerdo baixo do goleiro Ronaldo, ampliando o marcador.

Aos 36 minutos, após cobrança de escanteio, Osni fez boa jogada pela esquerda e cruzou alto para Zico, que, com uma cabeçada violenta, deu números finais ao jogo: Flamengo 4x0.

21 de agosto **GOL 292**

VOLTA REDONDA-RJ 0X2 FLAMENGO

Pela sétima rodada, o rubro-negro foi à Cidade do Aço, enfrentar o time local, no estádio Raulino de Oliveira. O placar foi aberto por Zico, aos 25 minutos da etapa primeira. A bola foi cruzada para a área e a defesa rebateu. Zico aproveitou e mandou um fortíssimo chute ao ângulo esquerdo do goleiro Paulo Sérgio, de primeira, sem sequer ajeitar a bola. Indefensável!

24 de agosto **GOL 293**

FLAMENGO 3X0 AMERICANO-RJ

Pela oitava rodada, no Maracanã, nova vitória ampla. A vítima foi o alvi-negro de Campos dos Goytacazes. No primeiro gol, Zico driblou dois adversários e, quando ia penetrar a grande área adversária, foi derrubado pelo zagueiro Jorge Luís. Falta na entrada da área + Zico na cobrança = Gol. Bola no ângulo esquerdo do goleiro Sanches, aos 30 minutos da etapa inicial.

7 de setembro **GOLS 294 e 295**

GOYTACAZ-RJ 0X4 FLAMENGO

Pela décima-primeira rodada, o confronto contra a outra equipe campista, o Goytacaz. Este jogo, realizado no feriado da Independência, foi em Campos dos Goytacazes, mas o Flamengo não teve muitas dificuldades para golear, embora o primeiro gol tenha demorado a sair. Só veio aos 35 minutos de jogo, quando o zagueiro Folha rebateu errado. Adílio apanhou a sobra e entregou a bola a Zico, que penetrava pela esquerda. Este chutou certeiro no canto direito do arqueiro Paulão: Flamengo 1x0.

Foi, também, de Zico o quarto e último gol do Flamengo e da partida, aos 39 minutos do 2º tempo. Paulão não segurou a bola em um forte chute de Osni, após falta cobrada por Junior. Zico pegou o rebote e concluiu para o gol vazio.

11 de setembro **GOL 296**

FLAMENGO 3X1 AMÉRICA-RJ

Na rodada seguinte, no Maracanã, um grande jogo entre duas ótimas equipes. O Mequinha saiu na frente, mas, aos 28 minutos da fase final, Zico, em cobrança de falta da entrada da área, venceu o goleiro País, que chegou a tocar com os dedos na bola, que, entretanto, entrou em seu ângulo esquerdo: 1x1. Foi o impulso inicial para a grande virada do Rubro-Negro.

18 de setembro **GOL 297**

FLAMENGO 2X0 BOTAFOGO-RJ

Pela 13ª rodada, mais um clássico no Maracanã, com 84.865 torcedores presentes. Rondinelli fez 1x0, mas o placar teimava em não aumentar, apesar da ampla superioridade do Flamengo em campo. Aos 34 minutos do 2º tempo, veio o alívio: Zico partiu do meio-campo com a bola dominada, passou a Adílio, que recebeu falta violenta de Renê, mas, mesmo caído, devolveu ao camisa 10 do Mengo, que penetrou sozinho, concluindo, de perna canhota, à direita do goleiro botafoguense Zé Carlos.

25 de setembro **GOL 298**

FLAMENGO 3X0 SÃO CRISTÓVÃO-RJ

Na última rodada do returno, na Ilha do Governador, o adversário foi o time cadete. O jogo já estava favorável, quando, aos 14 minutos do 2º tempo Junior chutou forte, de fora da área. O goleiro Sérgio não segurou a bola, que sobrou para Cláudio Adão emendar de primeira, mas o goleiro espalmou novamente. Na volta, o centroavante dominou e deu um excelente passe para Zico, que só teve o trabalho de completar para o gol: Flamengo 3x0. Este foi o último gol de Zico na competição, sendo seu principal artilheiro, com um total de 27 gols.

12 de outubro **GOL 299**

SELEÇÃO DO BRASIL 3X0 MILAN-IT

Então, o Selecionado Brasileiro se reuniu, pela última vez no ano, para um amistoso, no Maracanã. O adversário era o rubro-negro italiano de Milão, então campeão da Copa Itália. Rivelino abriu a contagem. Aos 31 minutos, ainda na etapa inicial, Wilsinho foi à linha de fundo, pela direita, e cruzou. Dirceu recebeu, dominou e passou a Zico, que tocou de primeira para Toninho Cerezo. O meio-campista passou na corrida entre vários adversários, invadindo a área, e chutou rasteiro. O arqueiro Albertosi soltou a bola nos pés de Zico, que, livre na pequena área, concluiu com calma: Brasil 2x0. Serginho "Chulapa" completou a goleada.

14 de outubro **GOLS 300 e 301**

FLAMENGO 4X1 NEW YORK COSMOS-EUA

Dois dias depois, Zico estava em campo, no mesmo local, para outro amistoso internacional. O Flamengo tinha técnico novo: Jayme Valente. O time estadunidense contava, entre outros, com Carlos Alberto Torres, Beckenbauer e Chinaglia. Mas, não escapou de ser derrotado. Luiz Paulo abriu o marcador aos 3 minutos de jogo. Dez minutos se passaram e Zico, aproveitando, de cabeça, um cruzamento de Osni, vindo da direita, ampliou, sem defesa para Yasin, o goleiro adversário: 2x0. Este foi o 200° gol de Zico como profissional do Flamengo e seu 300° gol no total de sua carreira.

O Cosmos trocou de goleiro e diminuiu para 1x2, mas, numa falha do substituto Messing, que tocou na bola, mas não conseguiu segurá-la, Zico fez o terceiro, aos 7 minutos do 2° tempo, num chute de longe. Tita fechou a goleada aos 29 minutos.

16 de outubro **GOLS 302 e 303**

FLAMENGO 5X0 VITÓRIA-BA

Mais dois dias, mais um jogo no Maracanã, agora pela 1ª rodada do Campeonato Brasileiro de 1977, e mais uma vitória por goleada: a terceira em três jogos em cinco dias! O rubro-negro baiano começou a desmoronar logo aos 6 minutos de bola rolando, quando seu zagueiro Zé Alberto fez falta em Junior. Zico cobrou no canto esquerdo do goleiro Gélson, que nem sequer esboçou reação de defesa: Flamengo 1x0.

Aos 42 minutos do 2° tempo, Zico recebeu de Luiz Paulo, avançou um pouco para fugir da marcação do zagueiro Aílton Silva e, com um belo chute de pé direito, de primeira, da entrada da área, fechou o marcador: Flamengo 5x0.

20 de outubro **GOL 304**

DESPORTIVA-ES 0X2 FLAMENGO

Valendo pela segunda rodada, o Flamengo foi à Cariacica, no Espírito Santo, atuar no Estádio Engenheiro Araripe. Aos 28 minutos do 2° tempo, Merica, pela ponta-direita, fez excelente lançamento para Osni, que, já dentro da área, dominou, avançou e cruzou rasteiro. O goleiro Edalmo espalmou e Zico, que vinha na corrida, pegou o rebote, colocando de primeira para o fundo das redes: Flamengo 1x0.

26 de outubro **GOLS 305 e 306**

FLUMINENSE-BA 0X6 FLAMENGO

Seis dias depois, pela quarta rodada, o jogo foi no Estádio Joia da Princesa, em Feira de Santana, Bahia, contra o tricolor local. Tita fez 1x0 no início do jogo. Mas, o marcador só se mexeu novamente na segunda metade da etapa final. Mas, como se mexeu! Aos 24 minutos, Osni, na linha de fundo, recuou para Toninho, na entrada da área, pela meia-direita. O lateral recebeu, driblou um adversário para a esquerda, como se fosse chutar de canhota. Mas Toninho fez um passe a Zico, já dentro da grande área. O camisa 10 da Gávea driblou o goleiro Marcelinho e tocou para o fundo das redes, virando o corpo, já quase sem ângulo, de pé direito: Flamengo 2x0.

A porteira se abriu. Dois minutos depois, veio o terceiro gol. Luiz Paulo avançou pelo meio, e lançou Toninho na direita ofensiva. Da linha de fundo, partiu um cruzamento rasteiro para trás, que encontrou Zico livre. Daí para as redes e 3x0 no placar. Osni e Toninho (duas vezes), nesta ordem, completaram o marcador final.

15 de novembro **GOL 307**

FLAMENGO 1X2 FLUMINENSE-RJ

Houve um Fla-Flu no Maracanã, pela oitava rodada do Campeonato Brasileiro, no feriado da Proclamação da República. O tricolor vencia por 2x0, quando, aos 8 minutos da etapa final, Luiz Paulo cobrou um corner, de forma curta, para Toninho. Este centrou para dentro da área, onde Zico, aproveitando-se de uma indecisão da zaga, tocou, na saída de Wendell, diminuindo a diferença.

Com esse gol, Zico se igualou a Pirilo (atacante que atuou no clube de 1941 a 1947) na terceira colocação da artilharia do Flamengo em todos os tempos, com 207 gols marcados por cada um.

Neste jogo, o Flamengo perdeu uma longa invencibilidade de 31 jogos.

24 de novembro **GOL 308**

VITÓRIA-ES 0X3 FLAMENGO

Pela rodada seguinte, o Flamengo voltou a Cariacica. A fácil vitória começou com um gol de Zico, logo aos 3 minutos de jogo. Um jogador capixaba tocou na bola com a mão, perto da sua área. Zico cobrou a falta com habilidade, no ângulo direito do goleiro George, ultrapassando a marca de Pirilo e se isolando como terceiro maior artilheiro da história do Flamengo, com 208 gols consignados.

27 de novembro **GOL 309**

FLAMENGO 3X1 CONFIANÇA-SE

No Maracanã, pela décima rodada, nova vitória. Já aos 18 minutos da primeira etapa, Merica fez ótima jogada individual, penetrou em velocidade e quando ia chutar, estourou com o volante sergipano, Dudu. A bola sobrou então para Zico, que, na entrada da área, emendou violento, de pé direito, no canto esquerdo do goleiro Zé Luís, ampliando o marcador para 2x0.

17 de dezembro **GOL 310**

FLAMENGO 1X0 ABC-RN

No último jogo do ano – o Campeonato Brasileiro de 1977 invadiu o ano seguinte – uma vitória apertada sobre o alvinegro de Natal, no Maracanã. O gol único saiu aos 2 minutos do 2º tempo. Luiz Paulo fez cruzamento, da ponta-esquerda. Zico, na entrada da pequena área, emendou de cabeça, sem defesa para Hélio.

Com 39 gols marcados, Zico foi, mais uma vez, o artilheiro do Flamengo em uma temporada. Agora, com um total de 210 gols, era, já, o terceiro maior goleador da história do clube. Pela Seleção do Brasil, Zico, pela primeira vez, acabou uma temporada como artilheiro. Foram 9 gols, mesma marca de Roberto "Dinamite". No total, já computava 16 gols com a camisa canarinho. Além disso, pelo segundo ano consecutivo, Zico foi o jogador brasileiro que fez mais gols no ano: 48!

CAPÍTULO 8

Zico comemora gol no Maracanã.

1978

O ano de 1978 foi muito importante na carreira de Zico. O Flamengo deu início à arrancada que o levaria a formar o melhor time de toda sua história e, pela Seleção Brasileira, veio a oportunidade de disputar sua primeira Copa do Mundo.

26 de janeiro **GOL 311**

SELEÇÃO DO VALE DO PARAÍBA-RJ 1X2 FLAMENGO

O ano, para o Flamengo, comandado por Jaime Valente, começou com um amistoso na cidade fluminense de Barra do Piraí, contra uma seleção do Vale do Paraíba, que atuou reforçada por três jogadores do Rubro-Negro carioca: Niélsen, Jorge Luís e Júnior Brasília. Foi de Zico, aos 43 minutos do 1º tempo, o primeiro gol do Flamengo na temporada. Após receber cruzamento de Luiz Paulo, da ponta-esquerda, o Galinho tocou na saída de Niélsen, fazendo 1x0 para o Flamengo.

11 de fevereiro **GOL 312**

FLAMENGO 1X1 CAXIAS-RS

O gol seguinte de Zico saiu em jogo válido, ainda, pelo Campeonato Brasileiro de 1977, já em sua terceira fase, no Maracanã. O Caxias saiu na frente e Zico empatou, aos 39 minutos da fase inicial, completando, com um forte chute da entrada da área, um lindo passe de calcanhar de Osni, após um contra-ataque armado por Adílio. O goleiro Bagatini nada pôde fazer. Mas, ficou nisso: 1x1.

12 de março **GOLS 313 a 317**

SEL. BRASIL 7X0 SEL. INTERIOR DO RIO DE JANEIRO-BR

Esse dia trouxe um marco na carreira de Zico. Era a estreia da Seleção Brasileira, dirigida por Cláudio Coutinho, no ano, em amistoso realizado no Estádio Caio Martins, em Niterói, estado do Rio de Janeiro. Pela primeira vez em sua carreira profissional, Zico marcou cinco gols em uma única partida, igualando-se a Evaristo (num 9x0 contra a Colômbia em 1957), como únicos jogadores a atingirem essa marca em um jogo do Brasil! Mas, o placar demorou a ser inaugurado. O primeiro gol só saiu aos 36 minutos de jogo, quando Rivelino interceptou um ataque adversário, cortando de cabeça um lançamento do meio-campista Índio. A bola sobrou para Reinaldo, na entrada da área. Deste partiu o passe para Zico, que penetrou pelo meio, entre os zagueiros, e, com o pé direito, marcou 1x0, sem defesa para o goleiro Paulo Sérgio.

Sete minutos depois, Rivelino cobrou uma falta rasteira, forte. O goleiro fluminense "bateu roupa" e, no rebote, Zico, fez o segundo gol, também de pé direito.

Já na etapa final, na marca dos 15 minutos, houve uma falta na entrada da área, pelo lado esquerdo, cometida pelo lateral-direito Marinho sobre Dirceu. Zico bateu perfeito, com a bola indo às redes, no canto direito do gol do goleiro Augusto, que havia substituído Paulo Sérgio: 3x0.

Vinte e quatro minutos foi a marca do quarto gol do jogo. A jogada começou pela direita, com Dirceu, que atrasou para Tarciso. O atacante passou por dois adversários e tocou para o lado oposto, onde estava Zico. O Galinho, na entrada da área, dominou com o pé direito e chutou com o esquerdo. Este foi o 20º gol de Zico pela Seleção Brasileira principal.

Foi de Nunes o quinto gol nacional. E, aos 27 minutos, Zico retomou o comando da festa. Houve um avanço de Rivelino pela direita, finalizado com um cruzamento, de perna esquerda para a área. A bola desviou na cabeça do zagueiro Adilson e sobrou para Zico, que, de cabeça, mandou para as redes, de cima para baixo, à esquerda de Augusto: 6x0. Foi o 300º gol do craque em jogos realizados no Brasil. Este foi, também, o 1.200º gol da história da Seleção Brasileira. O último gol do jogo foi de Rivelino.

Com seus gols neste amistoso, Zico se igualou a Jair (Rosa Pinto, que atuou pela Seleção de 1940 a 1950 e em 1956), com 21 gols marcados cada, na décima posição dos maiores artilheiros do Brasil em todos os tempos.

19 de março GOL 318

SELEÇÃO DO BRASIL 3X1 SELEÇÃO DE GOIÁS-BR

A seguir, novo amistoso da Seleção, agora contra a Seleção Goiana, no Estádio Serra Dourada, em Goiânia, Goiás, para um público de cerca de 76.000 torcedores. A seleção canarinho vencia por 1x0, quando, aos 34 minutos do 1º tempo, o lateral-direito Toninho foi à linha de fundo e cruzou para dentro da área, na direção de Dirceu. Este tocou na frente para Tarciso, que cruzou para trás. Zico vinha na corrida e, quando ia cabecear, foi empurrado pelo lateral-esquerdo Donizeti. Ele mesmo cobrou o pênalti com força, alto, no canto esquerdo do goleiro Marcos, que ainda tocou na bola, mas ela foi às redes.

Agora com 22 gols marcados pelo Brasil, Zico passou a ocupar o 9º posto de artilheiros da história, ao lado de Pepe (que atuou na Seleção de 1956 a 1958 e de 1960 a 1965).

1 de maio GOL 319

BRASIL 3X0 PERU

Uma contusão fez Zico ficar afastado dos campos por um tempo. Voltou a estufar redes num amistoso no Maracanã, com 145.200 pagantes, já no quinto mês do ano. Foi aos 34 minutos do 1º tempo, quando o zagueiro Amaral, um pouco além da linha do meio-campo, passou a Edinho, na lateral-esquerda. Dele partiu o lançamento para Rivelino, que correu pela linha de fundo, ajeitou a bola e cruzou forte, rasante, para dentro da área. A bola passou por Nunes, pelo zagueiro peruano Chumpitaz, desviou para a altura da meia-lua, onde apareceu Zico na corrida. O Galinho de Quintino pegou de primeira, rasteiro, com o pé direito, para abrir o marcador do jogo, isolando-se como o nono maior goleador de nossa seleção (23 gols). O goleiro Quiroga até pulou, mas nada pôde fazer. A bola entrou no canto direito: Brasil 1x0.

17 de maio GOL 320

BRASIL 2X0 TCHECOSLOVÁQUIA

Em outro amistoso internacional, no mesmo local, Reinaldo foi quem abriu a contagem. Apenas aos 39 minutos da fase final, veio o "tiro de misericórdia". O zagueiro Oscar atravessou o meio-campo com a bola dominada e a entregou a Zico, na intermediária. O Galinho avançou e abriu na ponta-direita, onde se encontrava Toninho. O lateral cruzou para Zé Sérgio, que cabeceou no canto esquerdo do goleiro Hruska. A bola ia entrando junto à trave, mas o arqueiro se projetou para defendê-la. Foi quando Zico entrou na corrida, chegou antes e tocou para dentro das redes tchecoslovacas, estando já quase sobre a linha de gol. Um gol de raça e oportunismo.

Com este gol, Zico se igualou a Didi (Craque Bicampeão Mundial com o Brasil em 1958 e 1962 e que serviu à Seleção de 1952 a 1959 e de 1961 a 1962) na oitava posição entre os artilheiros da história, com 24 gols cada.

14 de junho **GOL 321**

BRASIL 3X0 PERU

O Brasil partiu para a Argentina para disputar a XI Copa do Mundo. Na primeira fase, estranhamente colocado em um campo onde a grama se soltava e fazia diversos buracos, impossibilitando o bom futebol, a seleção passou apertado... mas, passou. A estreia na segunda fase se deu em um campo melhor, na cidade de Mendoza. Zico começou no banco, mas entrou para marcar, de pênalti, o terceiro gol do Brasil e do jogo. Isto ocorreu aos 27 minutos do 2° tempo, quando Dirceu roubou a bola no meio-campo, pelo lado direito, tabelou com Toninho, passou por um adversário e, de pé direito, lançou Roberto. Este invadiu a área, passando pelo zagueiro Manzo, indo ao fundo do campo, driblando o goleiro Quiroga, sendo, então, parado faltosamente por Duarte. A cobrança de Zico foi rasteira, firme, no canto esquerdo. Foi seu primeiro gol em uma Copa do Mundo. Ele lembra do lance: "Quando tinha pênalti, eu, estando em campo, sempre batia. Só se houvesse ordem para outro bater... Então, o Roberto sofreu o pênalti. Aí, eu fui lá e peguei a bola para bater. Era o Quiroga no gol. Cobrei tranquilo, sem pressão alguma. Essas coisas não me afetavam." Esse gol, seu 25° pela Seleção, isolou o Galinho de Quintino como o 8° maior artilheiro da seleção canarinho em todos os tempos.

Mas, a alegria não duraria muito. Nos lances iniciais do jogo contra a Polônia, Zico sofreu uma lesão muscular que o afastou dos campos por meses.

O Brasil terminou como terceiro colocado, invicto, nessa Copa do Mundo.

3 de setembro **GOLS 322 e 323**

FLAMENGO 6X0 SÃO CRISTÓVÃO-RJ

A volta de Zico aos gramados foi na estreia do Flamengo na Taça Guanabara, que correspondia ao 1° turno do Campeonato Carioca de 1978. O adversário, no Maracanã, era uma incógnita. O time cadete havia feito uma parceria com o Cruzeiro-MG, de onde trouxera vários jogadores. O Flamengo, sob o comando do técnico de Cláudio Coutinho, não tomou conhecimento e atropelou. Zico fez dois. Aos 26 minutos do 2° tempo, surgiu o gol mais bonito do jogo. A jogada começou com Junior tabelando com Adílio, pelo lado esquerdo da intermediária, até que o lateral deixou o camisa 8 na cara do gol, já dentro da área, mas um zagueiro adversário chegou para dividir e Adílio, com inteligência e categoria, deu um toque macio para o meio da área. Zico apareceu, dividindo com o lateral-direito Cleiton. A bola bateu na perna do craque rubro-negro e espirrou para a esquerda, já quase dentro da pequena área. Agora com um novo marcador à sua frente, o Galinho parou, dominou e deu um toque leve para a linha de fundo. O zagueiro tentou derrubar Zico com um carrinho, mas o camisa 10 da Gávea permaneceu firme no lance e, quase sem ângulo, tocou para o fundo das redes, entre o goleiro Geraldo e a trave direita. Uma pintura de gol!! Flamengo 4x0.

Dez minutos depois, num contra-ataque, Tita passou a linha do meio de campo com a bola dominada e lançou Cláudio Adão na ponta-direita. O centroavante avançou até a linha de fundo e cruzou para dentro da área, no lado oposto. A bola quicou e sobrou limpa para Zico, que chegou na corrida e encheu o pé, no canto esquerdo de Geraldo, que nada pôde fazer: Flamengo 5x0.

Com seus dois gols neste jogo, Zico completou 214 gols com a camisa (profissional) do Flamengo, superando Henrique (atacante que atuou pelo clube de 1954 a 1963, anotando 213 gols pelo Rubro-Negro) na vice-liderança da artilharia da história de seu clube de coração!

6 de setembro **GOL 324**

FLAMENGO 5X0 CAMPO GRANDE-RJ

Pela segunda rodada, no mesmo estádio, outra goleada. Zico deixou o seu, aos 9 minutos do 2° tempo, ao cobrar uma falta ao lado da grande área, pelo lado esquerdo do ataque. A bola desviou no zagueiro Severo, entrando entre a trave e Caxias, o arqueiro do Campusca: 4x0 para o Flamengo.

24 de setembro **GOLS 325 e 326**

BANGU-RJ 0X3 FLAMENGO

O jogo pela sexta rodada foi em Moça Bonita, Bangu, contra o time da casa. Aos 20 minutos do início, Eli Carlos pegou um rebote na entrada da área, pelo lado esquerdo, matou a bola no peito e chutou de primeira, despretensiosamente, rasteiro, mas o goleiro Lumumba não segurou firme. A bola sobrou na entrada da pequena área para Cláudio Adão, que, na saída do arqueiro, tocou de pé esquerdo, para o meio. Zico apareceu na corrida e empurrou para o gol vazio: Flamengo 1x0.

Já aos 42 minutos do 2° tempo, Carpegiani, próximo à linha do meio do campo, fez um passe a Adílio, mais à frente. O meia dominou, virou o corpo e fez curto passe, à esquerda, para Zico, que recebeu, tocou na frente, invadiu a área e chutou, de canhota, por cima de Lumumba, no seu canto esquerdo, definindo os 3x0 finais do placar, com um chute indefensável.

11 de outubro **GOL 327**

FLAMENGO 3X0 BONSUCESSO-RJ

O Flamengo voltou a Bangu para enfrentar o Bonsucesso pela penúltima (décima) rodada da Taça GB. Aos 15 minutos do 1° tempo, Tita tabelou com Zico, que, em grande estilo, mandou um chute de primeira para as redes do goleiro Gil, fazendo, naquele momento 2x0 para o Flamengo no jogo e marcando o 100° gol do Flamengo em 1978. Este foi o 100° gol de Zico em campeonatos cariocas.

15 de outubro

FLAMENGO 0X2 FLUMINENSE-RJ

No jogo seguinte, mesmo uma derrota para o Fluminense não foi capaz de tirar o título da Taça Guanabara do clube da Gávea, que atuou com Raul; Toninho, Manguito, Nélson e Junior; Carpegiani, Adílio e Cléber (Leandro); Tita, Cláudio Adão e Zico, ganhando, também, o 1° turno do Campeonato Carioca daquela temporada.

22 de outubro **GOL 328**

FLAMENGO 2X1 AMÉRICA-RJ

A estreia no 2° turno foi no Maracanã. Foi Zico quem inaugurou o marcador, aos 19 minutos da etapa primeira. O lance começou com Adílio, que recebeu na intermediária, levantou a cabeça e fez excelente lançamento para Zico, que, já dentro da área, cara a cara com o goleiro País, deslocou-o com um leve toque, no canto esquerdo, pelo alto.

25 de outubro **GOL 329**

LONDRINA-PR 0X3 FLAMENGO

Três dias depois, o time, sem três titulares, poupados, Toninho, Carpegiani e Cláudio Adão, estava em Maringá, no Paraná, para um amistoso em benefício da família do ex-lateral-esquerdo Waltencir (do Londrina), que havia falecido em campo, num jogo pelo Campeonato Paranaense, cerca de um mês antes. Logo aos 15 minutos de bola rolando, Zico deixou sua marca, após fazer uma jogada individual, passando por Terezo e Marinho e concluindo forte, na saída do goleiro Paulo Rogério: 1x0 para o Flamengo.

29 de outubro **GOLS 330 a 332**

CAMPO GRANDE-RJ 2X5 FLAMENGO

De volta ao Rio, uma ida a Ítalo Del Cima, pelo Estadual. Zico deu show. Foi o melhor em campo, fazendo três gols, dando passe para outro, combatendo, armando, distribuindo bolas, driblando e chutando. Logo aos 4 minutos, Adílio foi à linha de fundo, pela ponta-direita, e cruzou, rasteiro, para dentro da área. A bola passou por Zico e pelos zagueiros Carlos Alberto e Neném, sobrando para Cláudio Adão entre a marca do pênalti e a pequena área. Quando o centroavante ia chutar, o lateral-direito Brasília chegou para dividir e a bola acabou sobrando para Zico, um pouco mais à direita, já na pequena área. Cara a cara com o goleiro Caxias, o camisa 10 só teve o trabalho de empurrar a bola para o fundo das redes, no canto direito: Flamengo 1x0.

Aos 26 minutos do 2º tempo, de novo Adílio, após driblar um adversário na entrada da grande área, perto da linha de fundo, pela ponta-esquerda, cruzou com o pé direito para dentro da pequena área, na segunda trave, onde se encontrava Cláudio Adão. Este escorou de cabeça para Zico, recuando a bola para o meio. O Galinho soltou uma bomba de pé direito, da entrada da pequena área, no canto direito do goleiro Caxias, que, deslocado, nada pôde fazer: Flamengo 3x0.

Quatro minutos se passaram até que Carpegiani lançou Toninho, dentro da grande área. Caxias falhou de novo na saída do gol. Toninho tocou, de calcanhar, para Zico, que, já dentro da área, mandou de cabeça para as redes: Flamengo 4x0.

5 de novembro **GOLS 333 e 334**

FLAMENGO 4X0 FLUMINENSE-RJ

A derrota para o Fluminense na última rodada da Taça GB fora a única do Flamengo até então. No jogo valendo pelo 2º turno, a vingança veio forte. O jogo estava duro, até que, aos 30 minutos do 1º tempo, o atacante flamenguista Marcinho dividiu com o tricolor Carlinhos, que caiu. Toninho se aproveitou e partiu com a bola, aproveitando-se da indecisão de Edinho, passando-a para Adílio, na meia-direita. O camisa 8 tocou para Tita, mais centralizado. Este passou para Zico, na meia-esquerda, próximo da grande área. O Galinho tabelou com Cláudio Adão na meia-lua, que devolveu de primeira, mais à frente, para o camisa 10. Já dentro da área, Zico, de pé direito, chuta de primeira, rasteiro, balançando o barbante, no canto esquerdo do goleiro Wendell, pela primeira vez no clássico.

Cláudio Adão ampliou, aos 44 minutos e, um minuto depois, a goleada se desenhava: Zico recebeu a bola de Tita na ponta esquerda, perto do meio do campo, e avançou para o meio. Fez passe, recuando para Adílio, que, da intermediária, lançou Toninho na ponta direita. O lateral levantou a cabeça, viu Zico livre dentro da área e passou rasteiro para o craque rubro-negro. O Galinho, de primeira, de pé direito, surpreendeu o goleiro do Flu, chutando com força no canto esquerdo: Flamengo 3x0. O último gol também foi de Cláudio Adão, na etapa final.

Zico lembra, com humor, um detalhe: "Esse é o jogo dos morangos né? (gargalhada) O Domingos Bosco já estava com a gente como nosso supervisor. A gente brincava que, se não tivesse morango para mim, não tinha gol, esse tipo de coisa (risos). E não estava nem na época de morango (risos). Aí, alguns jogadores na concentração lá de São Conrado ficavam perguntando: "Cadê o morango? Cadê o morango?" Aí, eu não sei se era o seu Zé ou o Emílio que se virou para mim e disse: "Queria falar contigo e tal. Rodei o Rio inteiro e não achei morango". Eu disse: "Esquenta não. Isso é brincadeira dos caras". Só que os caras continuavam: "Ih! Se não tiver morango, amanhã não tem gol". Aí, no dia seguinte, me disseram... Eu não vi, mas me falaram que o Bosco chegou lá e o seu Zé foi falar com ele: "Cara, procurei morango pelo Rio todo e não achei e tal". Aí, o Bosco deu bronca em todo mundo e o caramba (risos) Ele saiu e ninguém viu. Depois, ele voltou e a gente foi almoçar e começaram as brincadeiras: "Ih! Não tem morango, não vai ter gol" E eu quieto. Acabamos de almoçar, ninguém levantou, ficou todo mundo lá, esperando e, daqui a pouco vem o Bosco com um saco daqueles de papel pardo, desses de supermercado, né? Bota na mesa, vira o saco todo (gargalhada). Um monte daqueles moranguinhos silvestres pequeninos, tipo comida de cobra (gargalhada). Pegou um negócio de chantili e falou assim: "Tá aqui ó! Tem morango e chantili. Eu subi a droga da Estrada das Canoas e fiquei catando ali. Hoje, vai ter que ter gol". Aí, eu pensei: "Ferrou! Está chovendo. Hoje, vai ter que ter gol de qualquer jeito". Fiz dois e o Adão fez outros dois. Aí, toda semana tinha morango lá na mesa (muita gargalhada). No primeiro gol, eu tabelei com o Adão e chutei de chapa no canto. E o meu segundo gol foi de um cruzamento do Toninho, que eu chutei de primeira e o Wendell falhou."

11 de novembro **GOLS 335 e 336**

FLAMENGO 9X0 PORTUGUESA-RJ

Uma enorme goleada aconteceu no Maracanã, pela sexta rodada. O árbitro até encerrou o jogo segundos antes do tempo regulamentar se esgotar, penalizado com o choro do goleiro Chico Santos, da Portuguesa, após a marcação do nono gol. Zico, é claro, colaborou no massacre. Aos 19 minutos do 2º tempo, foi dele o sexto gol do Flamengo e do jogo. Carpegiani sofreu uma falta do zagueiro Márcio, próximo à meia-lua, de frente para o gol. O Galo cobrou magistralmente, com violência, no ângulo esquerdo.

Três minutos depois, Carpegiani fez sensacional jogada, finalizando com belo passe para Tita, localizado dentro da grande área. O toque perfeito, de esquerda, facilitou para o Galinho marcar, de perna direita, da marca do pênalti, o sétimo gol rubro-negro.

16 de novembro **GOL 337**

FLAMENGO 2X0 BONSUCESSO-RJ

Pela sétima rodada, o Bonsuça foi o adversário, também, no Maracanã. Assustado com o placar anterior do Flamengo, jogou fechadinho para evitar uma goleada, o que conseguiu. O Mengo fez um gol em cada tempo. O primeiro foi de Zico, aos 22 minutos. A jogada começou com Marcinho, pela direita, que inverteu o jogo para a esquerda. Junior dominou e cruzou para dentro da área, à meia altura. A bola sobrou na marca do pênalti para Zico, que chutou rasteiro, fazendo a bola passar por baixo do goleiro Pedrinho. Tita fechou o placar.

19 de novembro **GOL 338**

FLAMENGO 1X0 BOTAFOGO-RJ

Três dias depois, outra vitória em clássicos. E com um gol de placa. Uma pintura de Zico, aos 24 minutos do 2º tempo! Manguito começou boa jogada pela direita e serviu Adílio, que deixou Chiquinho para trás, tocando para Zico, na entrada da área. O Galinho invadiu a área, a bola quicou à sua frente, quase fazendo o craque perder o tempo da bola. Quase... porque era Zico! O goleiro Zé Carlos se adiantou, fechando os ângulos, mas o craque, com um belo toque por cobertura, aninhou a bola nas redes botafoguenses. Zé Carlos até tentou, no desespero, voltar e defender, mas acabou entrando com bola e tudo no gol. Golaço e vitória (importantíssima) garantida!

23 de novembro **GOLS 339 e 340**

FLAMENGO 2X0 SÃO CRISTÓVÃO-RJ

O time do São Cristóvão já havia se acertado e dera trabalho aos demais times grandes. Neste jogo, no Maracanã, os alvos queriam a forra da goleada do turno. Mas, não deu. Logo aos 13 minutos de jogo, Zico, após driblar dois adversários, foi derrubado, na entrada da área, na altura da meia-lua. A cobrança, exuberante, no ângulo direito, não permitiu defesa ao goleiro Bocaiúva.

Aos 21 minutos do 2º tempo, Junior avançou pela ponta-esquerda, passou para Adílio, que tocou para dentro da área, onde estava Zico, que chutou firme, no canto esquerdo, fechando o placar.

25 de novembro **GOL 341**

FLAMENGO 2X0 OLARIA-RJ

Na penúltima rodada, uma vitória sobre a equipe bariri, no Maracanã, deixaria o Flamengo próximo do título carioca. Com 14 minutos de bola em jogo, Tita, da meia-esquerda, fez um lançamento preciso para Zico, que, já dentro da área, venceu o zagueiro Maurício na corrida, ficando diante do goleiro Ernani. Rápido, o Galinho driblou o camisa 1 e, com categoria, tocou no canto, à meia-altura, do lado esquerdo: Flamengo 1x0. Na etapa final, um gol de Tita selou a vitória.

3 de dezembro

FLAMENGO 1X0 VASCO

No jogo seguinte, um gol de Rondinelli, de cabeça, após Zico cobrar o escanteio, aos 41 minutos do 2º tempo, deu ao rubro-negro da Gávea a vitória de 1x0 sobre o Vasco. Com esse resultado, o Flamengo, que atuou com Cantarele; Toninho, Rondinelli, Manguito e Junior; Carpegiani, Adílio e Zico (que foi expulso); Marcinho, Tita (Alberto) e Cléber (Eli Carlos), venceu, também, e invicto, o 2º turno do Campeonato Carioca 1978, sagrando-se, assim o Campeão Carioca de 1978. Zico, em 2010, falou que "o gol do Rondinelli é o único gol que eu assisto e até hoje me arrepia."

10 de dezembro **GOL 342**

FLAMENGO 2X1 FLUMINENSE-RJ

Uma semana após a conquista do título, houve um Fla-Flu amistoso, no Maracanã, para entrega das faixas de campeão. O tricolor queria estragar a festa e fez 1x0, placar da etapa inicial. Somente aos 26 minutos da fase final, o Flamengo empatou. A jogada começou com Carpegiani, na meia-lua, que, mesmo marcado, conseguiu abrir na direita para Toninho. O lateral deu um toque na bola, para frente, chegando a Zico, que entrou com a bola pela ponta direita, já dentro da área, e bateu forte, cruzado. A bola bateu em Carlos Alberto Pintinho, jogador do Fluminense, antes de se encaminhar às redes: 1x1.

Doze minutos depois, Toninho fez o gol da vitória rubro-negra.

14 de dezembro **GOLS 343 a 345**

SELEÇÃO DE RORAIMA 0X4 FLAMENGO

Após a conquista do título, o time viajou pelo Brasil fazendo amistosos para faturar. Um deles foi em Boa Vista, Roraima, contra a seleção daquele território. Logo aos 6 minutos, o placar foi inaugurado. Carpegiani passou a Zico, que, com toque rasteiro no canto esquerdo, "furou" o goleiro César.

Eli Carlos fez 2x0 aos 8 e, dois minutos depois, Adílio e Tita fizeram bela jogada, com cruzamento deste último para o interior da área. Zico completou de cabeça: Flamengo 3x0.

Mais quatro minutos e Junior passou a Zico. Este, da intermediária, fuzilou para o gol: 4x0, aos 13 minutos da etapa inicial. Estranhamente, o placar não se modificou mais!

Zico e Adílio com a Bola de Prata da Revista Placar em 1978.

Carpegiani, Adílio e Zico em 1978 no Maracanã.

Pela primeira vez, Zico acabou um ano como artilheiro isolado da Seleção Brasileira em uma temporada, com seus 9 gols marcados. Com um total de 25 gols com a "amarelinha", ele já era o oitavo maior artilheiro da história da nossa seleção! Zico também liderou a artilharia do Flamengo em 1978, com 26 gols, e foi um dos artilheiros do Campeonato Carioca, marcando 19 vezes. Seus 236 gols pelo clube já o alçaram à segunda colocação da história, atrás, apenas, de seu ídolo, Dida.

Zico faz jogada individual contra o Vasco de Abel Braga (na foto) na final do Campeonato Carioca em 3 de dezembro de 1978.

CAPÍTULO 9

Zico comemora com os companheiros o gol do Flamengo no Maracanã em 1979.

1979

Para 1979, a expectativa era grande. O Flamengo começava a tomar corpo e a chamar a atenção por todo o país e a Seleção tentava se reorganizar. Zico estava prestes a atingir marcas fantásticas.

28 de janeiro GOL 346

FLUMINENSE (DE NOVA FRIBURGO)-RJ 0X4 FLAMENGO

O Flamengo começou o ano ainda comandado por Cláudio Coutinho. No primeiro jogo do ano, em um amistoso, goleada em Nova Friburgo, no Estádio Eduardo Guinle, com direito a gol de Zico: o Mengo já vencia por 3x0, quando, aos 38 minutos da segunda etapa, Zico recebeu lindo passe de Adílio, penetrou pela ponta direita, passou pelo lateral-esquerdo Walter para definir o marcador final, estufando as redes do goleiro Brasília, com um chute forte no canto direito.

4 de fevereiro GOL 347

ITABUNA-BA 1X2 FLAMENGO

O gol seguinte de Zico veio em outro amistoso, no Estádio Luís Viana Filho, em Itabuna, Bahia. O time local inaugurou o marcador, mas Zico empatou, após ótimo cruzamento do ponta-direita Reinaldo, aos 35 minutos, ainda na fase inicial, numa virada espetacular, de perna esquerda, fora do alcance do goleiro Laércio. Cláudio Adão fez o gol da vitória.

11 de fevereiro GOLS 348 e 349

FLAMENGO 4X0 AMÉRICA-RJ

Naquele ano, além do Campeonato Estadual anual de praxe, que seria disputado a partir de maio, foi criada uma nova competição, para brindar – enfim! – a unificação dos clubes dos antigos estados do Rio de Janeiro e da Guanabara, agora numa mesma federação: o I Campeonato Estadual do Rio de Janeiro. Pela segunda rodada, o Maracanã programou a inauguração de seu moderníssimo placar eletrônico. Nele, apareciam os nomes e números de cada jogador de cada time, além de outros dados e espaço para informações de outros jogos. Detalhes inéditos, então. O primeiro gol do novo placar foi do Flamengo. Seu autor foi o ponta-direita Reinaldo.

O Flamengo dava show e já vencia por 2x0, quando, aos 36 minutos do 2º tempo, Zico fez lançamento para Luizinho "das Arábias", que entrava pelo meio da zaga americana, sendo derrubado por Eraldo antes de entrar na grande área. A cobrança de Zico foi magistral, no ângulo do goleiro País, que nada pôde fazer. No placar, apareceu escrito: "GOL!'. E, depois de alguns segundos, em letras garrafais e estilizadas, aparecia a mensagem "10-ZICO".

Pouco após a nova saída dada pelo América, Zico, mais uma vez pelo meio, lançou Adílio na intermediária. Este tocou, de primeira, para Luizinho, novamente derrubado por Eraldo, praticamente na mesma posição. O Maracanã inteiro pensou já ter visto esse lance! O "10-ZICO" ainda estava no placar, quando o Galinho bateu a nova falta, desta vez à meia-altura, descaindo no canto direito baixo de País. O Maracanã inteiro já sabia: Flamengo 4x0, aos 38 minutos.

14 de fevereiro **GOL 350**
UBERABA-MG 0X1 FLAMENGO

Aquele Flamengo não parava. Se tinha um intervalo na tabela, lá vinham amistosos. Dessa vez, o jogo festivo foi no Estádio João Guido, em Uberaba, Minas Gerais. O jogo foi duro, decidido apenas aos 25 minutos da segunda fase, com um gol de Zico. Chovia muito e Júlio César "Uri Geller", que era o melhor no jogo, fugiu pela esquerda, passou pelo lateral Figueroa e o zagueiro Machado e cruzou da linha de fundo para Zico completar, já no interior da grande área, para o fundo das redes do goleiro Diron, marcando o único gol do jogo. Uma contagem regressiva começou. Zico, agora com 241 gols marcados profissionalmente pelo Flamengo, estava a 10 gols da liderança da artilharia da história de seu clube de coração.

16 de fevereiro **GOL 351**
SANTO ANTÔNIO-ES 0X6 FLAMENGO

Dois dias depois, outro amistoso, agora no Estádio Engenheiro Araripe, em Cariacica, Espírito Santo. Os nomes santos do adversário e do estado não impediram uma goleada. Zico marcou o quarto do Mengão, aos 7 minutos do 2° tempo. Cléber foi quem iniciou a jogada pela direita, fazendo o passe para o zagueiro Moisés, que levou a bola até a entrada da área e tocou para Zico. O camisa 10 recebeu e chutou forte, de pé esquerdo, sem chances de defesa para o goleiro Arnaldo.

18 de fevereiro **GOLS 352 e 353**
FLUMINENSE (DE NOVA FRIBURGO)-RJ 1X5 FLAMENGO

De volta ao I Campeonato Estadual do Rio de Janeiro, o Flamengo voltou a Nova Friburgo para enfrentar o Fluminense local. E tornou a vencer de goleada. Zico fez dois, sendo o primeiro aos 26 minutos do 1° tempo, quando Adílio cruzou da direita, Júlio César emendou de esquerda e o goleiro rebateu nos pés de Zico, que o encobriu, fazendo 2x0 para o Flamengo.

Aos 20 minutos da etapa final, após grande jogada de linha de fundo de Toninho, Cláudio Adão chutou forte a gol. O goleiro rebateu e, novamente, Zico não perdoou: Flamengo 4x0.

21 de fevereiro **GOL 354**
GOYTACAZ-RJ 0X1 FLAMENGO

O jogo seguinte foi realizado no Estádio Ari de Oliveira e Souza, em Campos dos Goytacazes, pela quarta rodada do Estadual, em seu primeiro turno. Aos 7 minutos do segundo tempo, Carpegiani roubou a bola no meio de campo, passou por Manuel e lançou Adílio, que, de primeira, tocou para Cláudio Adão. O centro-avante dominou, virou e fez um lançamento na medida para Zico, que passou pelos zagueiros Fumaça e Eurico, avançou, driblou o goleiro Augusto e tocou para o fundo das redes. Na época, foi amplamente divulgado e comentado que, com esse gol, Zico teria superado Dida como maior artilheiro da história do Flamengo, com 245 gols. No entanto, pesquisas recentes sobre todos os jogos da história do clube, comprovam que o antigo artilheiro fez, na verdade, 251 gols. Portanto, ainda faltavam seis gols para o Galinho igualar a marca de seu ídolo de infância, Dida.

4 de março **GOL 355**
FLAMENGO 1X1 VASCO-RJ

I Campeonato Estadual do Rio de Janeiro, Maracanã, quinta rodada do 1° turno: Flamengo x Vasco. O jogo terminou empatado, mas foi o Flamengo que abriu o marcador, aos 20 minutos de jogo, quando Reinaldo avançou, pela direita, e, próximo ao bico da grande área, centrou, pelo alto, para a marca do pênalti, encontrando Zico livre de marcação. Este pulou alto e virando o corpo no ar, com um belo golpe de cabeça, enviou a bola ao ângulo direito, encobrindo o goleiro Leão, que nada pôde fazer, apesar do esforço empregado.

7 de março GOLS 356 e 357
FLAMENGO 2X0 SÃO CRISTÓVÃO-RJ

Pela sexta rodada, no mesmo estádio, Zico fez os dois gols da vitória sobre o "São Cri-Cri". Ambos no primeiro tempo. Logo aos 4 minutos, saiu o primeiro, quando Júlio Cesar avançou pela esquerda e cruzou para área, encontrando o Galinho bem colocado. O chute não deu chances para o goleiro Ronaldo.

O placar foi concluído vinte e um minutos depois, quando Zico finalizou uma excelente jogada individual de Júlio César pela esquerda. O "Uri Geller" deu dois dribles desconcertantes no lateral-direito Júlio, antes de passar a Zico, na entrada da pequena área. O artilheiro assinou a pintura iniciada pelo companheiro driblando dois adversários em um espaço mínimo (o volante Nílton e o zagueiro Rodrigues, que ficou no chão) e colocando a bola no gol entre as pernas do arqueiro. Um golaço!

11 de março GOL 358
FLAMENGO 1X1 FLUMINENSE-RJ

Então, pela mesma competição, o Maracanã recebeu mais um Fla-Flu, com 103.843 pagantes. Aos 24 minutos do primeiro tempo, Reinaldo avançou pela direita e deu belo passe para Adílio, na linha de fundo, junto à lateral da área. Este, mesmo marcado de perto pelo lateral-esquerdo Isidoro, conseguiu cruzar rasteiro para o interior da grande área. O zagueiro tricolor Edinho tocou na bola, mas não conseguiu o corte. A bola sobrou para Zico, que, dentro da pequena área, chegou antes do goleiro Wendell e, com o bico do pé direito, desviou para o fundo do gol: Flamengo 1x0.

14 de março GOLS 359 e 360
FLAMENGO 6X1 AMERICANO-RJ

Na rodada seguinte, o Americano, de Campos dos Goytacazes, visitou o Maracanã. E, como visita mal-educada, saiu na frente no placar. Mas, ainda na fase inicial, o Flamengo virou o jogo. O segundo gol rubro-negro saiu aos 34 minutos, quando Carpegiani tocou no meio para Luizinho. O domínio não foi bom e a bola sobrou para Adílio, que, de calcanhar, serviu a Júlio Cesar no bico da grande área, pelo lado esquerdo, que chutou forte. A redonda bateu em um zagueiro do Americano, voltou para o ponta-esquerda, que a devolveu para a área com outro toque de calcanhar. O beque campista Rubinho afastou mal e mandou nos pés de Tita, pelo lado direito da área. Ele chutou de primeira. Zico, que estava no meio da trajetória da bola, interceptou-a e acertou um belo voleio para fazer um bonito gol, vencendo o goleiro Paulo Sérgio.

No 2º tempo, na marca dos 28 minutos, Andrade passou para Luizinho, na intermediária. O centro-avante "das Arábias" dominou a bola e, com o pé esquerdo, lançou Zico por trás da zaga. O Galinho dominou, invadiu a grande área e, de pé direito, acertou um bonito chute no ângulo esquerdo do goleiro, fazendo 5x1 para o Flamengo. E este gol fez Zico alcançar Dida (que jogou no Flamengo de 1954 a 1963) como maiores artilheiros da história do clube, com 251 gols cada! Um sonho realizado do menino das ruas de Quintino Bocaiúva!

18 de março GOL 361
FLAMENGO 3X0 BOTAFOGO-RJ

A última rodada do 1° turno teve um clássico no Maracanã. Esperava-se um jogo difícil e quase 130.000 pessoas pagaram para lotar o maior estádio de futebol do Mundo. O Flamengo jogava até por um empate para conquistar o turno da competição. Apresentando um excelente futebol, o Flamengo abriu a contagem, logo aos 6 minutos. Júlio Cesar, naquele instante do jogo, derivou do meio para a direita e tocou para Tita. O "Garoto de Ouro da Gávea" driblou o zagueiro China, trouxe para o meio e tocou para Zico, que estava de costas para o gol, na meia-lua da grande área do Botafogo. O Galinho de Quintino, com um giro rápido, se livrou do zagueiro Celso e, de pé direito, com um chute violentíssimo, acertou o ângulo direito do goleiro Zé Carlos. Um gol lindo e indefensável! Agora e definitivamente, Zico assumiu o posto isolado de maior artilheiro do Flamengo em todos os tempos (252 gols).

O show continuou e o Flamengo chegou aos 3x0 ainda na primeira etapa, poupando-se no 2° tempo, para frustração da torcida rubro-negra, única presente no estádio, então, visto que os botafoguenses abandonaram o Maracanã no intervalo, temendo um placar ainda maior e a devolução dos 6x0 de 1972. Com essa vitória, o Flamengo venceu, invicto, o 1° turno do I Campeonato Estadual do Rio de Janeiro.

24 de março GOLS 362 a 364
FLAMENGO 6X1 SÃO CRISTÓVÃO-RJ

O 2° turno começou com um jogo contra os cadetes, no Maracanã. O 1° tempo acabou empatado em um gol, o que fez prever que o Flamengo diminuiria o ritmo, por já estar na final da competição. Ledo engano! Na fase final veio o massacre: Cinco gols a zero, com três do Galinho de Quintino. No primeiro – o segundo gol do Flamengo –, aos 10 minutos, o goleiro Ronaldo foi punido com um tiro indireto dentro de sua área, por retardar o jogo de modo intencional e demasiado. Zico bateu, rolando para trás para Júlio César, que bateu forte em gol. Ronaldo soltou nos pés de Zico. Daí para a rede: Flamengo 2x1. Mas, a festa continuou!

Tita, que havia marcado o primeiro gol, fez, também, o terceiro, aos 14 minutos e, dois minutos após, Toninho centrou da direita para fatal cabeçada de Zico: Flamengo 4x1.

E foi Zico quem encerrou a goleada, aos 28 minutos, num chute forte, aproveitando bom passe de Luizinho, o autor do quinto gol. Pela primeira vez no ano, Zico marcou três vezes em um jogo.

29 de março GOLS 365 a 370
FLAMENGO 7X1 GOYTACAZ-RJ

Nem Zico esperava o que estava para acontecer no jogo válido pela segunda rodada do returno, no mesmo local do anterior. Aquele jogo teve seu marcador aberto logo aos 10 minutos de jogo, quando Reinaldo lançou Toninho pela direita. O lateral foi ao fundo e cruzou na segunda trave, onde estava Zico, que, de cabeça, colocou a bola no canto esquerdo baixo do goleiro Augusto: Flamengo 1x0.

Aos 36 minutos, Reinaldo centrou para a área e um zagueiro cortou. Na sobra, Tita ia pegar de primeira para o gol, quando foi calçado por Serginho, zagueiro do Goytacaz. Pênalti marcado. Zico cobrou, firme, rasteiro, no canto direito do goleiro, que até foi no canto certo, mas não evitou o gol: Flamengo 2x0. O Goyta descontou e, com 2x1 no placar, foi-se para o intervalo.

Logo aos 3 minutos do segundo tempo, Zico, pela esquerda, deu belo drible em dois zagueiros adversários e tocou para Junior, que, no interior da grande área, foi derrubado. Pênalti marcado. Zico mais uma vez cobrou firme no canto direito de Augusto que, dessa vez, ficou parado no centro do gol: Flamengo 3x1.

Chegou-se aos 12 minutos, quando Luizinho foi lançado pela meia direita, invadiu a área e chutou com violência. O goleiro do time campista rebateu para o meio da área. O próprio Luizinho pegou o rebote e quando ia chutar, foi calçado. Mais um pênalti marcado. Zico, calmamente, pegou a bola, ajeitou e cobrou forte no canto direito: Flamengo 4x1.

Mais cinco minutos se passaram. Júlio César, pela esquerda, fez sensacional tabela pelo alto com Junior, foi ao fundo, mesmo marcado pelo zagueiro Orlando, e cruzou pelo alto, na segunda trave, para Zico, que acertou um bonito chute, de pé direito, para marcar mais um. Golaço! Flamengo 5x1.

Aos 34 minutos, Toninho fez bela jogada pela direita, passando "de passagem" por seu marcador, indo ao fundo, de onde cruzou para a chegada de Luizinho, mas o zagueiro Carlinhos cortou com o braço direito. Mais um pênalti marcado, todos inquestionáveis. Zico desta vez cobrou no canto esquerdo e mais uma vez marcou: Flamengo 6x1. Júlio César, de falta, entraria na festa particular do Galinho para encerrar a goleada. Pela primeira vez na carreira profissional, ele marcou seis gols em um único jogo! E, assim, Zico se tornou o artilheiro recordista em um jogo no Maracanã. Essa marca persiste até hoje!

6 de abril **GOLS 371 a 373**

FLAMENGO 5X1 ATLÉTICO-MG

Naquele início de ano, ocorreu uma terrível enchente em Minas Gerais, deixando muitos desabrigados e doentes. Foi, então, marcado, para o Maracanã, que recebeu 139.000 torcedores, um jogo amistoso contra o Atlético Mineiro, com arrecadação em benefício das vítimas daquela tragédia. O ex-jogador Pelé, tri-campeão mundial pela Seleção Brasileira em 1958, 1962 e 1970, já aposentado dos campos, se preparou para, aos 38 anos, jogar pelo Flamengo o tempo que aguentasse. Zico, gentilmente lhe cedeu a camisa 10 e utilizou o número 9. Era a união dos dois maiores pontas-de-lança da história do futebol brasileiro jogando no mesmo time! O Galo mineiro, que tinha um belo time, saiu na frente, com um gol de Marcelo. Aos 36 minutos, ainda no primeiro tempo, Tita, vindo pela meia, passou a bola a Andrade na ponta direita. O cabeça de área devolveu o passe a Tita, que avançou, driblou Paulo Isidoro e, já no interior da grande área, foi derrubado pelo zagueiro Luisinho. Pênalti marcado. Parte da torcida pediu para Pelé bater. Parte gritou Zico. Estava em jogo uma invencibilidade de 37 jogos do Flamengo e Pelé, sem mais ter ritmo de jogo, teve a humildade de recusar e dar a bola ao Galinho. Zico cobrou firme no canto direito do goleiro João Leite, empatando o jogo. Na comemoração, os dois ícones se abraçaram. Um momento inesquecível para qualquer amante do bom futebol.

Para o 2º tempo, o Flamengo voltou com Luizinho no lugar de Pelé, que se contundira. E, logo aos 10 minutos de jogo, Zico lançou o centro-avante na entrada da área e este, na hora do chute, foi travado. Na sobra, Zico, da marca do pênalti, escorou, com categoria e calma, para o gol vazio, de pé esquerdo: Flamengo 2x1.

Aos 14 minutos, Júlio César, que fez um jogo esplêndido, fez mais uma ótima jogada pela esquerda, aplicando um drible desconcertante no lateral Alves, do Atlético, foi ao fundo e cruzou forte, à meia-altura, para o meio da área. A bola se chocou nas pernas de Zico e foi para o fundo do gol. Até sem querer, o Galinho marcava: Flamengo 3x1. Luizinho e Cláudio Adão completariam a histórica goleada. No dia seguinte, a manchete da contra-capa do Jornal dos Sports dizia: "Com Pelé, Zico e Júlio é covardia!"

Perguntado, após o jogo, sobre porque Pelé não bateu o pênalti, no primeiro gol do Rubro-Negro, Zico respondeu: "Não sei, mas sei que na concentração, o goleiro Raul disse pra ele que o João Leite era o rei dos pênaltis. É natural que o Pelé, como um jogador que estava parado há muito tempo, tenha ficado sem a confiança necessária para bater. Eu queria que ele batesse, e disse isso, mas ele disse: "Bate você!" Insistiu e senti que devia bater mesmo."

11 de abril **GOL 374**

AMERICANO-RJ 1X2 FLAMENGO

A quinta rodada do 2º turno do I Campeonato Estadual do Rio de Janeiro marcava um jogo difícil, em Campos dos Goytacazes, no Estádio Godofredo Cruz, contra o alvinegro local. Foi Zico que abriu o marcador para aquela vitória, aos 10 minutos do 1º tempo, em jogada que começou com uma troca rápida de passes entre Carpegiani, Adílio, Toninho e Reinaldo. A bola chegou a Júlio Cesar, que, após uma sucessão de dribles no lateral-direito Marinho e no zagueiro Paulo Marcos, cruzou da esquerda, pelo alto, na medida, para Zico. O camisa 10 entrou e concluiu de cabeça: 1x0. O Flamengo chegava a 40 jogos sem derrotas!

15 de abril **GOL 375**

FLAMENGO 2X1 VASCO-RJ

Agora, cada jogo do time era acompanhado pelo Brasil e pelo Mundo. Quando esse time perderia? Dessa vez, o Vasco foi o adversário, também, no Maracanã, com 122.596 pagantes. Após um 0x0 no primeiro período, um gol de Roberto fez a torcida vascaína delirar. "Era hoje!", disseram eles. Mas, não foi! Na marca dos 19 minutos, Junior, da entrada do círculo central, ainda no campo do Flamengo, fez longo lançamento para Toninho, lá na ponta direita do ataque. O "baiano bom de bola" ganhou do opositor Marco Antônio, caiu no chão, se levantou rapidamente, foi ao fundo e cruzou pelo alto. Reinaldo, bem posicionado, esperou a bola e, de cabeça, escorou para Luizinho que, também de cabeça, serviu Zico que – adivinhem! –, também em cabeçada, acertou o ângulo esquerdo do goleiro Leão. Um gol de linha de passe! Adílio fez o gol da virada.

18 de abril **GOL 376**

FLAMENGO 4X0 FLUMINENSE (DE NOVA FRIBURGO)-RJ

Pela sétima rodada, o Flamengo recebeu o Flu-Fri no Maracanã. Talvez pela fragilidade do adversário, o time não jogou bem. E, mesmo assim, goleou. Logo aos 8 minutos do 1º tempo, Adílio avançou pelo meio e, vislumbrando a penetração de Zico, fez-lhe ótimo passe. O Galinho de Quintino avançou livre, tirou o goleiro Brasília do lance com um drible de corpo e tocou para o gol vazio: Flamengo 1x0.

22 de abril

FLAMENGO 1X1 FLUMINENSE-RJ

No jogo seguinte, um empate em 1x1 com o Fluminense da capital, combinado com outros resultados, deu ao Flamengo, que marcou com Cláudio Adão e atuou com Cantarele; Toninho, Manguito, Nélson e Junior; Carpegiani, Adílio e Zico; Reinaldo, Luizinho (Cláudio Adão) e Tita (Andrade), a conquista, também, do 2° turno do I Campeonato Estadual do Rio de Janeiro, sagrando-se, assim, com antecedência de uma rodada, Bi-Campeão Estadual do Rio de Janeiro 1978/9 e o 1° Campeão do novo Estado do Rio de Janeiro, além de atingir a marca de 43 jogos sem perder!

29 de abril **GOLS 377 e 378**

FLAMENGO 2X2 BOTAFOGO-RJ

Chegou a última rodada e o Flamengo já era o campeão. Mas, faltava uma coisa: manter a invencibilidade na campanha. O jogo, presenciado por 158.477 pessoas, começou nervoso. Não tinha ares de que não valia nada. Gol só aos 32 minutos do primeiro tempo. Zico avançou pela meia esquerda, tocou para Adílio, que deixou a bola escapar. Na dividida com o zagueiro Osmar, a bola sobrou para o Galinho que, da entrada da área, de pé direito, fuzilou o canto direito baixo do goleiro Luiz Carlos. Golaço! Flamengo 1x0.

O Botafogo empatou e, aos 45 minutos, ainda na primeira fase, o Flamengo trocou passes por quase 50 segundos, no campo alvi-negro, sem deixar o adversário tocar na bola! Adílio, vindo pela meia esquerda, passou a pelota no meio para Carpegiani, que tentou a devolução, mas a zaga cortou. Na sobra, Junior tocou, de primeira, para Zico na entrada da área. Este driblou Chiquinho e tentou o chute, mas a bola tocou no braço do zagueiro Renê e sobrou para Luizinho "das Arábias", perto da marca do pênalti. Este dividiu com o próprio Renê e com Osmar. A bola voltou para Zico que, com o bico do pé direito, acertou o canto direito do gol: Flamengo 2x1. O Botafogo tornou a marcar na etapa final, mas, com esse empate, o Flamengo se sagrou o primeiro Campeão invicto do Rio de Janeiro da era Maracanã.

6 de maio **GOL 379**

ITABUNA-BA 1X3 FLAMENGO

Todo mundo queria ver o invicto Flamengo Campeão. Choviam convites para amistosos contra times que sonhavam e se empenhavam a fundo para tirar a invencibilidade do rubro-negro carioca. Em um desses compromissos, o time voltou a Itabuna para enfrentar o time local, que saiu na frente! Aos 41 minutos do primeiro tempo, o Flamengo empatou: após cruzamento de Reinaldo pela esquerda, Zico completou de raspão, de cabeça, para o gol, num lance em que o zagueiro Sandoval rebateu antes que a bola tocasse na rede. O próprio goleiro do Itabuna, Mário, confessou que a bola havia ultrapassado a linha fatal. Adílio e Claudio Adão fecharam o placar. Já eram 47 partidas sem o dissabor de uma derrota!

9 de maio **GOL 380**

VITÓRIA-BA 1X1 FLAMENGO

Três dias depois, outro amistoso na Bahia, agora em Salvador, no Estádio da Fonte Nova, com 51.737 pagantes. Dessa vez, a marca do Flamengo passou real perigo! O rubro-negro baiano fez 1x0 e segurou o resultado como se fosse a disputa de um título. Um gol de Zico, aos 25 minutos do segundo tempo, deu ao Flamengo o empate de 1x1, mantendo uma invencibilidade que se prolongava já há 48 jogos. No lance, o ponta Reinaldo foi ao fundo, driblou o lateral-esquerdo Valder duas vezes e cruzou para a área. O lateral-direito Joca, do Vitória, mandou a bola contra sua própria trave. Na sobra, Zico, quase sem ângulo, em dois toques, matou a bola e chutou com o pé direito, sem defesa para o goleiro Gélson.

13 de maio **GOLS 381 e 382**

FLAMENGO 5X0 BONSUCESSO-RJ

Após passar incólume por quatro amistosos, o Flamengo fez, no Maracanã, um jogo valendo pela 1° rodada da Taça Guanabara e pelo 1° turno do Campeonato Estadual do Rio de Janeiro de 1979, o segundo disputado naquela temporada especial. O adversário foi o rubro-anil suburbano. O jogo acabou em goleada, mas, na etapa inicial só houve um gol. Foi aos 12 minutos, quando Cláudio Adão, entrando pela direita, lançou Reinaldo. O ponta dominou e, do bico da grande área, cruzou à meia-altura. Zico vinha na corrida e, com um belíssimo voleio, acertou o ângulo esquerdo do goleiro Júlio Galvão. Um belo gol!

No 2° tempo, Zico ampliou para 2x0 logo aos 2 minutos. Reinaldo cobrou escanteio pela direita. A bola foi alta e encontrou Rondinelli no interior da grande área, pelo lado esquerdo, que, de cabeça, serviu Zico. Este, por trás da zaga, também de cabeça, acertou o ângulo direito do gol, sem defesa. A goleada se completou com gols de Cláudio Adão, Adílio e Tita.

17 de maio **GOLS 383 a 385**

BRASIL 6X0 PARAGUAI

A Seleção Brasileira, também sob o comando de Cláudio Coutinho, se reuniu, pela primeira vez no ano, no Maracanã, para um amistoso com mais de 70.000 torcedores presentes. O time deu um show de bola nos paraguaios e Zico marcou três vezes. O Brasil já vencia o jogo, quando, aos 21 minutos do primeiro tempo, o ponta-esquerda Éder cruzou. O zagueiro guarani Villalba cortou e a bola sobrou nos pés de Zico, perto da marca de pênalti. O Galinho chutou colocado, de pé direito, mas o lateral-esquerdo Schettina cortou com a mão. Pênalti bem marcado! O próprio Zico cobrou, no canto direito do goleiro Fernández, que pulou para o lado oposto, fazendo Brasil 2x0 e alcançando outra fantástica marca pessoal: 300 gols em sua carreira profissional!

Aos 15 minutos do segundo tempo, Edinho roubou a bola do meio campista Perez, invadiu o campo do adversário com a bola dominada, pela meia-esquerda, e, quase da meia-lua, arriscou violento chute de pé direito. Fernandez soltou nos pés de Zico que, de dentro da área, aproveitou o rebote e tocou para o fundo das redes: o Brasil, então, ampliava para 4 a 0.

Aos 29 minutos, Toninho Cerezo roubou a bola de Fanego e tocou para Zico, que avançou, driblou o zagueiro Carmona no seu pé de apoio, invadiu a área com a bola dominada, passou pelo goleiro Fernández com outro drible para a direita e tocou macio para o fundo do gol, marcando um golaço: Brasil 6x0.

20 de maio **GOL 386**

SERRANO-RJ 0X1 FLAMENGO

Depois, o Estádio Atílio Marotti, em Petrópolis, presenciou mais um jogo do Flamengo pelo Estadual. O jogo, muito duro, só foi decidido aos 40 minutos do 2° tempo! Nesse instante, Cláudio Adão foi lançado na área, onde foi derrubado pelo zagueiro Alemão. O árbitro deu vantagem, pois Zico chegava para bater em gol. Uma decisão questionável, mas que deu certo. O chute cruzado de Zico foi indefensável para o goleiro Cláudio. Com esta vitória, o Flamengo atingiu a marca de 50 jogos sem perder para ninguém!

24 de maio GOLS 387 e 388

FLAMENGO 4X0 SÃO CRISTÓVÃO-RJ

No Maracanã, em jogo valendo pela 3° rodada da Taça Guanabara e pelo 1° turno do Campeonato Estadual do Rio de Janeiro de 1979, aconteceu outra vitória daquele time impressionante. A vítima foi o São Cristóvão e Zico fez mais dois. Primeiro, ele abriu a contagem, aos 37 minutos do 1° tempo. Reinaldo cruzou da direita pelo alto, Cláudio Adão subiu entre dois zagueiros, matou no peito e passou a Zico, que, na entrada da pequena área, dominou na coxa e, de pé direito, fulminou o goleiro Cao.

O segundo tempo trouxe um Flamengo mais tranquilo e aos 8 minutos, Junior avançou pela esquerda, invadiu a área e foi derrubado pelo zagueiro Vanderlei. Pênalti que Zico cobrou forte, à meia altura, no canto, colocando 3x0 no placar de então. Cláudio Adão marcou os outros gols do jogo.

27 de maio GOL 389

CAMPO GRANDE-RJ 1X2 FLAMENGO

O jogo seguinte, três dias depois, foi no Estádio Ítalo Del Cima, no bairro de Campo Grande, contra os donos da casa. Aos 22 minutos do primeiro tempo, Reinaldo cobrou escanteio da esquerda, com o pé direito, e Zico, de cabeça, completou no canto esquerdo do goleiro Roberto, inaugurando o marcador.

No jogo seguinte, o Flamengo perdeu, para o Botafogo, uma invencibilidade-recorde nacional de 52 jogos! Foram 43 vitórias e apenas 9 empates! Uma marca inquestionável e admirável de um time sem igual!

7 de junho GOLS 390 a 392

FLAMENGO 3X1 BANGU-RJ

Na época, o Flamengo tinha, na figura de supervisor, Domingos Bosco, famoso por frases marcantes, como a gozação sobre o adversário que comemorava ter quebrado a invencibilidade do Rubro-Negro ("Perdemos para um time cocô de galinha!") e a previsão para o jogo seguinte ("O Bangu vai pagar o pato!"). E pagou! Com três gols de Zico! Esse jogo aconteceu no Maracanã. Aos 11 minutos do primeiro tempo, Junior, pelo meio, lançou para Zico. Ele fez o passe para Cláudio Adão que chutou forte. O goleiro Luiz Alberto soltou a bola nos pés do Galinho, que, assim, só teve o trabalho de empurrar, de pé direito, para o gol vazio: Flamengo 1x0.

Aos 5 minutos da etapa final, o goleiro Raul fez lançamento longo, com as mãos, para Tita, que, do meio de campo, dominou e lançou na frente para Cláudio Adão. O centro-avante do Flamengo dominou, esperou a chegada de Zico e tocou para ele na entrada da área. Este dividiu com o goleiro adversário e, de pé esquerdo, empurrou para o fundo do gol: Flamengo 2x0.

Aos 23 minutos, Júlio César foi à linha de fundo, pela esquerda, e cruzou pelo alto, encontrando Zico no interior da grande área. A testada foi firme no canto direito baixo de Jair Bragança, que havia substituído Luiz Alberto no gol banguense: Flamengo 3x0.

10 de junho GOLS 393 a 398

NITERÓI-RJ 1X7 FLAMENGO

Quando Zico marcou seis gols no Goytacaz, os torcedores adversários tentaram diminuir o feito, lembrando que quatro deles haviam sido em cobranças de pênaltis. Os rubro-negros rebatiam perguntando se gols de pênalti não eram gols válidos! Mas, Zico veio a calar os invejosos, repetindo o feito no mesmo ano! O Estádio Caio Martins, em Niterói, foi palco do primeiro confronto na história entre o Flamengo e o Niterói, também chamado de ADN, valendo, ainda, pela Taça Guanabara e pelo 1° turno do Campeonato Estadual do Rio de Janeiro de 1979. O time da casa, assanhado, fez 1x0 e comemorou muito. O Flamengo tentava, mas nada de gols. Somente aos 42 minutos, a galera do Flamengo vibrou. Junior cobrou escanteio pela esquerda, na segunda trave. Cláudio Adão cabeceou para o meio da área. A bola quicou e Zico, num belo voleio, acertou o canto esquerdo baixo do goleiro Passarinho, empatando o jogo, de perna direita. Adílio desempataria dois minutos após.

No 2° tempo, só deu Zico. Aos 2 minutos, Carpegiani lançou para Cláudio Adão no comando do ataque. Ele matou no peito e abriu o lance na direita para Adílio. O camisa 8 do Flamengo dominou e centrou para a área, com precisão, na cabeça de Zico, que, mesmo entre dois zagueiros, conseguiu acertar o ângulo direito do goleiro Edgar, que substituíra Passarinho, contundido: Flamengo 3x1. Este foi o centésimo gol do Flamengo em 1979, ano que ainda estava no seu primeiro semestre!

Aos 13 minutos, Carpegiani fez lançamento longo ao ponta-direita Reinaldo, que invadiu a área e foi derrubado por Edgar. Zico cobrou a penalidade máxima à meia-altura, no canto esquerdo. O goleiro pulou para o outro lado: Flamengo 4x1.

Eram 22 minutos quando Adílio, em jogada pela ponta-direita, tocou para o lateral uruguaio, Ramírez. Este foi ao fundo e cruzou alto para a grande área. Mais uma vez Zico, entre os zagueiros, conseguiu dar uma cabeçada, que foi parar no ângulo esquerdo do gol: Flamengo 5x1.

Mas, a obra-prima, a cereja do bolo, estava por vir. E veio aos 26 minutos. Adílio recebeu a bola na intermediária do Flamengo, avançou pela esquerda e, do meio de campo, fez lançamento longo para Zico. O craque rubro-negro fechou em diagonal, da direita para o meio, e, quando Edgar saiu do gol para confrontá-lo, Zico fingiu que chutaria a bola, deixou a redonda passar direto pela esquerda do goleiro enquanto ele partia pela direita, num lindo drible de corpo. Então, foi ao encontro da bola e a tocou, macia, para o fundo das redes. Um golaço parecido com o que Pelé tentou fazer no jogo contra o Uruguai, na Copa do Mundo de 1970. Naquela ocasião, a bola caprichosamente foi para fora. Zico marcou e dedicou o gol ao aniversariante do dia, seu pai: Flamengo 6x1.

Por fim, aos 29 minutos, Carpegiani, da meia-esquerda do ataque, lançou Reinaldo na direita. O ponta dominou e cruzou no interior da grande área, na segunda trave, para Adílio, que, de cabeça, serviu Zico. Este, em um belo chute de primeira, rasteiro, com o pé direito, fechou o placar, com a bola entrando à esquerda de Edgar: Flamengo 7x1.

14 de junho **GOL 399**

VOLTA REDONDA-RJ 0X3 FLAMENGO

Na rodada seguinte, a oitava, no Estádio Raulino de Oliveira, em Volta Redonda, outra vitória por goleada, dessa vez sobre o time da "Cidade do Aço". Zico fez o segundo, aos 7 minutos do 2° tempo, após excelente jogada de Adílio, que serviu Reinaldo na ponta direita. Este chutou violentamente, o goleiro Renato não conseguiu segurar, e Zico aproveitou o rebote para marcar de cabeça.

17 de junho **GOLS 400 e 401**

AMERICANO-RJ 2X5 FLAMENGO

Nada parecia impossível para aquele Flamengo. Três dias depois, outro jogo no interior e outra goleada. Dessa vez, em Campos dos Goytacazes. Zico marcou seu primeiro gol no jogo aos 20 minutos do 2° tempo. No lance, Reinaldo recebeu a bola na direita, ajeitou e cruzou. Zico, penetrando entre o zagueiro Paulo Marcos e o lateral Marinho, cabeceou no ângulo esquerdo do arqueiro Paulo Sérgio: Flamengo 3x1. E, com este gol, Zico atingiu mais uma marca: 400 gols marcados em toda sua carreira, desde o amadorismo!

Aos 29 minutos, Adílio passou a Reinaldo, que fez um passe magistral a Zico, na entrada da área. Este driblou Paulo Sérgio e tocou para marcar: Flamengo 4x1. Os demais três gols rubro-negros nesse jogo foram de Cláudio Adão.

21 de junho **GOLS 402 e 403**

SELEÇÃO DO BRASIL 5X0 AJAX-HOL

Ao contrário do que acontecia, na Argentina, quando o país inteiro "adotou" Maradona para elegê-lo como um dos maiores jogadores do Mundo, aqui o bairrismo e o clubismo imperavam. No Rio, tentavam comparar Zico ao ídolo vascaíno Roberto "Dinamite". E, em São Paulo, ninguém aceitava que o grande craque do país era carioca. Primeiro, vieram as comparações com Sócrates e, depois, as perseguições. Nesse amistoso, disputado no Morumbi, na capital paulista, a Seleção recebeu o ótimo time holandês do Ajax, então campeão de seu país, para um amistoso. Zico sofreu com as vaias sempre que participava de um lance. Mas, resolveu responder em campo, como craque que era. A Seleção, com excelente atuação, já vencia por 3x0, quando, aos 24 minutos do 2° tempo, Zenon avançou pela esquerda e lançou Zico entre os zagueiros. Este, da entrada da área, apenas rolou macio, por baixo do goleiro Jager, que saía desesperado: 4x0 para a Seleção. Uma coisa incrível e tristemente inédita se fez notar: o placar do Morumbi se manteve em 3x0! Seria distração?

O jogo seguiu e, aos 30 minutos, Nílton Batata ganhou pelo alto de Arnesen e a bola sobrou na meia-esquerda para Joãozinho que, numa arrancada sensacional, passou por Lerby e Meutstege e dividiu com o zagueiro Krol, com a bola sobrando para Zico na entrada da área. O Galinho, de pé esquerdo, acertou violento chute no canto esquerdo do goleiro, que nada pode fazer: 5x0, embora o placar do estádio tenha permanecido sem alterações, mostrando 3x0 até o fim do jogo! Este foi o 30° gol de Zico pela Seleção Brasileira, igualando-se, assim, a Zizinho na 7ª posição na história da artilharia do Brasil. O "Mestre Ziza" atuou pela seleção de 1942 a 1946, nos anos de 1949, 1950 e 1953 e de 1955 a 1957.

24 de junho **GOL 404**

FLAMENGO 2X1 FLUMINENSE-RJ

De volta ao Maracanã para um Fla-Flu, válido pela décima rodada da Taça GB. Aos 40 minutos do primeiro tempo, Zico avançou pela meia-direita e tocou para Adílio no meio. O camisa 8 do Flamengo dominou, ameaçou lançar para Cláudio Adão pelo meio, mas preferiu devolver a Zico, no interior da grande área, pela meia-direita. O Galinho, entre os zagueiros Moisés e Edinho e com o pé direito, só desviou, por cima do goleiro Wendel: Flamengo 1x0. Este foi o 200° gol de Zico no Maracanã. Ele estava, agora, a 10 gols do 300° tento com a camisa do Flamengo!

25 de junho **GOL 405**

SELEÇÃO DO MUNDO 2X1 SELEÇÃO DA ARGENTINA

No dia seguinte (Isso mesmo!), Zico estava em Buenos Aires, na Argentina, para participar de um jogo festivo, homenageando os campeões mundiais do ano anterior. A F.I.F.A. organizou uma seleção de jogadores de diversos países e incluiu Zico, que, estafado da viagem e do jogo na véspera, começou no banco. Maradona abriu o placar na etapa inicial para os locais. Zico, com a camisa 14, entrou, após o intervalo, para mudar a história do jogo. Primeiro, após um belo drible, participou diretamente do gol de empate, marcado contra pelo zagueiro Galván.

Por fim, aos 28 minutos, o italiano Causio pela esquerda, serviu ao polonês Boniek, que centrou para área. A bola desviou no lateral-direito Olguin e sobrou para Zico, dentro da área, pela meia-esquerda. De costas para o gol, Zico rolou para Causio que, da entrada da área, abriu na direita para o também rubro-negro Toninho, que avançou e cruzou rasteiro para a pequena área. A bola bateu no lateral-esquerdo Tarantini e sobrou para Zico, que entrou como um raio e tocou para o fundo das redes, com raiva, sem chances para o excelente Fillol, goleiro portenho, que anos depois viria para o Flamengo.

27 de junho **GOL 406**

FLAMENGO 4X0 MADUREIRA-RJ

Então veio outro jogo no Maracanã pela Taça Guanabara e pelo 1° turno do Campeonato Estadual do Rio de Janeiro. Zico definiu a goleada, marcando, de pênalti, o quarto gol. Ele mesmo sofrera falta, dentro da área, feita pelo lateral-direito Paulinho. O gol, marcado no canto esquerdo do goleiro Moacir, foi aos 36 minutos do 2° tempo.

8 de julho **GOL 407**

FLAMENGO 2X1 AMÉRICA-RJ

Pela décima-terceira rodada, no mesmo estádio, mais um gol, o da vitória sobre o América, que fez 1x0, já na segunda etapa. Luizinho empatou e, aos 37 minutos, coube a Zico fazer o gol da vitória, após defesa parcial do goleiro americano Jurandir, de um chute violento de Junior.

11 de julho **GOLS 408 a 411**

FLAMENGO 4X3 GOYTACAZ-RJ

Três dias depois, foi jogada a décima-quarta das dezessete rodadas da Taça Guanabara. O adversário foi o time azul de Campos dos Goytacazes, no Maracanã. E o visitante saiu na frente, segurando o 1x0 até o intervalo. A reação do Flamengo foi fulminante e teve um nome: Zico. Começou aos oito minutos, após escanteio cobrado por Tita, quando Zico matou a bola no peito e emendou, de pé direito, para as redes, empatando.

Pouco depois, Tita foi derrubado dentro da área pelo lateral-direito Totonho. Pênalti que Zico cobrou forte, marcando o segundo gol do Flamengo aos 12 minutos.

Aos 17 minutos, Zico conduziu a bola da intermediária até a área adversária, driblou um zagueiro para, na saída do goleiro Augusto, fazer 3x1.

Mais três minutos e o lance anterior se repetiu, como se fosse um ensaio. Dessa vez, Zico recebeu passe de Carpegiani, e, apesar de marcado pelo zagueiro Folha, colocou no canto esquerdo do desesperado goleiro campista: Flamengo 4x1. Em apenas dois jogos seguidos contra o Goytacaz, Zico marcou dez gols!

15 de julho **GOLS 412 e 413**

PORTUGUESA-RJ 0X2 FLAMENGO

Pela antepenúltima rodada, o Flamengo foi ao Estádio Luso-Brasileiro, na Ilha do Governador, enfrentar o quadro local. Uma vitória valia o título antecipado da Taça Guanabara. A Portuguesa armou uma forte retranca para tentar impedir que o turno se decidisse ali. E o 0x0 ficou até o fim do 1º tempo. Mas, a festa começou aos 9 minutos do segundo tempo, quando Carpegiani cobrou falta na intermediária de ataque, lançando Rondinelli em profundidade pela direita. O zagueiro cruzou para a área, a bola desviou no goleiro Chico Santos, subiu e Cláudio Adão raspou de cabeça para trás. Na sobra, Zico, vendo o gol abandonado, só empurrou, de pé direito, para o fundo das redes: Flamengo 1x0.

Se alguém tinha dúvidas sobre o título, elas acabaram aos 33 minutos. Naquele momento, Cláudio Adão foi lançado na entrada da área, pela meia-direita, dominou a pelota e a rolou atrás para Adílio, que, de primeira, acionou Zico na entrada da área, pelo meio. O Galinho dominou com o pé esquerdo e, perto da marca do pênalti, chutou com o direito, no canto esquerdo do gol, definindo o marcador do jogo. Com esta vitória, o Flamengo, que atuou com Cantarele; Toninho, Rondinelli, Manguito e Junior; Carpegiani, Adílio e Zico; Reinaldo, Cláudio Adão e Tita (Júlio César), sagrou-se, com antecedência de duas rodadas, Bi-Campeão da Taça Guanabara 1978/9 e vencedor do 1º turno do Campeonato Estadual do Rio de Janeiro 1979, levando um ponto extra para o 3º e decisivo turno. Domingos Bosco veio com mais uma pérola: "É como se eu estivesse vendo o mesmo filme de caubói diversas vezes. A diferença é que os índios estão morrendo cada vez mais cedo!"

17 de julho GOL 414

FLAMENGO 3X0 OLARIA-RJ

Apenas dois dias depois, o compromisso foi no Maracanã, pela penúltima rodada. Já campeão, o Flamengo atuou com um time misto. Mesmo assim goleou e Zico deixou o dele. Foi o segundo do jogo, marcado aos 17 minutos do segundo tempo. O lance começou com Cláudio Adão, que, vindo pela meia-direita, fez ótimo lançamento em profundidade para Zico, que invadiu a área, driblou o goleiro Vassil e, com o pé direito, mandou para o fundo do gol.

19 de julho GOL 415

VILA NOVA-GO 0X2 FLAMENGO

Domingo contra a Portuguesa, terça contra o Olaria e quinta, em Goiás, um amistoso contra o Vila Nova, então tri-campeão goiano! A maratona não dava tréguas, mas aquele time parecia não se cansar. E trouxe mais uma vitória. Zico fez o primeiro gol aos 41 minutos do 1º tempo. Na jogada, ele foi muito bem lançado por Carpegiani, penetrou em velocidade e, mesmo marcado pelo zagueiro Zé Luís, chutou com violência, sem defesa para o goleiro Gabriel. Com esse gol, Zico se tornou o primeiro jogador a marcar 300 gols pelo Flamengo, marca, até hoje, não alcançada por nenhum outro!

22 de julho GOL 416

FLAMENGO 4X2 VASCO-RJ

Na sexta-feira, uma viagem de volta ao Rio de Janeiro, para jogar no Maracanã, no domingo, a última rodada, em um clássico. O infatigável Flamengo, que teve dois jogadores expulsos (Manguito e Toninho), deu um passeio no Vasco, que saiu aliviado por ter escapado de um placar mais dilatado. Zico fez 1x0, aos 13 minutos de jogo. No início do lance, Tita, pela direita, evitou a marcação de Marco Antônio e cruzou, com a perna esquerda, para a grande área, à meia-altura. Cláudio Adão, aproveitando-se da falha da zaga, chutou para

Leão fazer difícil, mas parcial, defesa. Zico pegou a sobra e, de cabeça, mandou para as redes.

O Flamengo concluiu sua campanha nessa Taça Guanabara com 16 vitórias em 17 jogos, acabando com sete pontos de vantagem sobre o vice-campeão, o próprio Vasco, numa época em que cada vitória valia apenas dois pontos!

29 de julho **GOL 417**

FLAMENGO 3X0 CAMPO GRANDE-RJ

Uma semana depois, já começava o 2º turno do Campeonato Estadual, com o Maracanã recebendo Flamengo e Campo Grande. O time mostrou que não queria facilitar, estreando com vitória folgada. O placar foi encerrado por Zico, aos 30 minutos do segundo tempo, quando ele foi lançado pelo meio, penetrou sozinho, aproximando-se do goleiro Roberto, driblou-o e tocou para as redes.

2 de agosto **GOL 418**

BRASIL 2X1 ARGENTINA

Nos intervalos dos jogos do Flamengo, Zico "descansava" jogando pela Seleção, assim como alguns outros jogadores rubro-negros, como, neste caso, Toninho, Carpegiani e Tita, além do técnico, Cláudio Coutinho. Estava em disputa a Copa América, e, no Maracanã, com 118.458 pagantes, aconteceu o maior clássico do futebol sul-americano. Foi Zico quem abriu o marcador contra os campeões mundiais de 1978, logo aos 2 minutos de jogo. Zenon roubou a bola de Gaitan no meio e serviu a Palhinha, que dominou e lançou Zé Sérgio na esquerda, já dentro da grande área. Então, o ponta driblou o goleiro Vidallé e, da linha de fundo, cruzou para a pequena área. Zico, antecipando-se à zaga, surgiu para, de pé direito, escorar para o fundo do gol. Zico, assim, superou Zizinho, isolando-se como sétimo maior artilheiro da história da Seleção Brasileira, com 31 gols. Foi de outro rubro-negro, Tita, o gol da vitória.

9 de agosto **GOL 419**

DESPORTIVA-ES 2X3 FLAMENGO

Uma semana depois, o Flamengo participou de um jogo amistoso, disputado em Cariacica, no Espírito Santo. O camisa 10, é claro, deixou o dele. E foi logo aos 15 minutos do primeiro tempo, quando o ponta Carlos Henrique fez bela jogada pela esquerda e deu passe preciso para Zico marcar, na saída do goleiro Samuel, da Desportiva Ferroviária: Flamengo 2x0. Este foi o 400º gol de Zico em gramados do Brasil.

12 de agosto **GOLS 420 a 422**

FLAMENGO 5X1 SERRANO-RJ

De volta ao Rio de Janeiro, pelo 2º turno do Estadual, o Serrano, de Petrópolis, foi a vítima, no Maracanã. Na goleada, Zico fez três gols. O primeiro, o segundo do Flamengo, veio aos 22 minutos da etapa inicial, quando Tita fez excelente jogada pela meia-direita, atraindo toda a defesa e, com um belo passe, deixou Zico livre, no interior da grande área, pelo lado direito. Ele matou a bola no peito, penetrou na área e, mesmo marcado pelo zagueiro Eurico, chutou firme, de pé direito, rasteiro, no canto direito do goleiro Cláudio, fazendo 2x0.

Quatro minutos depois, Carpegiani deu bom passe para Tita, na entrada da área. O meia dominou a bola e a passou para Zico, que estava pela meia-esquerda. Então, ele invadiu a área e soltou um chute forte, com o pé canhoto, no canto esquerdo do gol. A bola ainda bateu em Cláudio antes de entrar: Flamengo 3x0.

Com 4x0 conquistados na etapa inicial, o time voltou se poupando e até levou um gol. A torcida protestou para acordar a equipe e deu certo, pois, aos 38 minutos, o lateral Antunes avançou pelo meio, tocou a Zico, que, de primeira, abriu para Cláudio Adão, que se apresentou pela direita. O centro-avante cruzou, rasteiro, para dentro da área, encontrando Zico de costas para um zagueiro adversário. O giro foi rápido e, usando o pé canhoto, Zico acertou um bonito chute no canto esquerdo do goleiro, definindo o marcador.

16 de agosto GOL 423

BRASIL 2X0 BOLÍVIA

De volta à Seleção, mais um jogo pela Copa América, agora no Morumbi, em São Paulo, capital do estado de mesmo nome, com 109.408 espectadores. A retranca dos bolivianos estava funcionando até ser furada com um gol de Tita. Mas, a Bolívia não saiu de trás e o jogo era truncado, com poucas chances de gol. Até que, já aos 46 minutos da etapa final, Toninho cobrou escanteio pela direita, Zico apareceu por trás da zaga e, de primeira, chutou, da entrada da pequena área, forte no canto esquerdo, para vencer o goleiro Gimenez: Brasil 2x0 e vitória garantida. Na comemoração, Zico foi atingido com um pontapé pelo zagueiro Vargas. O Galinho foi atrás do boliviano e revidou. Mas, ninguém foi expulso. Esse foi o 32º gol de Zico pela Seleção Brasileira principal, igualando-se a Ademir (Menezes) como sextos maiores artilheiros da história. O "Queixada", como Ademir era conhecido, fez jogos pelo Brasil de 1945 a 1953.

25 de agosto GOL 424

BARCELONA-ESP 1X2 FLAMENGO

Aquele Flamengo não parava. No meio da disputa do Estadual, partiu para realizar alguns jogos na Europa. O primeiro adversário foi o Barcelona, na disputa da Taça Ramón de Carranza de 1979, na cidade espanhola de Cádiz. O Flamengo saiu na frente com um gol de Júlio César. O "Uri Geller" fez um dos melhores jogos de sua carreira, infernizando a vida dos defensores do Barça. E, ainda na etapa inicial, aos 39 minutos, o Mengo ampliou. Toninho foi derrubado pelo goleiro Vicente Amigó, dentro da área. O juiz espanhol ignorou a infração, mas resolveu voltar atrás, pressionado pelas vaias da torcida e pela indignação dos jogadores do Flamengo. Só que marcou falta fora da área! O que ele não sabia é que, para Zico, era quase a mesma coisa. A cobrança saiu com perfeição, por cima da barreira, indo ao canto direito: Flamengo 2x0.

O inigualável comentarista João Saldanha assim comentou o jogo: "O público aplaudiu, de pé, o Flamengo, que ofereceu uma das mais maravilhosas exibições de todos os tempos. Foi notável o que o Flamengo fez no campo, com uma harmonia, uma coesão, um conjunto fora do comum, com jogadas de autênticos *globetrotters*, perturbando e desnorteando totalmente a equipe do Barcelona. (...) Zico, enquanto esteve em campo, comandou todas as ações ofensivas da equipe, pois o Flamengo fazia de pé em pé e, às vezes, partia para cima, com ele aparecendo em todos os lances de perigo. Era para meter goleada, meia dúzia, sei lá! – dar olé. Aliás, o espanhol gosta disso. Na saída, a torcida esperou o time do Flamengo na rua para bater palmas. Só não consigo explicar mesmo como esse jogo terminou apenas 2 a 1. Para falar a verdade, nem parecia um jogo, parecia mais um treino, um divertimento. Enfim, um espetáculo que merecia dois ingressos. Um torcedor sério tinha que ir lá fora, comprar outro ingresso e voltar para ver o resto, com a consciência de que estava pagando o preço justo pelo show apresentado. E nem vou falar do grande Barcelona, muito menos do seu gol, porque merecia perder de mais e não marcar gol algum. Por que dar essa colher de chá? Eu não dou."

26 de agosto **GOLS 425 e 426**
FLAMENGO 2X0 ÚJPEST DÓZSA-HUNGR

No dia seguinte, no mesmo local, a decisão do torneio foi contra o bicampeão da Hungria. Mesmo sem repetir a exibição da partida diante do Barcelona, o que seria realmente muito difícil, o Flamengo ainda assim, voltou a empolgar a torcida e a crônica europeias. O time brasileiro começou arrasador e, logo aos 9 segundos de jogo, abriu o marcador. Dada a saída, Cláudio Adão lançou para Junior. O lateral-esquerdo avançou, foi a linha de fundo e cruzou para a área, onde apareceu Zico, que escorou de cabeça para o fundo das redes do goleiro Ereoly, antes que os húngaros pudessem se arrumar em campo!

O segundo gol foi marcado aos 23 minutos do segundo tempo, após uma pequena pressão do Flamengo. Junior penetrou solto, recebendo um carrinho do goleiro, com a bola sobrando para Júlio César, que emendou, de primeira. A bola bateu na zaga, sobrou novamente para Junior, que chutou para defesa parcial do goleiro. Zico pegou o rebote e marcou: Flamengo 2x0. Com essa vitória, o Flamengo, que atuou com Cantarele; Toninho, Nélson, Manguito e Junior; Carpegiani, Andrade e Zico; Tita, Cláudio Adão (Adílio) e Júlio César, sagrou-se Campeão da Taça Ramón de Carranza 1979. Zico foi o artilheiro do torneio, com três gols, ao lado do húngaro Fazekas, do Újpest Dózsa.

29 de agosto **GOL 427**
ATLÉTICO DE MADRID-ESP 1X1 FLAMENGO

Veio, então, um amistoso no Estádio Vicente Calderón, em Madrid, contra os donos da casa. Aos 29 minutos do primeiro tempo, Zico tabelou com Cláudio Adão na entrada da área. O centroavante cruzou na medida para o camisa 10, entre dois zagueiros, completar de cabeça. O goleiro Reyna, batido no lance, nada pôde fazer: Flamengo 1x0. O Atlético empatou, ainda na fase inicial.

31 de agosto **GOL 428**
PARIS SAINT-GERMAIN-FR 3X1 FLAMENGO

Uma viagem para Paris, na França e outro jogo amistoso, dois dias após o anterior. Arrasador, o Flamengo saiu na frente, logo aos 6 minutos do primeiro tempo: Zico recebeu ótimo passe de Cláudio Adão e livre, frente a frente com o goleiro Baratelli, tocou para o fundo das redes, no canto esquerdo, fazendo 1x0. As viagens e jogos sucessivos, no entanto, cobraram seu preço e o Rubro-Negro não conseguiu manter o ritmo, sendo derrotado na etapa final.

9 de setembro **GOL 429**
FLAMENGO 2X4 VASCO-RJ

Voltando para o Brasil, o cansaço ainda batia forte. O time só empatou com o Bonsucesso, pelo Estadual e, no jogo seguinte, foi derrotado pelo Vasco, no Maracanã. Zico marcou, de pênalti cometido por Paulinho sobre Adílio, o segundo gol do Flamengo (2x2), cobrando no canto esquerdo baixo do arqueiro Leão, aos 12 minutos da etapa final. Zico atingiu a ótima marca de 34 gols no Campeonato Estadual. Mas, a pior das notícias foi uma contusão que o tirou de campo por muito tempo. Felizmente, Tita assumiu, com êxito, a camisa 10 e a posição de Zico em campo, durante sua ausência forçada, e, comandando uma reação inesperada, levou o Flamengo à conquista daquele 2º turno e do decisivo 3º turno, com uma rodada de antecedência, com o time conquistando, assim, o Tri-Campeonato Estadual do Rio de Janeiro 1978/9/9. Mais um troféu para a galeria do Galinho de Quintino.

15 de novembro **GOL 430**

GAMA-DF 1X2 FLAMENGO

Zico só voltaria a marcar gols mais de dois meses depois, pela terceira rodada do Campeonato Brasileiro de 1979, no dia de comemoração do 84º aniversário do Flamengo. Foi no Estádio Bezerrão, em Brasília, no Distrito Federal, com público recorde de 40 mil pessoas. E foi de Zico, que retornava aos campos naquele jogo, o primeiro gol. Aconteceu aos 22 minutos do primeiro tempo, quando Junior lançou o ponta-esquerda Júlio Cesar, que sofreu falta. O lateral cobrou rápido para Zico, que passou a bola para Cláudio Adão. Este esticou a pelota a Reinaldo que, de primeira, a enviou a Zico. O camisa 10 penetrou em jogada individual e, perto da marca do pênalti, chutou com precisão, de pé esquerdo, no canto direito do goleiro Daniel: Flamengo 1x0.

2 de dezembro **GOLS 431 e 432**

FLAMENGO 4X0 SÃO BENTO (DE SOROCABA)-SP

Em 2 de Dezembro, no Maracanã, o Flamengo passou bem pelo São Bento, já pela fase seguinte da competição, num grupo com três adversários paulistas. Mas, o jogo estava duro, com apenas 1x0 no placar até os 18 minutos do segundo tempo, quando Tita tentou uma jogada pelo meio e, na entrada da área, foi barrado com falta. Zico cobrou por cima da barreira, com a bola descaindo no canto direito baixo do goleiro Márcio, que ficou parado, sem nenhuma ação. Esse foi o 200º gol do Flamengo em 1979! Que time era aquele?

E, já aos 45 minutos, Tita, após receber passe de Toninho, derivou da esquerda para a meia e, na entrada da área, foi derrubado pelo meio-campista Campos. Reinaldo cobrou forte. O goleiro soltou na cabeça de Zico, que, já na pequena área, não teve trabalho, além de testar no ângulo direito: Flamengo 4x0.

5 de dezembro **GOL 433**

COMERCIAL-SP 0X2 FLAMENGO

Três dias depois, o jogo foi no Estádio Palma Travassos, em Ribeirão Preto, São Paulo. Mais uma boa vitória, com Zico marcando o segundo gol do Flamengo e do jogo, ainda aos 37 minutos do 1º tempo, aproveitando uma falha da zaga. Zico ganhou uma dividida com o zagueiro Carlinhos, penetrou, driblou o goleiro Vandeir e tocou, macio, para o fundo das redes do Comercial.

9 de dezembro **GOL 434**

FLAMENGO 1X4 PALMEIRAS-SP

Era a última rodada do grupo e o Flamengo teria que vencer o Verdão para continuar na competição. Explorando bem a situação, o Palmeiras levou o placar favorável de 1x0 para o intervalo, em um Maracanã com 112.047 torcedores. Mas, no início do segundo tempo, Junior lançou para Cláudio Adão, na entrada da área. De cabeça, o centroavante serviu Zico, que vinha de trás. O craque do Rubro-Negro dominou no peito, invadiu a grande área pelo lado esquerdo, e, no momento do chute, foi calçado pelo volante Pires. Pênalti que Zico bateu firme, rasteiro, no canto direito do goleiro Gilmar, que pulou para o lado oposto, empatando o jogo aos 9 minutos. Em contra-ataques rápidos, o Palmeiras, no entanto, venceu e ficou com a vaga.

Zico comemora com os companheiros o gol do Flamengo no Maracanã em 1979.

Zico, com 7 gols marcados, foi o artilheiro da Seleção Brasileira na temporada de 1979, ao lado de Sócrates. Com um total de 32 gols dividia, agora, com Ademir, o posto de sextos maiores artilheiros da história da nossa seleção principal!
Com uma incrível marca de 81 gols marcados pelo Flamengo no ano, apesar dos dois meses parados por contusão!, Zico foi, novamente, o artilheiro do time no ano e, com um total de 317 gols, brilhava absoluto no topo da artilharia da história do clube.
E, com os 89 gols marcados no total, foi o maior artilheiro do futebol mundial naquela temporada!

Zico comemora o terceiro gol do Flamengo na vitória de 4 x 2 sobre o Vasco pelo Campeonato Carioca em 22 de julho de 1979.

Comemoração de gols do Flamengo no Maracanã.

CAPÍTULO 10

Zico vibra com gol no Maracanã.

1980

Cláudio Coutinho continuou como técnico do Flamengo para 1980, embora tivesse perdido o posto na Seleção Brasileira. O ano começou com o Mengão fazendo amistosos pelo Brasil... e com Zico marcando gols.

31 de janeiro GOLS 435 e 436

FERROVIÁRIO-RO 0X6 FLAMENGO

Foi no Estádio Aloísio Ferreira, em Porto Velho, capital de Rondônia, que Zico marcou seus dois primeiros na temporada. Aos 27 minutos do 2° tempo, Andrade fez um passe para o Galinho na entrada da área. Com um chute violento, Zico venceu o goleiro Jair: Flamengo 4x0.

Sete minutos se passaram e Carlos Alberto tabelou com Reinaldo, pela direita. Quando recebeu, na frente, fez belo cruzamento pelo alto. Zico entrou e desviou, de cabeça, para o gol: Flamengo 6x0.

10 de fevereiro GOLS 437 a 440

MIXTO-MT 1X7 FLAMENGO

Em novo amistoso, agora no Estádio José Fragelli, em Cuiabá, Mato Grosso, contra a equipe local do Mixto, Zico fez quatro, mas o primeiro gol demorou a sair. Foi ocorrer somente aos 28 minutos da etapa inicial, após Zico receber excelente passe de Carlos Alberto, que havia desarmado o lateral-esquerdo Lúcio. Então foi dominar e tocar rasteiro, no canto esquerdo do goleiro Ernani: 1x0 para o Rubro-Negro carioca.

Já no 2° tempo, aos 16 minutos, Zico recebeu de Adílio e partiu com a bola, driblando os quatro adversários que apareceram pela frente, antes de também driblar o goleiro e bater para o gol, agora vazio. Um dos mais belos gols de sua carreira! Flamengo 3x0.

Dois minutos depois, Zico partiu da intermediária, tabelou com Reinaldo e, de pé direito, chutou da entrada da área, no canto direito da meta mato-grossense: Flamengo 4x0.

44 minutos. Junior, avançando pela esquerda, cruzou para a área. Cláudio Adão, de cabeça, escorou para Zico, que dominou e chutou forte, com o pé esquerdo, definindo o placar: Flamengo 7x1.

24 de fevereiro GOL 441

SANTOS-SP 0X1 FLAMENGO

O Flamengo estreou no Campeonato Brasileiro de 1980, no Morumbi, na capital paulista. O único gol do jogo saiu aos 20 minutos do 1° tempo. Reinaldo roubou a bola do ponta-esquerda João Paulo, escapou pela direita, passou pelo meia Rubens Feijão e cruzou, rasteiro, para o interior da grande área. Zico, acompanhando o lance, surgiu como um raio e fulminou rasteiro, com a bola passando por baixo do goleiro Marola.

2 de março GOL 442

FLAMENGO 1X0 INTERNACIONAL-RS

Segunda rodada, segundo clássico, dessa vez, no Maracanã. Também só houve um gol. De Zico, aos 11 minutos do 2° tempo. O ponta-direita Reinaldo iniciou a jogada, fazendo um passe para Andrade, que, na intermediária adversária, com um toque sutil de pé direito, achou Zico no meio da zaga gaúcha e, mesmo marcado de perto pelos zagueiros Mauro Pastor e Mauro Galvão, o Galinho, com um chute forte, de pé direito, no ângulo esquerdo, venceu o goleiro Gasperin, definindo o jogo. "Não me lembro de muita coisa desse jogo, não", diz Zico. "Apenas que foi um jogo dificílimo já que o Inter era o campeão de 1979 e tinha um timaço. Lembro do Andrade trazendo a bola pelo meio e enfiando a bola para mim no meio da zaga. Eu bati forte, a bola ainda raspou na cabeça de alguém e foi no ângulo do goleiro."

9 de março **GOL 443**

MIXTO-MT 0X2 FLAMENGO

Sete dias depois, o Flamengo voltou a enfrentar o Mixto em Cuiabá. Mas agora o jogo valia dois pontos pelo Brasileirão. O Mixto se fechou, prevenido, dificultou um pouco, mas não escapou de nova derrota. E o placar só se mexeu na etapa final. Carlos Henrique, que havia aberto o placar três minutos antes, deslocou-se da esquerda para o meio, driblou o lateral-direito Arílson e o meia Udélson e abriu na ponta direita, para Reinaldo. Este dominou e cruzou, pelo alto, para a área. Zico, antecipando-se ao arqueiro Saldanha, cabeceou firme no canto esquerdo: Flamengo 2x0, aos 17 minutos de jogo.

12 de março **GOLS 444 e 445**

FLAMENGO 2X1 FERROVIÁRIO-CE

A seguir, veio o jogo válido pela quinta rodada, no Maracanã. O cansaço colaborou para que a vitória fosse sofrida. Aos 40 minutos de jogo, Zico, lançado por Adílio, dentro da área, pela direita, em velocidade, tentou um cruzamento para área do "Ferrim", mas o zagueiro Nilo cortou com a mão direita. Pênalti marcado, que Zico cobrou, firme, no canto esquerdo, sem chances para o goleiro Salvino: Flamengo 1x0.

Aos 12 minutos da etapa final, Carlos Henrique escapou pela esquerda, driblou o zagueiro Jorge Luís e, com o pé direito, centrou para Tita, na entrada da área. O meia, que estava de costas e marcado por dois adversários, serviu Zico, com um belo toque de calcanhar. O Galinho recebeu livre, de frente para o arqueiro, e, com um lindo toque por cobertura, aumentou o marcador: Flamengo 2x0.

20 de março **GOLS 446 a 449**

FLAMENGO 5X0 ITABAIANA-SE

Pela sétima rodada, os adversários foram os sergipanos do Itabaiana, no Maracanã. Zico fez mais quatro! A goleada começou com 12 minutos de jogo. O zagueiro Marinho fez boa jogada pela esquerda e passou a bola para Carlos Henrique. Este, recebendo em velocidade pela esquerda, centrou para área. Marinho, que vinha na corrida, dividiu com o meia Ziza, mas o adversário, na entrada da pequena área, afastou. Só que a bola foi na direção de Zico, que, ainda dentro da área, pela meia-esquerda, pegou de primeira e de canhota, acertando a trave esquerda e dali a bola foi para o gol, vencendo o goleiro Ubirajara Alcântara: Flamengo 1x0.

Dez minutos depois, Zico, na lateral da área, pelo lado direito, abriu para Reinaldo e correu para a área. O ponta do Flamengo centrou para a cabeçada de Tita, que serviu a Zico. Este, localizado entre o zagueiro Ademir e o lateral-esquerdo Amaúte, se esticou para acertar um belo toque, de pé direito, por cima do arqueiro: Flamengo 2x0.

Aos 25, ainda do primeiro tempo, houve uma falta pelo lado esquerdo do ataque do Flamengo. Reinaldo cobrou, perfeito na cabeça de Zico, que testou, firme, no ângulo direito, ampliando o marcador: Flamengo 3x0.

Tita pediu licença ao Galinho e entrou na festa, marcando o quarto gol do Flamengo. Mas, aos 38 minutos da etapa final, Zico mostrou quem era o anfitrião. Tabelou pela meia-direita com Tita, que serviu, mais uma vez, ao Galinho e, já na entrada da grande área, após se livrar do zagueiro Aílton, disparou um forte chute, no ângulo esquerdo do goleiro: Flamengo 5x0.

30 de março **GOL 450**
FLAMENGO 2X2 PONTE PRETA-SP

Era a estreia do centroavante Nunes no Flamengo e ele já começou marcando o primeiro gol daquele jogo no Maracanã, contra a Macaca de Campinas. A Ponte empatou e, aos 10 minutos do 2º tempo, Carpegiani fez lançamento ao "João Danado", na intermediária. Nunes fez o corrupio, avançou pela meia-direita, passando no meio de quatro adversários, e passou a Zico. Da entrada da área, partiu um chute seco e rasteiro, de primeira, indo entrar no canto esquerdo do goleiro Carlos: Flamengo 2x1.

2 de abril **GOLS 451 e 452**
SEL. BRASIL 7X1 SELEÇÃO DE NOVOS DO BRASIL

A Seleção Brasileira, agora sob o comando de Telê Santana, estreou na temporada num amistoso caseiro, no Maracanã. Do outro lado, uma seleção de revelações brasileiras, sob a batuta do técnico Nelsinho Rosa. A Seleção principal jogou de amarelo e a de novos, de azul. Aos 24 minutos de jogo, Tarciso foi lançado por Falcão e derrubado pelo zagueiro Luiz Cláudio. Pênalti, que Zico cobrou firme, no canto esquerdo do goleiro Marola: Seleção Principal 3x0. Com esse gol, seu 33º pelo Brasil, Zico deixou Ademir Menezes para trás, isolando-se como o sexto maior artilheiro da história da Seleção Canarinho.

Aos 35 minutos da etapa final, Zé Sérgio foi lançado pela direita, avançou, invadiu a área e foi jogado ao chão por André Luís. Zico, dessa vez, cobrou à meia-altura, no canto direito, sem chances para o goleiro Gilmar, que substituíra Marola: Seleção do Brasil 6x1.

13 de abril **GOLS 453 e 454**
FLAMENGO 6X2 PALMEIRAS-SP

Este jogo entrou para a história do futebol rubro-negro e, porque não?, do brasileiro. O Palmeiras havia eliminado o Flamengo do Brasileiro do ano anterior com uma surpreendente goleada de 4x1. Os clubes se reencontraram na primeira rodada da segunda fase do Campeonato de 1980 e o Maracanã ferveu de emoção. Foi um passeio, para não deixar dúvidas. Tita abriu a contagem com um belo gol de cabeça. Aos 33 minutos, ainda do primeiro tempo, Júlio César avançou pela meia-esquerda e abriu para Junior, na entrada da área. O lateral correu na diagonal, indo da esquerda para o meio, até que sofreu falta de Rosemiro, fora da grande área, pelo lado esquerdo. Zico cobrou de forma magistral, pelo alto, no ângulo esquerdo do goleiro Gilmar, que nada pôde fazer, ficando estático: Flamengo 2x0.

No início do segundo tempo, Andrade recebeu pelo lado esquerdo do ataque e tocou no meio para Zico. Este tabelou duas vezes com Tita, recebendo um passe no interior da grande área, onde foi derrubado pelo meio-campo Pires. Pênalti marcado. Zico cobrou firme, rasteiro, no canto direito, com o goleiro indo para o lado errado: Flamengo 3x0 aos 7 minutos. Ao final, um massacrante e histórico 6x2. A goleada anterior foi devolvida, com troco.

Zico: "É! Naquele jogo, eu me lembro bem que eu tive uma contratura. Eu saí quando estava 3 a 0, se não me engano, no segundo tempo. Começou a chover. Fiz dois gols nesse jogo. Um no primeiro tempo, numa cobrança de falta muito bonita no ângulo esquerdo do Gilmar, que colocou a barreira do lado contrário e ficou só olhando. Eu treinava muito esse tipo de cobrança, por fora da barreira. O outro gol, no segundo tempo. Entrei na área tabelando com o Tita e fui derrubado e o pênalti foi marcado. Bati e fiz."

16 de abril **GOL 455**

FLAMENGO 2X1 BANGU-RJ

Três dias depois, o Maracanã recebeu um confronto carioca pelo Campeonato Brasileiro. O jogo foi duro. Zico abriu a contagem aos 17 minutos do primeiro tempo. A jogada começou com Carpegiani fugindo pela esquerda, entrando na área e, quando ia cruzar, sendo derrubado pelo zagueiro Rodrigues. Pênalti, que Zico cobrou à meia-altura, no canto direito do goleiro Tobias: Flamengo 1x0.

10 de maio **GOLS 456 a 458**

FLAMENGO 3X0 DESPORTIVA-ES

Chegou a terceira fase do Campeonato Brasileiro de 1980. Este jogo, realizado no Maracanã, foi marcado pela inversão de papéis de dois jogadores: Nunes e Zico. Normalmente, via-se Zico fazendo passes para conclusões de Nunes, mas não foi assim naquela ocasião. Aos 15 minutos do primeiro tempo, Junior, do meio de campo, fez um belíssimo lançamento, com a parte externa do pé direito, para o centroavante, na ponta esquerda. Nunes, então, foi ao fundo e, de pé esquerdo, centrou, pelo alto e por trás da zaga, encontrando Zico, que, de cabeça, acertou o ângulo direito do goleiro Rogério: Flamengo 1x0.

Quinze minutos depois, Toninho roubou a bola na meia-direita e entregou a Carpegiani, que lançou Nunes pela direita. O "João Danado" dividiu e ganhou a bola do zagueiro Edmar e do goleiro Rogério, cruzando, a seguir, pelo alto, para o interior da grande área. Zico, sem goleiro e apenas com o zagueiro Lúcio à sua frente, matou no peito e, de pé direito, completou para o fundo das redes: Flamengo 2x0.

O Flamengo jogava mal e parecia desinteressado. A torcida cobrou. Até que, já aos 45 minutos do segundo tempo, Junior arrancou pela lateral esquerda e, do meio de campo, lançou pelo alto para Nunes na ponta direita. Ele matou a bola no peito, foi ao fundo e, com o pé direito, cruzou forte para o interior da grande área. Zico, que vinha nas costas do zagueiro Edmar, passou da linha da bola, mas, mesmo assim, conseguiu alcançar de cabeça, para, mais uma vez, vencer Rogério: Flamengo 3x0.

18 de maio **GOLS 459 e 460**

FLAMENGO 2X0 SANTOS-SP

Um empate contra o Peixe nesse jogo no Maracanã já bastaria para a classificação para a semifinal da competição nacional. O estádio estava abarrotado com 110.079 torcedores presentes. E quase veio abaixo, logo aos 12 minutos do primeiro tempo, quando Zico ganhou uma dividida com o meio-campista Rubens Feijão e passou a Carpegiani, que acionou Junior pela esquerda, mais recuado. O "Capacete" devolveu a Carpegiani no meio e este, de primeira, virou e lançou Nunes, deslocado na ponta esquerda. Também de primeira, e de pé esquerdo, Nunes cruzou pelo alto, por trás da zaga do Santos, encontrando Zico, que, num golpe mortal de cabeça, venceu o goleiro Marola, batido no contrapé. Um golaço!

Aos 13 minutos do segundo tempo, Adílio atravessou a linha do meio-

-de-campo com a bola dominada, avançou pela meia-direita, e passou a Zico, que fez fila, driblando três adversários em sequência (o meia-esquerda Pita, o meia Toninho Vieira e o zagueiro Joãozinho), até que, já no interior da grande área, foi derrubado pelo lateral-esquerdo Washington. Pênalti marcado. Zico cobrou firme, no canto direito do goleiro santista, definindo a vitória e a classificação.

Zico lembra: "Esse jogo já foi pelas quartas de final, a gente tinha ganhado da Desportiva e empatado com a Ponte Preta. O primeiro gol foi uma escapada do Nunes pela esquerda. O Carpegiani, se não me engano, meteu a bola, ele foi no fundo e cruzou por trás da zaga e eu, de cabeça, desviei do Marola. Nesse campeonato, inclusive, o Nunes fez muito isso. Abria muito nas pontas e, quase sempre, eu entrava livre pelo meio. A gente se entendia muito bem. Mas, esse tipo de jogada me deu um pouco mais de responsabilidade, porque todo passe do Nunes para mim, saía um gol (risos). O segundo gol foi no segundo tempo. Eu recebi a bola, "comi" todo mundo, invadi a área e sofri pênalti. Bati bem e fiz o gol. Com essa vitória a gente se classificou para a semifinal com o Coritiba"

21 de maio **GOLS 461 e 462**

CORITIBA-PR 0X2 FLAMENGO

O primeiro jogo da semifinal foi disputado no Estádio Couto Pereira, em Curitiba, Paraná. Aos 24 minutos da fase inicial, Zico, pelo meio, fez um passe a Junior, que se livrou de Alimir, seu marcador, e, pelo meio da zaga do Coxa, lançou para Zico, que, na saída do goleiro Moreira, marcou o primeiro gol do jogo, com um chute rasteiro, no canto direito.

Aos 14 minutos do segundo tempo, Adílio avançou pelo meio e passou a Zico, na intermediária. O Galinho arriscou um chute de longa distância, incrivelmente preciso, acertando o ângulo direito. Outro golaço!

Nas palavras de Zico: "O primeiro gol foi uma jogada do Junior pelo meio, na qual ele meteu a bola no meio da zaga e eu apareci e chutei na saída do goleiro. O segundo gol foi um lance em que o Adílio veio costurando a jogada pelo meio, tocou para mim e eu chutei forte lá de fora e acertei o ângulo. Esse tipo de gol eu fiz várias vezes na minha carreira. Contra o Guarani, em 1982, por exemplo, e contra o Chile, em 1985. Nesse jogo, teve um negócio importante, porque nós estávamos chegando perto do final de maio e eu pedi ao Coutinho para falar na preleção. Meu contrato acabava no dia 30 de maio e, se nós chegássemos a final, ela seria no dia 1 de junho e eu nunca havia jogado sem contrato. Eu sabia que ia ter dificuldades e conversei com os jogadores. Pedi, por favor, que nenhum deles comentasse nada. Eu ia ficar dizendo que sem contrato não jogaria, mas, na verdade, eu, é claro, jogaria aquele jogo. E assinamos o novo contrato apenas na sexta-feira, antes da final. No jogo contra o Coritiba, no Maracanã, 4 a 3 para a gente, eu sofri uma distensão, que me deixou de fora do 1° jogo da final. Eu fiquei de domingo até quinta-feira em casa, com o Serginho (massagista) indo lá de manhã e de tarde, e eu só levantava para ir ao banheiro (risos). Nem pra comer, eu me levantava! Fiquei de repouso absoluto mesmo!"

Como lembrou o Galinho, no jogo da volta, no Maracanã, ele se machucou no início do jogo, saindo substituído, assim como o ponteiro esquerdo Júlio César. O Coritiba abriu 2x0, fazendo a torcida do Mengão temer pelo pior. Mas, a flama rubro-negra fez com que aquele jogo fosse virado ainda na etapa inicial, para acabar com uma excelente vitória por 4x3. Pela primeira vez na história, o Flamengo estava classificado, não apenas para decidir o Campeonato Brasileiro, mas para disputar a Taça Libertadores da América, no ano de 1981!

1 de junho GOL 463
FLAMENGO 3X2 ATLÉTICO-MG

A final foi disputada contra o surpreendente Galo mineiro que, após um empate em 1x1 em Minas Gerais, goleou o Internacional, em pleno Beira-Rio (3x0). Ali, começou uma das maiores rivalidades do futebol brasileiro. No primeiro jogo, sem Zico em campo, o Atlético levou a melhor no Mineirão: 1x0. Por ter tido melhor campanha nas semifinais, o Flamengo ficaria com o título com qualquer vitória no jogo de volta, no Maracanã. Ao Galo, bastava um empate. 154.355 pessoas compareceram ao estádio. Nunes, recebendo um belo passe de Zico, abriu o marcador aos 7 minutos de bola rolando, para Reinaldo empatar no minuto seguinte. O jogo persistia nervoso e disputado, com alguma deslealdade, principalmente por parte dos mineiros. Aos 44 minutos, ainda no 1° tempo, foi marcada uma falta a favor do Flamengo na ponta direita, junto à linha de fundo. O lateral Toninho cobrou pelo alto. O goleiro João Leite subiu, agarrou a bola e a soltou. O lateral-direito Orlando apareceu rápido e despachou a pelota para fora da área. Junior, colocado pelo meio, pegou o rebote e chutou a gol, mas a bola bateu no rosto de Palhinha e voltou para o lateral do Flamengo, que, na segunda tentativa, chutou por baixo. Zico, que estava na trajetória do chute, amaciou a bola com a coxa esquerda, já no interior da grande área. A seguir, virou-se rapidamente e, com um belo chute, de pé direito, pelo alto, venceu o goleiro João Leite, que estava no chão esperando o chute de Junior: Flamengo 2x1.

No 2° tempo, Reinaldo tornou a empatar, mas Nunes, consagrando-se como o "artilheiro das decisões", marcou o que seria o gol da vitória e do título inédito. Com esta vitória, o Flamengo, que atuou com Raul; Toninho, Manguito, Marinho e Junior; Carpegiani (Adílio), Andrade e Zico; Tita, Nunes e Júlio César (Carlos Alberto), sagrou-se Campeão Brasileiro de 1980. A competição terminou com Zico como seu principal artilheiro, com 21 gols.

Zico continua, no relato de suas memórias: "Somente na sexta-feira é que eu fui na Gávea. Fiz um treinamento leve e fui para o jogo. Tinha uma expectativa grande para o jogo, mas nós estávamos muito confiantes. Nós tínhamos um grande time, né? Nós tínhamos toda certeza de que ganharíamos aquela final, cara! Houve uma carta, que o Rondinelli escreveu, e foi lida para a gente no vestiário, antes de entrarmos em campo, pedindo garra pro time. Muito emocionante! Ele tinha levado uma pancada do Palhinha, lá no Mineirão, e quebrou o maxilar! E, por isso, ficou de fora do jogo. Então, aquilo mexeu com os nossos brios. Ele tinha operado bem ali, numa casa de saúde, em frente ao Maracanã. O jogo começou e fizemos logo um gol. Mas, os "caras" empataram logo em seguida. E, no finzinho do primeiro tempo, aos 44 minutos, o Junior pegou uma sobra de bola na entrada da área e tentou o chute duas vezes e a bola repicou em mim. Na hora em que ela bateu em mim, o João Leite caiu para defender o chute do Junior. Eu dominei e bati firme, no alto. O Maracanã veio abaixo. Nós comemoramos tanto, que na saída, quase o Reinaldo empatou de novo! (risos) No segundo tempo, nós tivemos algumas chances para fazer o terceiro gol e a bola não entrava. Em momento algum, esperávamos aquele gol de empate do Atlético. E, quando estava 2x2, o jogo comendo solto, muito disputado, e o Júlio César lá parado, na ponta esquerda. Eu fui lá e dei-lhe uma bronca! Chamei para marcar e ele voltou para o clima do jogo. (risos) Uri Geller ficava ali, às vezes, dando o número do telefone para as meninas na geral. (risos) Ele é muito maluco. (gargalhada) Enfim, nós fomos campeões brasileiros!"

7 de junho **GOL 464**

EINTRACHT FRANKFURT-AL. OC. 1X3 FLAMENGO

A fama do Flamengo já se espalhava pelo Mundo. Tanto que, seis dias após a decisão, o time já estava no Waldstadion, em Frankfurt, na então Alemanha Ocidental, para um amistoso contra o Eintracht Frankfurt, que havia conquistado, dias antes, a Copa da UEFA. O time germânico saiu na frente, logo aos dois minutos, mas, nove minutos depois, Zico recebeu de Carpegiani, driblou o lateral Trapp e o zagueiro Korbel, invadiu a grande área e foi derrubado pelo meio-campista Lorant. Pênalti marcado, que o Galo cobrou firme, no canto esquerdo baixo do goleiro Funk, empatando e dando início à virada.

24 de junho **GOL 465**

BRASIL 2X1 CHILE

Paralelamente, a Seleção Brasileira seguia fazendo amistosos e, desafortunadamente, havia perdido uma invencibilidade de 45 jogos internacionais no Maracanã (desde 1968), para a U.R.S.S., por 2x1. O amistoso seguinte foi disputado no Mineirão, em Belo Horizonte, Minas Gerais, contra a seleção chilena. E os visitantes saíram na frente no placar. O Brasil só empatou aos 4 minutos da segunda etapa, quando Éder avançou pela esquerda e cruzou para a área. Toninho Cerezo dominou de costas e rolou pra trás, para Zico, que, com chute forte, no canto direito do goleiro Wirth, empatou a partida. Agora com 35 gols marcados pelo Brasil, Zico alcançou Tostão (que atuou pela Seleção de 1966 a 1972) na quinta colocação entre os maiores artilheiros da história da Seleção. Toninho Cerezo fez o gol da vitória brasileira.

29 de junho **GOL 466**

BRASIL 1X1 POLÔNIA

Cinco dias depois, Zico teve que enfrentar o Morumbi (com quase 100.000 presentes), os paulistas e, principalmente a imprensa local, que teimava em não apoiar o craque brasileiro, por ser carioca. Se historicamente, o Brasil não jogava bem em São Paulo, exatamente por esse bairrismo, isso se repetiu. Os poloneses fizeram 1x0, com Lato. Aos 7 minutos do 2° tempo, o lateral-direito Nelinho cobrou um lateral para o meia Batista, que cruzou da meia-direita, pelo alto, encontrando Sócrates dentro da área. O Doutor, de cabeça, escorou para a pequena área. Zico, que acompanhava o lance, se antecipou a Mowlik, para, de pé direito, tocar para o fundo do gol, empatando a partida. O sufoco fez com que os paulistas vibrassem com o gol do Galinho de Quintino Bocaiúva. Até o placar marcou o gol, que fez de Zico, agora isolado, com 36 gols, o quinto maior artilheiro de todos os tempos na Seleção Brasileira!

5 de julho **GOL 467**

FLAMENGO 1X0 AMÉRICA-RJ

Nesse ano, a Taça Guanabara foi programada para ser disputada como uma competição separada do Campeonato Estadual. Foi disputada pelos quatro grandes da capital mais o América e o Americano, de Campos. Na primeira rodada, o Fla enfrentou o Mequinha, no Maracanã. O único gol do jogo aconteceu aos 38 minutos do 1° tempo. Houve confusão na área americana, devido à presença de muitos jogadores, quando Nunes fez bom passe a Zico. Demonstrando oportunismo, ele completou, de direita, com violência, para marcar. O goleiro Jurandir estava na jogada, mas acabou traído, porque a bola ainda bateu no zagueiro Zedilson, enganando-o totalmente.

20 de julho **GOL 468**

AMERICANO-RJ 0X2 FLAMENGO

Pela terceira rodada, no dia 20, uma visita ao Estádio Godofredo Cruz, em Campos dos Goytacazes, para encarar o dono da casa. O Flamengo, que teve Nunes expulso de campo, abriu o marcador logo aos 6 minutos de jogo, com Zico. Adílio recebeu a pelota de Carlos Alberto, pelo meio, avançou e lançou com precisão ao Galinho, por trás do zagueiro Tita, do Americano. Zico, então, amorteceu a bola no peito, virou o corpo e chutou alto e indefensável para o goleiro Gato Félix. Um golaço! Foi de Adílio o segundo gol desta vitória.

Zico, contundido, acabou ficando de fora da partida decisiva, na última rodada, quando o Flamengo empatou sem gols com o Vasco, no Maracanã, sagrando-se, invicto, Tri-Campeão da Taça Guanabara 1978/79/80.

22 de agosto **GOL 469**

REAL SOCIEDAD-ESP 0X2 FLAMENGO

Recuperando-se, Zico se juntou ao elenco do Flamengo em Santander, na Espanha, para a disputa da Taça Cidade de Santander 1980. E ele marcou o primeiro gol da vitória sobre a Real Sociedad, no Estádio El Sardinero, em jogo que marcou a estreia de Lico no Flamengo. Aos 8 minutos, depois de um início muito bom, o Flamengo abriu o marcador. Foi uma jogada belíssima. A começar pelo preciso passe de Carpegiani, após receber de Adílio. Depois, pelo drible de corpo de Zico, que tirou dois jogadores do lance (o meio-campista Diego e o zagueiro Gajate), para penetrar pela área. E, ainda, pela decisiva conclusão: um chute forte, no canto esquerdo, fora do alcance do goleiro Arconada, que também servia à Seleção da Espanha. O outro gol foi de Adílio.

23 de agosto **GOLS 470 e 471**

FLAMENGO 2X1 LEVSKI SPARTAK-BULG

No dia seguinte, no mesmo local, aconteceu a decisão do troféu. Do outro lado, a equipe búlgara do Spartak, de Sófia. Aos 22 minutos de jogo, Zico recebeu passe de Tita e, percebendo o goleiro fora do gol, com o pé direito, acertou bonito chute, no ângulo superior esquerdo de Staykov, que nada pôde fazer: Flamengo 1x0.

Bazov empatou no final do 1° tempo. Aos 25 minutos da fase final, Adílio foi à linha de fundo e cruzou para a área. Nunes escorou para Zico bater forte, sem chance de defesa: Flamengo 2 x 1. Com esta vitória, o Flamengo, que atuou com Raul; Carlos Alberto, Marinho, Mozer e Junior; Andrade, Carpegiani e Zico; Tita, Nunes (Lico) e Adílio, sagrou-se Campeão da Taça Cidade de Santander 1980. Zico, com três gols, foi o artilheiro.

Zico fala sobre este jogo: "No Campeonato Estadual, eu tive uma contratura. O time viajou para a Espanha e eu fiquei no Rio me tratando. Nos primeiros jogos do Flamengo na Europa, começamos mal. Aí, o doutor me liberou e, juntamente com o Lico, fomos para a Espanha. Eu cheguei lá por volta das 3 da tarde e o jogo seria às 8 da noite e o doutor tinha me recomendado ficar quieto e não participar de nada (risos). Veio a preleção e o Coutinho informou que eu não iria jogar. Os jogadores, liderados pelo Carpegiani, fizeram coro para eu jogar. (...) Disseram que era arriscado e perguntaram para mim se eu podia jogar e eu, como sempre, disse que sim (risos). O Coutinho, preocupado com a viagem longa que eu tinha feito, disse: "Fica parado lá na frente". E eu fiquei mesmo! (risos) Foram os dois jogos nos quais fiquei paradão lá na frente mesmo! (risos) Ganhamos da Real Sociedad de 2x0 e eu fiz 1 gol e depois ganhamos do Spartak de 2x1 e eu fiz os 2 gols. Se me perguntarem como foi, não lembro de nada! (gargalhadas)"

31 de agosto **GOLS 472 e 473**

REAL BETIS-ESP 1X2 FLAMENGO

Ainda na Espanha, agora na cidade de Cádiz, o Flamengo disputou outro torneio, a famosa Taça Ramón de Carranza, cujo título iria defender. E o Mengão se classificou para a decisão, despachando a equipe soviética do Dínamo de Tbilisi. Na final, um encontro com espanhóis. O primeiro tempo, bastante disputado, terminou sem gols. Para o 2º tempo, o Flamengo voltou mais confiante e, logo aos 4 minutos, conseguiu o primeiro gol: Zico, com um chute de fora da área, colocou a bola no ângulo do arqueiro Esnaola, sem qualquer chance de defesa: 1x0.

A dez minutos do fim, o Betis empatou, na cobrança de um pênalti, por Morán. Mas, aos 37 minutos, Zico, aproveitando ótimo passe de Carpegiani, driblou os zagueiros Perueno e Alex, e chutou firme para definir o jogo: Flamengo 2x1. Com esta vitória, o Flamengo, que atuou com Cantarele; Carlos Alberto, Rondinelli, Marinho e Junior; Andrade, Carpegiani e Zico; Tita, Nunes e Adílio, sagrou-se Bicampeão da Taça Ramón de Carranza 1979/80. Zico, com esses dois gols, foi artilheiro do torneio, ao lado do espanhol Morán, do próprio Betis.

10 de setembro **GOLS 474 a 477**

FLAMENGO 7X1 NITERÓI-RJ

O futebol tem histórias curiosas e engraçadas, geralmente pegando de surpresa quem canta vitórias antes do tempo. Após ter perdido de 7x1 para o Flamengo em 1979 (com 6 gols de Zico), o Niterói se classificou, num torneio preliminar entre clubes pequenos, para a disputa do Campeonato Estadual de 1980. Logo na segunda rodada, em 10 de Setembro, enfrentou o Rubro-Negro, no Maracanã. Seu técnico, na véspera, deu uma declaração aos jornais, dizendo que o time iria vencer o Flamengo e que, se o time carioca jogasse muito, poderia até conseguir um empate. Mas, uma coisa ele garantiu: "não haverá outro 7x1". Adivinhem o que ocorreu!

Tita abriu o marcador no 1º tempo. Depois, aos 13 minutos, Adílio foi derrubado na entrada da área. Zico, com a habitual perfeição, cobrou no ângulo direito, sem defesa para o goleiro Quinho: Flamengo 2x0. Com gols de Tita e Nunes, o placar chegou aos 4x0, encerrando-se, assim, a etapa inicial.

No 2º tempo, os gols demoraram a sair. Somente aos 21 minutos o placar tornou a se mexer. Isto depois que o zagueiro Guaraci recuou mal uma bola para seu goleiro. Zico, mostrando oportunismo, driblou Quinho e, quase sem ângulo, tocou para o fundo das redes: Flamengo 5x0.

Aos 37 minutos, Júlio César cobrou uma falta da direita. Zico, entre os zagueiros Guaraci e Gallo, de cabeça, apenas desviou do goleiro, com a bola entrando em seu canto esquerdo, fazendo 6x0.

Quando o Niterói descontou, a três minutos do fim do tempo regulamentar, apenas dá para imaginar o que se passou na cabeça do seu técnico falastrão. Faltava apenas um gol para que sua língua se queimasse. E ele veio aos 45 minutos. Nunes invadiu a grande área e foi derrubado por Guaraci. Zico cobrou o pênalti no canto esquerdo e marcou.

O árbitro José Roberto Wright mandou voltar, porque o volante Vítor invadiu a área, antes da cobrança. Zico cobrou bem novamente, mas, dessa vez, no canto direito, fechando a goleada.

17 de setembro **GOL 478**

FLAMENGO 2X2 AMERICANO-RJ

Pela quarta rodada, a "zebra" passeou em pleno Maracanã. O Flamengo perdeu um precioso ponto, apenas empatando com o Americano. O time campista saiu na frente, mas o Mengo virou, ainda na etapa inicial, para ceder o empate definitivo durante o 2º tempo. O segundo gol do rubro-negro foi de Zico, marcado aos 35 minutos de jogo. No lance, Adílio lançou para Zico, que ficou cara a cara com o goleiro. O camisa 10 deu um lindo lençol em Gato Félix e entrou com bola e tudo. Antes da bola entrar, em cima da linha, Zico ainda chutou forte para o fundo das redes. Um golaço!

1 de outubro **GOL 479**

FLAMENGO 2X0 OLARIA-RJ

Zico só voltou a marcar na oitava rodada, quando Flamengo e Olaria se enfrentaram no Estádio Ítalo Del Cima, no bairro carioca de Campo Grande. O jogo estava duro e o Mengão vencia com um gol solitário de Adílio. Aos 35 minutos da etapa final, o zagueiro rubro-negro Luís Pereira aproveitou bom passe de Adílio, invadiu a grande área e foi derrubado pelo lateral-direito Araújo. Pênalti marcado, que Zico cobrou e o goleiro Hílton defendeu. Como o zagueiro Salvador invadiu a área antes que Zico chutasse, o árbitro José Roberto Wright mandou voltar a cobrança. Zico não mudou de canto, mas, dessa vez, converteu. Vitória confirmada.

8 de outubro **GOLS 480 e 481**

FLAMENGO 4X2 SERRANO-RJ

Pela décima rodada do 1º turno do Campeonato Estadual do Rio de Janeiro 1980, o Flamengo recebeu a equipe petropolitana do Serrano, para jogo no Maracanã. Logo aos 5 minutos de jogo, Carpegiani roubou a bola no meio, avançou e tocou na direita para o lateral Carlos Alberto, que foi ao fundo e cruzou para a área. O zagueiro Paulo Ramos cortou, mas Carpegiani recuperou o domínio da bola e, da meia lua da entrada da área, lançou por sobre a zaga para Zico, que, de virada, chutou firme no canto direito do goleiro Acácio: Flamengo 1x0. O Serrano empatou e virou, mas Rondinelli deixou tudo igual antes do intervalo.

Aos 14 minutos do 2º tempo, após ótimo cruzamento de Carlos Alberto, Zico, de cabeça, encobriu o goleiro adversário, com a bola entrando à sua esquerda, desempatando a peleja. Adílio deu o "tiro de misericórdia", marcando o quarto gol carioca.

12 de outubro **GOL 482**

FLAMENGO 1X1 BOTAFOGO-RJ

A rodada seguinte marcou um encontro clássico Flamengo x Botafogo no Maracanã. Com um gol de Mendonça, os alvinegros foram em vantagem para o vestiário, mas, logo aos 3 minutos do segundo tempo, Tita sofreu falta na intermediária do ataque. Zico ajeitou a bola e, aproveitando-se da chuva que caía sobre o gramado, fugiu ao seu estilo e numa cobrança violentíssima, que ainda roçou na barreira, acertou o canto direito baixo do goleiro Paulo Sérgio: 1x1. Neste jogo, Zico foi expulso pela segunda e última vez com a camisa do Flamengo.

Esse turno foi conquistado pelo Fluminense, interrompendo uma sequência fantástica e jamais igualada de oito turnos seguidos ganhos pelo Flamengo nas competições estaduais!

26 de outubro **GOL 483**

CAMPO GRANDE-RJ 1X3 FLAMENGO

A estreia no 2° turno do Campeonato Estadual de 1980 se deu em Ítalo Del Cima, contra os donos da casa, contra quem o Flamengo tinha perdido um ponto decisivo no 1° turno, em pleno Maracanã. O Flamengo entrou com muita seriedade, para não dar chance a uma nova surpresa. Prova disso, foi que, logo no segundo minuto de jogo, Júlio Cesar cobrou escanteio pelo lado direito. O lateral-esquerdo Jacenir falhou e Zico, em um lance de muito oportunismo, entrou para fazer 1x0 para o Flamengo. O goleiro Jorge nada pôde fazer. Foi o 400° gol da carreira profissional de Zico. Os jovens Ronaldo e Anselmo marcariam os outros gols rubro-negros nessa boa vitória.

30 de outubro **GOLS 484 e 485**

BRASIL 6X0 PARAGUAI

Quatro dias depois, pausa para uma apresentação da Seleção Brasileira, no Estádio Serra Dourada, em Goiânia, Goiás. O Brasil encantou a todos com um espetáculo de futebol, envolvendo totalmente a seleção guarani. Zé Sérgio e Tita marcaram e, com 2x0 para o Brasil, acabou o 1° tempo.

Aos 15 minutos da etapa final, Toninho Cerezo lançou Zé Sérgio, pela esquerda. O ponta arrancou velozmente desde após o meio do campo, dividiu com o zagueiro Paredes, derrubando-o com um drible de calcanhar, e tocou para trás, na entrada da área, para Zico, que dominou, passou entre dois zagueiros, driblou o goleiro Fernández e chutou de bico, entrando no gol junto com a bola. Um golaço! Brasil 3x0.

Sócrates e Luisinho fizeram mais dois gols para os canarinhos e, aos 37 minutos, Reinaldo recebeu de Zico pelo meio, passou por um adversário, invadiu a grande área, driblou dois zagueiros, dividiu com o goleiro e, quando a bola ia caminhando lentamente para entrar, Paredes surgiu e afastou o perigo. Temporariamente. Reinaldo pegou o rebote, tentou chutar para o gol, mas o goleiro Fernández, no chão, conseguiu fazer a defesa. O lateral-esquerdo Torales afastou de mal jeito, rasteiro, para a entrada da área, nos pés de Zico. Com incrível calma e com todo seu talento, o Galinho dominou e, de pé direito, deu um lindo toque por cobertura, com a bola passando por cima de cinco jogadores paraguaios e quatro brasileiros, para morrer no ângulo superior direito do gol. Mais do que um golaço. Um gol para a história do futebol!

7 de novembro **GOL 486**

FLAMENGO 1X1 AMÉRICA-RJ

De volta ao Estadual, pela quarta rodada do 2° turno, um empate com o América no Maracanã. O gol do Flamengo foi marcado por Zico, empatando o jogo definitivamente, aos 30 minutos do 1° tempo. Tita foi lançado na área e escorou de cabeça para o meio, onde Zico dominou, sem combate de qualquer adversário e chutou forte no canto direito, sem chances para Jurandir.

12 de novembro **GOL 487**

AMERICANO-RJ 1X4 FLAMENGO

Pela rodada seguinte, o Flamengo transformou um jogo duro em goleada, com uma bela exibição. Zico abriu o placar, aos 23 minutos da primeira etapa. No lance, Zico sofreu falta na entrada da área do meia Raimundinho. O camisa 10 bateu curto para Tita, que, da entrada da área, mandou um chute violento, que fez a bola acertar a trave esquerda do goleiro Jair Bragança. No rebote, Adílio fez o passe e Zico mandou a pelota para as redes. Adílio, Tita e Anselmo fariam os outros gols do Mengo nessa vitória em Campos dos Goytacazes. Foi o último gol do Galinho de Quintino pelo Flamengo em 1980.

8 de dezembro **GOL 488**

COMBINADO ITALIANO 1X2 COMBINADO BRASILEIRO

Em dezembro, Zico participou de um jogo beneficente, em favor das vítimas de um terremoto em Irpinia, na Itália, na cidade de Udine, também no país da bota. Atuou por um combinado de brasileiros (chamado na imprensa de "Seleção Juruna"!) contra uma seleção italiana. O jogo estava empatado (1x1), quando, aos 38 minutos do 2° tempo, a estrela sul-americana saiu de uma dividida com a bola nos pés, driblou cinco adversários e depois, perto da linha de fundo, quase sem ângulo, chutou de direita a bola para o fundo das redes do goleiro Pazzagli. Um golaço, digno de um grande craque, que deu a vitória ao combinado brasileiro por 2 x 1. Como Zico vinha de uma contusão, estava previamente combinado que ele jogaria apenas quinze minutos. Mas, quando ia sair de campo, a torcida, de pé, começou a aplaudi-lo. Então, Zico mudou de ideia, ficando em campo até o final do jogo e marcando esse gol de placa, o 488° no total da carreira. Saiu consagrado de campo! Aí, nasceu uma devoção dos torcedores da Udinese por ele. Esse clube viria a contratá-lo, num futuro próximo.

Zico comemorando gols no Maracanã com seus companheiros.

Ao final dessa temporada, Zico, com 6 gols, foi o artilheiro isolado da Seleção Brasileira. Com, agora, 38 gols no total, era o quinto maior artilheiro da história do nosso selecionado!
Mais uma vez, Zico acabou um ano como artilheiro do Flamengo. Seus 47 gols na temporada foram mais que o dobro do segundo colocado, Tita, que marcou 20 vezes. No total, o maior artilheiro da história do Flamengo já somava 364 gols com o Manto Sagrado!
Com 54 gols, Zico foi o jogador brasileiro que fez mais gols no ano de 1980.

Zico comemora seu gol na final do Campeonato Brasileiro de 1980, contra o Atlético – MG por 3 x 2, no Maracanã em 1 de junho de 1980.

CAPÍTULO 11

Time do Flamengo recebendo a Taça de Campeão Mundial de 1981, após goleada por 3 x 0 sobre o Liverpool da Inglaterra em Tóquio em 13 de dezembro de 1981.

1981

Zico começou o ano de 1981 jogando pela Seleção do Brasil. E foi sob o comando de Telê Santana que ele marcou o primeiro gol na nova temporada.

8 de fevereiro **GOL 489**

VENEZUELA 0X1 BRASIL

Este jogo marcou a estreia do Brasil nas Eliminatórias para a Copa do Mundo de 1982, com um jogo no Estádio Olímpico de Caracas, capital da Venezuela. Esperava-se um jogo fácil, uma vez que nos quatro confrontos anteriores entre aquelas seleções, o Brasil vencera todos por goleada, tendo marcado 21 gols e não sofrido nenhum! Mas, não foi o que se viu. Num jogo nervoso, o Brasil, que teve Zé Sérgio e Paulo Isidoro expulsos de campo, assim como dois jogadores venezuelanos, não conseguia abrir a contagem. Até que, aos 37 minutos da etapa final, Toninho Cerezo escapou pela esquerda e cruzou. Serginho "Chulapa", recebendo o passe, aparou a bola no peito e se livrou, com um toque para dentro, do goleiro Vega e do zagueiro Castro, e chutou forte. O lateral Campos não teve outro recurso para evitar o gol, a não ser colocar a mão na bola. Pênalti marcado: Zico cobrou de pé direito, com maestria, no canto direito do arqueiro, que caiu para a esquerda, nauqle que foi o 1.300° gol da história da Seleção Brasileira.

14 de fevereiro **GOL 490**

EQUADOR 0X6 BRASIL

Seis dias depois, um amistoso na altitude de Quito, no Estádio Olímpico Atahualpa, contra os equatorianos. O Brasil deu um passeio e Zico fez o dele: o quinto da seleção. Foi aos 20 minutos do 2° tempo, quando Toninho Cerezo, avançando pela direita, cruzou para o interior da grande área. O goleiro Valdevieso falhou e a bola se ofereceu a Zico, que a empurrou para as redes, de pé direito.

Com seu 40° gol pelo Brasil, Zico era, agora isolado, o quarto maior goleador de todos os tempos da nossa Seleção.

14 de março **GOL 491**

BRASIL 2X1 CHILE

Um mês depois, um novo amistoso foi realizado, agora no Estádio Santa Cruz, em Ribeirão Preto, São Paulo, Brasil, contra a seleção chilena. Foi Zico que abriu o placar, aos 30 minutos do 1° tempo. Junior roubou a bola na esquerda e tocou para o meio a Sócrates, que a dominou e serviu Zico pela meia. O camisa 10 recebeu de costas para o gol, dominou, virou-se e, com um chute violento, de pé direito, acertou o ângulo superior direito do goleiro Osbén, que nada pôde fazer. Gol que fez Zico se igualar a Leonidas da Silva, o "Diamante Negro" (que serviu à Seleção Brasileira de 1932 a 1946) como quartos maiores artilheiros da história, com 41 gols marcados cada, pelo Brasil. Logo acima deles, estavam empatados, na vice-liderança da artilharia, dois heróis de 1970, Jairzinho e Rivelino, com 43 gols marcados cada.

22 de março **GOLS 492 a 494**
BRASIL 3X1 BOLÍVIA

Então, o Maracanã, com 121.733 pagantes, recebeu um jogo pelas Eliminatórias. A Bolívia armou-se retrancada. Mas, era dia de Zico. Aos 26 minutos da primeira etapa, Junior, na intermediária, pela meia-esquerda, lançou pelo meio para Reinaldo, dentro da área. O centroavante, livre, perto da marca do pênalti, dominou com categoria, mas foi logo derrubado pelo goleiro Jiménez. Pênalti marcado, que Zico cobrou firme, no canto direito, sem chances para defesa: Brasil 1x0 aos 26 minutos.

A Bolívia não saía de trás e o gol seguinte só veio aos 17 minutos do 2° tempo. A jogada começou com Junior, perto do círculo central, pela meia-esquerda, lançando rasteiro para Sócrates, mais à frente. O Doutor fez um passe a Reinaldo no meio. O atacante passou, de primeira, para Zico, na entrada da área. O Galinho, com um drible para a esquerda, invadindo a área, se livrou do lateral-esquerdo Dellaño e se viu à frente do meia Villa Roel. Recuou, com a bola dominada, e, com o pé esquerdo, abriu na ponta-esquerda para Éder, que, de primeira, cruzou forte e rasteiro para a área, na altura da marca do pênalti. O zagueiro Vaca falhou e a bola sobrou para Reinaldo, que, com um chute de pé esquerdo, acertou o travessão. Zico, colocado mais atrás, esperou a bola cair, ajeitou o corpo e deu um belíssimo chute, de voleio, indefensável: Brasil 2x0.

A Bolívia descontou, ameaçando a vitória brasileira, mas, aos 39 minutos, Éder roubou a bola na ponta-esquerda do meia Villa Roel, avançou e cruzou baixo para Zico, na altura da meia-lua, mas o camisa 10 logo foi derrubado pelo zagueiro Espinoza, na entrada da área. Zico cobrou a falta de forma magistral, no ângulo direito: Brasil 3x1. Com essa vitória, o Brasil se classificou, com uma rodada de antecedência, para disputar a Copa do Mundo de 1982.

Zico, com seus três gols nesta partida, ultrapassou Jairzinho (que serviu à Seleção Canarinho de 1964 até um jogo festivo, em sua homenagem, em 1982) e Rivelino (que atuou pelo Brasil de 1965 a 1978), isolando-se, com um total de 44 gols, como o segundo maior artilheiro da história da Seleção do Brasil! Agora, Zico via apenas Pelé (99 gols) à sua frente.

29 de março **GOL 495**
BRASIL 5X0 VENEZUELA

O jogo final pelas Eliminatórias apenas servia para cumprir tabela. Mas, as dificuldades encontradas no jogo de ida, em Caracas, não foram esquecidas. Desta vez, atuando no Serra Dourada, em Goiânia, Goiás, o Brasil não deu chances. A equipe já vencia por 3x0, com dois gols de Tita e um de Sócrates, quando, aos 27 minutos da etapa final, Zé Sergio avançou pela esquerda, invadiu a grande área e foi derrubado pelo lateral Ochoa. Pênalti, que Zico cobrou com perfeição, no canto esquerdo do goleiro Vega. Junior encerrou o marcador.

5 de abril **GOLS 496 e 497**
FLAMENGO 2X1 COLORADO-PR

Devido à participação de Zico na Seleção, o Flamengo já havia feito quatorze jogos sem seu maior craque, no Campeonato Brasileiro. E ele estava em campo nesse jogo decisivo. Até um empate contra o Colorado, time que, anos mais tarde, se juntaria ao Pinheiros para formar o Paraná Clube, manteria o Fla na briga. O técnico do rubro-negro carioca era o paraguaio Modesto Bria, ex-jogador do clube. O time paranaense fez 1x0, em pleno Maracanã. Mas, as emoções daquele dia estavam reservadas para o final. Aos 33 minutos, já no segundo tempo, Adílio tabelou com Luís Fumanchu, atravessou o meio-de-campo, indo da direita para o meio, sempre com a bola dominada. Com um passe excepcional, descobriu Zico na entrada da área, pela meia-direita. Observando a saída do goleiro Joel Mendes, Zico chutou firme, rasteiro, no canto esquerdo, empatando a partida.

O empate já servia, mas a torcida queria a vingança da derrota no turno. Passaram-se apenas dois minutos. A torcida cantava emocionantemente, acreditando na virada e na classificação. Foi quando Zico, na altura do círculo central, tabelou com Tita e recebeu ótimo passe, na meia-direita. O Galinho de Quintino, com dois dribles desconcertantes, deixou pra trás os zagueiros Marião e Caxias, e, mais uma vez, na saída do goleiro, desviou, com o bico do pé esquerdo, para marcar o gol da vitória. Flamengo classificado. Alegando fortes emoções para sua saúde, Modesto Bria deixou de comandar o Flamengo.

19 de abril **GOL 498**

FLAMENGO 1X3 BOTAFOGO-RJ

O Campeonato Brasileiro chegou nas fases eliminatórias e dois times do Rio de Janeiro se encontraram. Dino Sani era, agora, o técnico do Flamengo. No primeiro jogo, um empate sem gols. Veio, então, o jogo decisivo, em um Maracanã com mais de 135 mil torcedores. Um continuaria e o outro sairia do campeonato. Por ter melhor campanha até ali, o Botafogo jogava por um novo empate. E o Flamengo saiu na frente, com um gol de sorte. Aos 4 minutos do primeiro tempo, Andrade ganhou uma dividida no meio de campo e lançou Junior dentro da área, pela esquerda. O lateral cruzou de primeira, à meia-altura, para trás. A bola atravessou a área, até aparecer Tita, à direita, vindo na corrida. O chute "pegou na veia", de primeira, após dois quiques da bola. A bola bateu na zaga e voltou aos pés de Adílio. O "Neguinho bom de bola" chutou a gol. Zico, que se encontrava no trajeto da bola, tentou sair da frente, mas a bola bateu em seu quadril, desviando e enganando o goleiro Paulo Sérgio. Mas, o alvinegro virou o jogo e a competição acabou ali para o Mengão.

12 de maio **GOL 499**

INGLATERRA 0X1 BRASIL

Preparando-se para a Copa do Mundo, a Seleção se reuniu para três amistosos na Europa. Na estreia, um jogo no lendário Estádio de Wembley, em Londres, contra a Inglaterra, com a presença de 97.000 torcedores. E, pela primeira vez, uma seleção sul-americana bateu a inglesa naquele local icônico. O gol histórico foi de Zico, marcado aos 11 minutos de jogo. Na jogada, Zico recebeu a bola pelo meio e abriu na direita para o lateral Edevaldo, que a dominou e cruzou para a entrada da área. Zico surgiu, como um raio, dominou a bola com um rápido toque, já se livrando da marcação do zagueiro Bryan Robson e do meia McDermott, invadiu a área e, antes da chegada do lateral-esquerdo Samson, se esticou e, de pé direito, acertou o canto direito baixo do goleiro Clemence. Um golaço!

15 de maio **GOL 500**

FRANÇA 1X3 BRASIL

O segundo desafio foi no Parc des Princes, em Paris, contra os franceses. Aos 21 minutos de jogo, Toninho Cerezo avançou pela meia direita e tocou para Sócrates, que estava no meio. O capitão brasileiro dominou e acertou passe primoroso, entre os zagueiros franceses, encontrando Zico na entrada da área. Ele, após dominar a bola, perto da marca de pênalti, tocou com categoria, na saída do desesperado goleiro Dropsy:

Brasil 1x0. Zico atingiu, com esse tento, a fabulosa marca de 500 gols no total de sua carreira futebolística!

24 de maio **GOL 501**
SERRANO-RJ 0X2 FLAMENGO

De volta ao Flamengo, veio a estreia do time na Taça Guanabara, em jogo também válido pelo Campeonato Estadual do Rio de Janeiro 1981. No estádio Atílio Marotti, na cidade de Petrópolis, o Mengo, que teve Carlos Alberto expulso de campo, venceu o Serrano local. Zico fez, de pênalti, o gol inaugural. Foi aos 38 minutos do primeiro tempo, quando o árbitro marcou a penalidade sobre o recém-contratado ponta-direita Chiquinho, que recebeu de Nunes dentro da área, e, quando se preparava para finalizar, foi derrubado pelo zagueiro Renato. Zico cobrou firme, rasteiro, no canto direito do goleiro Acácio, que pulou no canto certo, mas não alcançou a bola.

7 de junho **GOL 502**
FLAMENGO 1X0 VASCO-RJ

Pela quinta rodada, no Maracanã, um clássico contra o Vasco, que foi decidido aos 20 minutos do primeiro tempo. Carlos Alberto iniciou a jogada pela direita, tocando no meio para Andrade, que devolveu a pelota para Carlos Alberto. O lateral achou Zico na meia-direita, pouco além do meio-de-campo, e este devolveu a bola para Carlos Alberto, que achou Chiquinho pelo meio, mas já mais próximo à área. De primeira, o ponta serviu Zico na altura da meia-lua. Ele driblou os zagueiros Léo e Orlando com um corte para a esquerda e, na saída do goleiro Mazarópi, mandou a redondinha às redes vascaínas.

12 de junho **GOL 503**
AVELLINO-IT 1X5 FLAMENGO

Aquele Flamengo não parava. Cinco dias depois, estava na Itália para a disputa do Torneio Quadrangular Cidade de Nápoles 1981. Naquele sábado, a estreia foi no Estádio San Paolo, daquela cidade, contra um time italiano: o Avellino. O Flamengo apresentou um futebol encantador e, ao final do 1° tempo, já goleava: 3x0. Na etapa final, o time se poupou, pois a classificação para a decisão do torneio já estava encaminhada, mas, aos 33 minutos, Zico recebeu lançamento do ponta-esquerda Baroninho e chutou rasteiro, na saída do goleiro Tacconi, para ampliar o placar. Cada equipe ainda marcaria mais um gol.

14 de junho **GOLS 504 a 506**
NAPOLI-IT 0X5 FLAMENGO

A final foi contra a equipe da casa. Os torcedores napolitanos que foram ao San Paolo não esqueceriam aquele dia. Aos 13 minutos, Nunes abriu o placar para os brasileiros. O Napoli, que havia goleado o Linfield, da Irlanda do Norte, por 4x0, na outra semifinal, baqueou. Em outra ofensiva do Flamengo, Chiquinho foi derrubado na entrada da área pelo zagueiro Maragon. Na cobrança da falta, Zico bateu na barreira e a bola sobrou para Junior, que invadiu a área e sofreu pênalti de Damiani. Zico cobrou e marcou na marca dos 30 minutos de jogo.

Onze minutos depois, todo o ataque do Flamengo participou da jogada do terceiro gol, deixando vários zagueiros caídos, tal a rapidez do lance. Zico passou para Nunes que lançou Chiquinho. O ponta lançou Zico, que, na saída do goleiro Castellini, aumentou, com um toque no canto esquerdo.

Mais uma vez, o Flamengo liquidou o jogo em 45 minutos e administrou a etapa final. Ainda assim, vieram mais dois gols. Primeiro, Zico, aos 29 minutos, enganando o arqueiro com um toque, após receber a bola de Junior, que havia recebido belo passe de Chiquinho. Adílio encerrou a goleada aos 42 minutos. Com esta vitória, o Flamengo, que atuou com Cantarele; Leandro, Rondinelli (Figueiredo), Marinho e Junior; Andrade, Adílio e Zico (Peu); Chiquinho, Nunes e Baroninho, sagrou-se Campeão do Torneio Quadrangular Cidade de Nápoles 1981.

Os jornais napolitanos não pouparam elogios àquela equipe que marcara 10 gols em dois jogos, ignorando não apenas os donos da casa, como o cansaço da viagem intercontinental, e afirmaram que "esse time não é desse planeta!".

21 de junho **GOLS 507 e 508**

CAMPO GRANDE-RJ 2X5 FLAMENGO

De volta ao Brasil, à Taça Guanabara e ao Campeonato Estadual do Rio de Janeiro 1981, o Flamengo teve um jogo fora de casa, no Estádio Ítalo Del Cima, em Campo Grande, bairro da zona Oeste da cidade. Uma coisa que o time gostava de fazer, quando possível, era liquidar o jogo logo. Assim foi dessa vez. Logo aos 4 minutos do início, cobrando uma falta, sofrida por Junior, da entrada da área, pela meia-esquerda, sua preferência, Zico colocou a bola no ângulo esquerdo do atônito goleiro Jorge, inaugurando o marcador.

Cinco minutos apenas depois, Adílio veio com a bola pela direita e abriu o jogo para Baroninho. Este ajeitou para sua perna esquerda e cruzou, à meia-altura. Zico recebeu, na entrada da pequena área, e pegou de primeira, de pé direito, mandando a bola, rasteira, no canto direito do gol do Campusca: Flamengo 2x0. Nunes, duas vezes e Rondinelli completaram a vitória "à italiana" do Mengão.

24 de junho **GOL 509**

FLAMENGO 2X1 VOLTA REDONDA-RJ

Tres dias depois, o jogo no Maracanã contra o Voltaço teve ares de drama. A equipe da Cidade do Aço se trancou atrás e saía com força para surpreender em contra-ataques. Com um gol de Nunes, o Flamengo foi para o intervalo com a vantagem mínima. Na fase final, o Volta Redonda conseguiu empatar aos 27 minutos e se fechou novamente. O técnico Dino Sani resolveu colocar Tita em campo, no lugar de Baroninho. Aos 34 minutos, ele avançou pela meia esquerda e fez bom passe a Junior. O lateral foi ao fundo do campo e cruzou rasteiro. Adílio deixou a bola passar entre suas pernas, fazendo um corta-luz, e deixando para Zico, que dominou a bola e a chutou, colocando-a no canto esquerdo do goleiro Leite e decidindo o jogo: Flamengo 2x1.

29 de junho **GOL 510**

FLAMENGO 1X2 FLUMINENSE-RJ

Chegou-se à nona rodada da Taça GB, com um Fla-Flu, no Maracanã, que ficaria conhecido como o jogo dos jogadores começados por "Z". Zezé, que, no ano seguinte, jogaria pelo Flamengo, abriu a contagem para o tricolor das Laranjeiras. Dois minutos depois, isto é, aos 25 minutos da primeira etapa, Zico empatou. Chiquinho iniciou a jogada, fazendo um "carnaval" pela meia-direita, quando driblou três adversários, antes de tocar para o Galinho de Quintino, que estava na entrada da área. Zico invadiu e, com violência, chutou para as redes de Paulo Vítor. Infelizmente para o rubro-negro, o Flu tinha outro jogador com a "letra do dia". Foi de Zezé Gomes o gol da vitória, já no 2° tempo.

6 de julho **GOLS 511 e 512**

OLARIA 0X3 FLAMENGO

Para complicar a vida do Flamengo, mais uma competição começava paralelamente: a Taça Libertadores da América, pela primeira vez disputada pelo clube. Mas, não se podia esquecer o Estadual e o jogo, na rua Bariri, contra os donos da casa, valia o título da Taça Guanabara. Era para ser levado a sério. E foi. O Mengo saiu na frente aos 24 minutos do 1° tempo, quando Zico, recebendo passe de Adílio, avançou pelo meio, em jogada individual, enganou a zaga com um drible de corpo e arriscou um chute da entrada da área. A bola, quicando no gramado irregular, enganou o goleiro Hilton, entrando no seu canto direito: 1x0.

O sufoco só foi aliviado aos 18 minutos do 2° tempo, com outro gol de Zico. Baroninho cruzou da esquerda para Ronaldo, que matou a bola no peito e a passou para Zico, na entrada da pequena área. Veio, então, um forte chute, no canto direito: Flamengo 2x0. O próprio Ronaldo completou a goleada, marcando, um minuto depois, o terceiro. Com esta vitória, combinada com outros resultados, o Flamengo, que atuou com Cantarele; Leandro, Mozer, Marinho e Junior; Vítor, Adílio e Zico; Luís Fumanchu (Peu), Nunes (Ronaldo) e Baroninho, sagrou-se, com antecedência de uma rodada, Tetra-Campeão da Taça Guanabara 1978/79/80/81 (o 1° tetracampeonato da história do Maracanã) e vencedor do 1° turno do Campeonato Estadual do Rio de Janeiro 1981.

14 de julho **GOLS 513 e 514**

FLAMENGO 5X2 CERRO PORTEÑO-PAR

Veio, então, a primeira partida internacional do Flamengo na Taça Libertadores da América. Após empate com o Atlético Mineiro, em Belo Horizonte, na estreia, vencer os paraguaios do Cerro Porteño seria um ótimo resultado. Apenas o vencedor daquele grupo com dois brasileiros e dois paraguaios - o outro era o Olimpia - passaria de fase. O Maracanã recebeu mais de 25.000 pessoas, que viram Zico inaugurar o marcador aos 20 minutos do 1° tempo. O camisa 10 tabelou com Adílio, recebeu na frente, próximo da área, pela meia-direita, e, quando chutou, foi seguro pela camisa. A cobrança da infração foi, mais uma vez, perfeita. Por cima da barreira, a bola se endereçou ao ângulo esquerdo do goleiro Fernández, que, parado, apenas olhou.

Sete minutos se passaram e Tita avançou pela meia-esquerda, tocou para Adílio, um pouco mais centralizado, próximo à área. Marcado, o camisa 8 devolveu, de primeira, para Tita, que, já dentro da área, pelo lado esquerdo, retribuiu, de cabeça, para Adílio. Quando o "Neguinho Bom de Bola" ia dominar, foi derrubado pelo zagueiro Dos Santos. Se de falta não deu para Fernández, nesse pênalti, ele foi para a esquerda, enquanto a bola ia para o outro lado: Flamengo 2x0. Baroninho e Nunes (duas vezes) completaram a goleada.

17 de julho **GOL 515**

FLAMENGO 2X0 SERRANO-RJ

A estreia no 2° turno do Estadual foi no mesmo Maracanã contra os petropolitanos do Serrano. A atuação do time não foi boa, seja pela sequência de jogos, seja pelas constantes mudanças na escalação, feitas por Dino Sani. A magra vitória sobre o Serrano, ajudada por um gol contra na etapa final, derrubou o técnico. Antes, aos 32 minutos do 1° tempo, Zico havia deixado sua marca. Baroninho lançou Junior na esquerda, nas costas do lateral-direito Humberto. O lateral foi ao fundo e cruzou à meia-altura. O zagueiro Paulo Ramos e o goleiro Acácio falharam e Zico, livre, dentro da pequena área, dominou e mandou de pé direito para o fundo das redes.

2 de agosto **GOL 516**

VOLTA REDONDA-RJ 1X1 FLAMENGO

Paulo César Carpegiani, ainda registrado como jogador do time, mas que não vinha tendo muitas oportunidades, foi elevado ao cargo de técnico, com aprovação total do elenco. Os resultados iniciais não vieram como esperados. Primeiro, um empate com o Olimpia, no Maracanã, pela Libertadores. Depois, o tropeço, pelo Estadual, contra o Voltaço. Nesse jogo, realizado no Estádio Raulino de Oliveira, após um primeiro tempo sem gols, o time da casa abriu a contagem, já aos 21 minutos da fase final. Zico salvou o Flamengo da derrota, treze minutos depois. No lance, Adílio cobrou uma falta pela meia-direita, pelo alto. A bola foi a Zico, que, mesmo estando entre o lateral-direito Paulo Verdum e o zagueiro Edinho, matou no peito, ajeitou para o pé direito e colocou a bola com categoria no canto esquerdo do goleiro Colonezi: 1x1, placar final.

11 de agosto **GOLS 517 a 519**

CERRO PORTEÑO-PAR 2X4 FLAMENGO

Depois de novo empate com o Galo, dessa vez no Maracanã, o Flamengo viajou ao Paraguai para dois jogos decisivos. Se conseguisse duas vitórias, se classificaria. Uma vitória e um empate colocaria os dois times brasileiros empatados em primeiro. Menos que isso e a Libertadores estaria perdida. O primeiro jogo, disputado no Estádio Defensores Del Chaco, em Assunção, foi contra o Cerro. Logo aos 7 minutos de luta, Baroninho abriu o placar para o Flamengo, que jogava fácil, colocando os guaranis na roda. Mas, não houve mais gols nessa etapa. No segundo tempo, Zico resolveu mostrar seu futebol. Aos 13 minutos, Tita veio pela ponta direita e, de primeira, tocou para Nunes, que apareceu pelo meio. Dele, a bola foi para Zico, na entrada da área. O Galinho, mesmo rodeado pelos zagueiros Sandoval e Dos Santos, parou a bola, esperou a passagem dos marcadores e tocou por cobertura, marcando um belo gol: 2x0.

Apenas sete minutos se passaram e Baroninho cobrou escanteio curto para Tita. No bico da grande área, ele driblou um marcador, foi à linha de fundo e cruzou com perfeição, à meia-altura. Zico, na entrada da pequena área, emendou de voleio, marcando mais um bonito gol: Flamengo 3x0.

Numa desatenção do Flamengo, o Cerro descontou, mas, um minuto depois, isto é, aos 25 minutos, novamente as redes paraguaias eram balançadas. No lance, Zico dividiu e ganhou a bola no círculo central e tabelou com Adílio. Deslocou-se para receber a bola na entrada da área e, na saída do goleiro Fernández, chutou firme, à meia-altura, no canto direito: Flamengo 4x1. O Cerro Porteño ainda diminuiu, escapando de uma merecida goleada, tal a superioridade do Flamengo no jogo.

Na sequência da competição, o Flamengo empatou com o Olimpia (0x0), o que provocou um jogo extra, em campo neutro, contra o Atlético-MG. Disputado no estádio Serra Dourada, em Goiânia, Goiás, o jogo acabou, ainda durante o 1° tempo, pois o Atlético, reduzido a seis jogadores, pois cinco foram expulsos, não teve condições legais para continuar no jogo. O Flamengo foi, assim, considerado o vencedor do jogo e da vaga para a próxima fase.

23 de agosto **GOL 520**
FLAMENGO 3X1 AMÉRICA-RJ

Veio, a seguir, mais um compromisso pelo Estadual, no Maracanã. O time continuava superando, com o talento e a dedicação, o cansaço das viagens nacionais e internacionais, decorrentes da disputa de competições simultâneas. O América, que resistira com um 0x0 na Taça GB, com uma retranca ferrenha, aproveitando-se da fadiga dos rubro-negros, então recém-chegados da Itália, tentava repetir a fórmula. E ela ia funcionando. Até que, aos 44 minutos do primeiro tempo, Zico avançou driblando pela direita, entrou na área e foi derrubado pelo volante Nélio. Ele mesmo cobrou o pênalti, forte, rasteiro, no canto direito do goleiro Ernani: Flamengo 1x0. Com os outros gols marcados por Junior e Tita, o Flamengo superou mais um obstáculo.

30 de agosto **GOL 521**
BANGU-RJ 0X4 FLAMENGO

Uma semana livre de jogos – coisa rara – e o Mengão foi ao longínquo bairro de Bangu, enfrentar o time da casa, no Estádio de Moça Bonita. Se fatigado o time vencia, descansado goleava. Baroninho abriu o marcador no 1° tempo. Aos 9 minutos, já na etapa final, o zagueiro Mozer ganhou uma dividida pela ponta-esquerda e cruzou para Nunes, que, da marca do pênalti, cabeceou para o gol. Zico, no meio do caminho, apareceu de surpresa e, inteligentemente, desviou a trajetória da bola, de pé direito, enganando o goleiro Tobias: Flamengo 2x0. Com mais dois gols, um de Nunes e outro de Tita, o Flamengo chegou a 100 gols no ano, ainda no oitavo mês!

2 de setembro **GOLS 522 e 523**
FLAMENGO 3X0 CAMPO GRANDE-RJ

Pela quinta rodada do 2° turno do Campeonato Estadual, uma volta ao Maior do Mundo, dessa vez para enfrentar o Campusca. Aos 19 minutos, ainda no primeiro tempo, Zico tentou um lançamento, a bola bateu nas pernas do zagueiro Biluca e sobrou para o lateral Carlos Alberto, que, mesmo marcado, foi ao fundo e cruzou pelo alto para a área. A zaga falhou e a bola sobrou para Zico, que dominou e chutou forte, de pé direito, de virada, por baixo do goleiro Jorge, inaugurando o placar do jogo.

Tita ampliou para 2x0 e, aos 25 minutos do segundo tempo, veio o golpe de misericórdia: Zico fez jogada pelo meio e deu um lançamento espetacular para Nunes, que invadiu a área e foi derrubado por Jorge. Pênalti marcado e cobrado pelo Galinho, à meia altura, no canto direito, encerrando a goleada. Zico estava, agora, a dez gols de ser o primeiro jogador a marcar 400 gols com a camisa do Flamengo!

15 de setembro **GOL 524 e 525**
FLAMENGO 2X0 BOCA JUNIORS-ARGE

E aquele time ainda arranjava tempo para amistosos internacionais! O motivo era um jogo-despedida de Paulo César Carpegiani como jogador, permanecendo como técnico de futebol. O Maracanã estava com 64.330 pagantes para ver, não apenas o confronto dos dois times mais simbólicos da América do Sul, como, também, porque estariam em campo, de lados opostos, os dois maiores craques do Mundo naquele momento: Zico e Maradona! Carpegiani iniciou jogando e comandando o time, sendo substituído – e ovacionado pela torcida – no decorrer da partida. E, como mestre que era, mandou Andrade colar na perna esquerda do argentino, que, espantado com a lealdade e a classe de seu marcador, pouco pôde fazer. Enquanto isso, do outro lado...

Aos 14 minutos do segundo tempo, Nunes foi lançado na direita e cruzou rasteiro para a entrada da pequena área. Zico, que acompanhava o lance, tocou, com o pé direito, na saída do goleiro Gatti, que ainda dividiu com o craque rubro-negro, mas não impediu a bola de ir às suas redes: Flamengo 1x0.

O placar mudou aos 29 minutos, quando Tita avançou pela direita, logo após a linha do meio-campo, e descolou ótimo passe para o Galo, que, evitando a linha de impedimento do time argentino, avançou e, na entrada da área, pela meia-direita, mais uma vez na saída do guarda valas argentino, fez o segundo gol do jogo. Final de jogo: Zico 2x Maradona 0.

20 de setembro **GOL 526**

FLAMENGO 1X1 VASCO-RJ

Não havia moleza. Cinco dias depois, já tinha um clássico, pelo 2° turno do Campeonato Estadual do Rio de Janeiro 1981, pela décima rodada. Naquele dia, o Maracanã recebeu 84.122 torcedores. Zico fez o gol do Flamengo naquele empate, aos 4 minutos do 2° tempo. No lance, a bola foi passada na direita para Chiquinho. O ponta evoluiu e cruzou para Baroninho, localizado próximo da área, pela meia-esquerda. Este abriu na esquerda, tocando para Nunes, que entrava livre na área. O camisa 9 avançou e cruzou forte, rasteiro, para o centro da pequena área! A bola chegou a Zico, que surgiu antes do goleiro Mazarópi, para finalizar de pé direito. O zagueiro Ivan e o volante Serginho ainda tentaram salvar em cima da linha, mas a bola entrou: Flamengo 1x1.

23 de setembro **GOLS 527 a 530**

SEL. BRASIL 6X0 COMBINADO DA LIGA DA IRLANDA

Não se esqueçam! Além da maratona que o Flamengo cumpria naquele 1981, havia, também, a Seleção Brasileira, que se preparava, em amistosos, para a Copa do Mundo do ano seguinte. E, num desses jogos, realizado no Estádio Rei Pelé, em Maceió, Alagoas, o público viu um espetáculo individual e coletivo. Aquela seleção, que vinha empolgando os brasileiros e o Mundo, deu uma verdadeira aula de futebol nos irlandeses do Eire. Mas, um jogador em especial brilhou: Zico. O jogo já estava 2x0 para o Brasil, gols de Éder e Roberto-PE, quando Zico apareceu. E o show só foi começar aos 26 minutos da etapa final. Naquele momento, em jogada pela ponta-esquerda, Junior passou de calcanhar para Mário Sérgio, que foi à linha de fundo, ameaçou cruzar, mas cortou para dentro, driblando o lateral-direito Nolan, e de pé direito, lançou a bola na entrada da pequena área, onde apareceu o zagueiro O´-Connor, que cortou com a mão. Pênalti, que Zico cobrou forte, à meia-altura, no canto esquerdo do goleiro Blackmore, que pulou para o lado oposto.

Dois minutos depois, ainda Mário Sérgio avançou pela esquerda e lançou para Roberto-PE que, de pé esquerdo, cruzou para Zico, na entrada da pequena área, pelo lado esquerdo. Este, mesmo marcado pelo zagueiro McConville, dominou a pelota com o pé direito e, de pé esquerdo, tocou, macio, por baixo do goleiro irlandês. Um lindo gol!

Não parou aí. Aos 32 minutos, Junior se aventurou pelo meio e enfiou uma bola espetacular para Zico, que se encontrava no interior da área. Com um drible de corpo, ele deslocou o goleiro adversário para apenas desviar, de pé direito, para dentro do gol. Outra pintura, que foi o 50° gol de Zico pelo Brasil!

Por fim, aos 39 minutos, Junior foi lançado por Renato e avançou pela esquerda, de onde cruzou para o Galinho de Quintino. Mergulhando, de "peixinho", entre os zagueiros, Zico acertou o canto esquerdo, encerrando o marcador: Brasil 6x0!

A variedade dos gols, um de pênalti, um com o pé direito, um com o esquerdo e um de cabeça, fez aumentar a confiança dos brasileiros em um sucesso na próxima Copa do Mundo. Ninguém mais tinha um time bom como aquele e ninguém, a não ser o Brasil, tinha Zico!

7 de outubro **GOL 531**

FLAMENGO 4X0 OLARIA-RJ

A maratona cobrou, enfim, seu preço e o Flamengo não conquistou o 2º turno, que ficou com o Vasco. Este jogo contra o time da rua Bariri, no Maracanã, marcou a estreia do Flamengo no 3º turno do Campeonato Estadual do Rio de Janeiro 1981. A "tática" daquele time, pelo menos nos jogos contra os pequenos, passou a ser buscar liquidar o jogo o mais rápido possível, para poder poupar os principais jogadores. E assim foi. Zico abriu o placar aos 19 minutos de jogo. Foi uma cobrança perfeita de uma falta, na entrada da área, sofrida por Junior. A bola, indefensável, entrou no ângulo direito do goleiro Hilton. Após Adílio fazer 2x0, Zico foi substituído. Depois, Junior, cobrando pênalti, e Baroninho encerraram a goleada.

10 de outubro **GOLS 532 e 533**

FLAMENGO 3X0 MADUREIRA-RJ

Três dias depois, o adversário era o tricolor suburbano, em jogo realizado na cidade vizinha de Niterói. "Liquidar o jogo logo" seguia sendo o lema. E assim se fez, de novo. Aos 13 minutos do primeiro tempo, Nunes foi lançado, aproveitou-se de falha da zaga do Madureira e finalizou para uma boa defesa do goleiro Gílson. Zico aproveitou o rebote e empurrou para o gol vazio: Flamengo 1x0.

Aos 34 minutos, Zico venceu novamente Gílson, marcando de cabeça, após receber excelente passe de Nunes, deslocado pela esquerda, e ampliando, assim, o marcador para 2x0.

Mozer, aos 41 minutos, ainda na etapa inicial, fechou o placar. Zico saiu e o placar não se alterou no 2º tempo. Para quê mais?

23 de outubro **GOLS 534 e 535**

FLAMENGO 3X0 DEPORTIVO CÁLI-COL

Paralelamente, pela Libertadores, em sua segunda e semifinal fase, o Flamengo caiu num grupo com os bolivianos do Jorge Wilstermann e os colombianos do Deportivo Cáli. Começou bem, vencendo os dois jogos no exterior, mesmo sem gols do Galinho. A vitória sobre os colombianos no Maracanã valia a classificação para a decisão da Libertadores, com uma rodada de antecipação! A festa começou logo aos 10 minutos do primeiro tempo. Chiquinho começou a jogada pela direita e recuou para Leandro. O lateral-direito rubro-negro fez um cruzamento na medida, por trás da zaga, no peito de Zico, que, na marca do pênalti, dominou com estilo e, num belo voleio de pé direito, venceu o goleiro Valencia, inaugurando o marcador. Antes de entrar, a bola ainda tocou no travessão: Flamengo 1x0.

Um gol de Chiquinho já deu tranquilidade e confiança à torcida, que festejava. Mas, faltava o golpe de misericórdia. E ele veio com Zico, aos 37 minutos da segunda metade do jogo. Ele mesmo sofrera uma falta, na entrada da área. A cobrança foi no alto, pelo lado direito, com o goleiro Valencia se atrapalhando e ajudando a colocar a bola para dentro das redes: Flamengo 3x0 e classificado!

28 de outubro **GOL 536**
BRASIL 3X0 BULGÁRIA

Chegou o último jogo da Seleção no ano. Mais um amistoso, dessa vez disputado no Estádio Olímpico, em Porto Alegre, Rio Grande do Sul, Brasil. Roberto, o "Dinamite", inaugurou o placar contra a seleção búlgara, no 1° tempo. Só na etapa final, o placar voltaria a ser mudado. Isso aos 10 minutos, após Leandro avançar pela ponta direita e cruzar pelo alto para Roberto, que foi empurrado pelo lateral Petrov na entrada da pequena área. Pênalti que Zico cobrou firme, no ângulo esquerdo do goleiro Donev. O próprio Leandro completaria a goleada.

2 de novembro **GOLS 537 a 539**
FLAMENGO 4X0 AMÉRICA-RJ

No Maracanã, Zico deu mais um show em nova vitória por goleada, desta vez pela quinta rodada do terceiro turno do Estadual. Fez três dos quatro gols rubro-negros e atingiu mais uma marca histórica em sua carreira. Marcou o primeiro aos 11 minutos do primeiro tempo. No início da jogada, Zico partiu do meio-de-campo, pela meia-direita, com a bola dominada e lançou a Nunes, aberto pela ponta-direita. Este cruzou à meia-altura, de primeira, para o meio da área. Os dois zagueiros, Heraldo e Osmar, se atrapalharam com a presença de Zico. A bola sobrou para o Galinho, que colocou de pé direito, rasteiro, na saída do goleiro Ernani. O Mequinha resolveu ajudar e o 2x0 veio com um gol contra.

Aos 32 minutos do segundo tempo, Adílio, pela meia, lançou na ponta-esquerda para Édson, que cruzou pra trás, à meia-altura. Junior, já dentro da área, de primeira, arriscou belo chute de pé direito. No meio do caminho, perto da pequena área, Zico dominou com estilo e, de pé direito, disparou um lindo voleio, com a bola entrando no canto direito do goleiro. Com esse gol, Zico se tornou o primeiro (e, até aqui, o único!) jogador a marcar 400 gols pelo Flamengo!

Por fim, a um minuto do fim do tempo regulamentar, Adílio rolou no meio para Tita, que descolou ótimo passe para Zico, na entrada da área. O Camisa 10 da Gávea dominou, invadiu e, na saída do goleiro, colocou no canto esquerdo, fechando o placar em 4x0 para o Flamengo.

5 de novembro **GOL 540**
SERRANO-RJ 1X1 FLAMENGO

Na rodada seguinte, o Estádio Atílio Marotti, em Petrópolis, recebeu o Flamengo para um jogo contra o Azulão local. O Serrano saiu na frente e segurou a vantagem até o intervalo. A luta do Flamengo foi recompensada somente aos 9 minutos da fase final, quando Leandro cobrou um escanteio da direita com precisão, na cabeça de Zico, que, se antecipando aos zagueiros, testou firme, com a bola ainda resvalando em seu ombro, no canto esquerdo do goleiro Acácio, empatando o prélio. Mas, ficou nisso: 1x1.

8 de novembro **GOLS 541 e 542**
FLAMENGO 6X0 BOTAFOGO-RJ

Aquele 8 de Novembro de 1981, num Maracanã com quase 70.000 pessoas, entrou para a história! A vingança mais aguardada da história do futebol chegou! Desde 1972, a torcida do Botafogo provocava os rubro-negros com uma faixa referente à goleada de 6x0 imposta pelos alvinegros na disputa do Campeonato Brasileiro daquele ano. Por duas vezes, o Flamengo esteve para devolver o placar, mas, para desespero de seus torcedores, parava de se esforçar por mais gols, quando a peleja estava decidida. Desta vez, não foi assim. O jogo valia pelo 3º turno do Campeonato Estadual do Rio de Janeiro em sua sétima rodada e o Flamengo começou em cima. Logo aos 7 minutos, o placar era aberto com um gol de Nunes.

Vinte minutos se passaram, até que Junior e Nunes tabelaram pela esquerda, na altura do meio-campo. O centroavante avançou pela ponta e passou para Adílio, um pouco mais recuado, pela meia-esquerda. O camisa 8 dominou e devolveu para Nunes, já na entrada da área. De costas para o gol e marcado por um adversário, o "João Danado" devolveu, de primeira, para Adílio, que driblou o lateral-direito Perivaldo em uma dividida, avançou dentro da área e rolou para trás, na entrada da meia-lua da área botafoguense. Zico se posicionou e chutou ao gol, de primeira, de pé direito. A bola bateu no zagueiro Jorge Luiz, voltando na direção do Galinho de Quintino, que, já dentro da meia-lua, dominou-a com a coxa direita e emendou um petardo, com a perna esquerda, no canto direito do goleiro Paulo Sérgio. A bola ainda resvalou na trave, antes de entrar: Flamengo 2x0. Ainda na etapa inicial, o Flamengo marcaria mais dois gols, com Lico, aos 33 minutos, e Adílio, a 5 minutos do fim. O êxtase tomou conta da torcida do Flamengo. "É hoje!", pensavam todos. Do lado da torcida do Botafogo, a maioria das pessoas foi embora do estádio, no intervalo, temendo o pior, como já acontecera nos 4x0 de 1975 e nos 3x0 de 1979.

Mas, veio o 2º tempo, e a maratona de jogos e competições parecia que ia cobrar seu preço. Enquanto o Flamengo não precisava se esforçar, pois os pontos da vitória estavam garantidos, o Botafogo veio para a etapa final com um único objetivo: não perder de 6x0! No desespero, o Botafogo fez uma alteração, que viria a dar um sabor ainda mais especial aos rubro-negros. Jairzinho, o "Furacão" da Copa do Mundo de 1970, que havia participado da goleada de nove anos antes, entrou em campo para tentar um gol que fosse. Assim, a derrota e a goleada permaneceriam, mas os botafoguenses manteriam a gozação histórica. E a agonia dupla durou até que Adílio recebeu um passe longo de Zico pela esquerda, invadiu a área e foi derrubado por Rocha. Pênalti marcado. A respiração de todos os presentes parece que ficou suspensa. Na marca dos 30 minutos, Zico correu e bateu forte, fugindo um pouco às suas características, à meia-altura, no canto esquerdo. A mudança no estilo de bater mostrava que até o Galinho estava emocionalmente envolvido com aquela possibilidade de revanche. Paulo Sérgio voou para o canto certo e ainda tocou na bola, mas não evitou o gol, para delírio do Maracanã: Flamengo 5x0.

Jairzinho dava trabalho ao goleiro Raul, que evitou um gol quase certo. Até que, aos 42 minutos, Andrade, em um sensacional chute de fora da área fez sumir, para sempre, aquele cartaz chatinho das arquibancadas: Flamengo 6x Botafogo 0, placar final!

13 de novembro **GOLS 543 e 544**

FLAMENGO 2X1 COBRELOA-CHIL

E chegou o grande dia! No Maracanã, com 93.985 pagantes, ocorreu a primeira partida da decisão da Taça Libertadores da América 1981. O adversário, o surpreendente e violento Cobreloa, havia deixado para trás equipes argentinas e uruguaias e tinha elementos internacionalmente conhecidos em seu elenco, como Alarcón, Merello e Mário Soto.

O Flamengo, que dias antes havia enfrentado e goleado o Americano pelo Estadual, entrou com tudo para abrir boa vantagem e evitar os efeitos do cansaço. E deu certo. Logo aos 12 minutos do primeiro tempo, Andrade dividiu bola no meio de campo e esta sobrou para Junior, que da esquerda, rolou, na meia, para Tita. Daí, a bola foi a Zico, que vinha de trás, chegando pelo meio. O Galinho tabelou com Adílio, que fez o pivô e devolveu a Zico na entrada da área. Ele invadiu a área e colocou por cima do goleiro Wirth, que esperava um chute rasteiro: Flamengo 1x0.

Ainda no primeiro tempo, aos 30 minutos, Lico invadiu a área pela esquerda, sendo derrubado pelo zagueiro Mário Soto. Pênalti que Zico cobrou um minuto depois, firme, no canto esquerdo do goleiro Wirth, ampliando o marcador para 2x0. No 2º tempo, as pernas pesaram e o ritmo diminuiu. O Cobreloa se aproveitou para, também de pênalti, marcar seu único gol no jogo.

23 de novembro **GOLS 545 e 546**

FLAMENGO 2X0 COBRELOA-CHIL

Como no jogo em Santiago, no Chile, a equipe local venceu (1x0), foi necessária a realização de um jogo extra, em campo neutro, para decidir o título máximo do continente. O local escolhido foi o Estádio Centenário, em Montevidéu, no Uruguai. A extrema violência utilizada pelos jogadores chilenos nos jogos anteriores, principalmente no de Santiago, incluindo uso de pedras e ataques covardes, ferindo diversos atletas rubro-negros, criou um clima tenso para a final. Mário Soto era o representante maior daquilo tudo. Mas, o Flamengo queria dar a resposta na bola. Depois,...

Aos 18 minutos do primeiro tempo, Tita cobrou lateral, pelo lado direito do ataque, para Andrade, que devolveu para o meia rubro-negro. Ele, então, cruzou a bola, rasteira, para a entrada da área, de onde Mário Soto a desviou. Adílio pegou a sobra e tocou para Zico, que a devolveu. Mais uma vez, o capitão chileno rebateu. Dessa vez, Andrade pegou a sobra e serviu a Zico, já na marca do pênalti. Numa virada sensacional, o Camisa 10 da Gávea chutou forte para vencer o goleiro Wirth e colocar o Flamengo em vantagem: 1x0.

A pancadaria também acontecia. Primeiro, Jiménez, do Cobreloa, e, depois, Andrade foram expulsos, ainda na fase inicial, por entradas duras.

Veio o 2º tempo. O Flamengo era melhor, mas a pequena diferença mantinha a tensão. Até que Junior, na lateral-esquerda, lançou Zico no círculo central. O Galinho passou de primeira, de cabeça, para Tita, que, já no campo do adversário, lançou Adílio em profundidade. O ótimo passe fez Adílio entrar sozinho. Desesperado, Wirth saiu de sua área e cortou a bola com a mão. Tiro livre direto foi o que marcou o árbitro Roque Cerullo, do Uruguai. Zico ajeitou a bola com extremo carinho e, ao bater, o fez colocado, com perfeição, no canto esquerdo, no contrapé do goleiro, que nem esboçou uma defesa. Não havia mais dúvidas. Era o gol do título, marcado aos 32 minutos do 2º tempo. Zico, até hoje, considera esse gol como o mais importante de sua carreira! No fim, Anselmo vingou, com um soco no rosto de Mário Soto, os companheiros feridos, sendo, por isso, expulso de campo, junto com Soto e mais um chileno, Alarcón. A vitória foi, então, completa! Com esta vitória, o Flamengo, que atuou com Raul; Nei Dias, Marinho, Mozer e Junior; Andrade, Leandro e Zico; Tita, Nunes (Anselmo) e Adílio, conquistou a Taça Libertadores da América, sagrando-se, assim, o CAMPEÃO SUL-AMERICANO DE 1981. Zico foi o artilheiro da competição com 11 gols.

26 de novembro **GOL 547**

VOLTA REDONDA-RJ 1X5 FLAMENGO

Apenas três dias depois, o Flamengo entrou em campo, em Volta Redonda, para mais uma decisão. A vitória sobre o time da Cidade do Aço, no estádio Raulino de Oliveira, daria ao Fla a conquista, também, do 3° turno do Campeonato Estadual do Rio de Janeiro 1981, o que lhe renderia vantagens nas finais. Nem a viagem, nem a festa pelo título da Libertadores, nem o Voltaço pararam aquele time, que massacrou o dono da casa. Zico deixou o dele, aos 19 minutos do segundo tempo. O Mengo já vencia por 3x0, quando Nunes foi lançado na esquerda. Ele cruzou para a área, pelo alto, buscando a penetração de Adílio, mas a zaga cortou. Lico pegou a sobra e chutou da meia-lua, de perna esquerda, para o gol. O goleiro Colonezi soltou a bola nos pés de Zico, que não teve trabalho e só desviou para o fundo das redes. Com esta vitória, o Flamengo se sagrou, com uma rodada de antecipação, vencedor do 3° turno do Campeonato Estadual do Rio de Janeiro 1981.

Mas, péssima notícia estava por vir, no dia seguinte. Cláudio Coutinho, ex-técnico do Flamengo e da Seleção, que participou ativa e decisivamente na montagem daquele super-time rubro-negro, estava de férias no Rio de Janeiro. Após a conquista da Libertadores, deu uma entrevista histórica, onde afirmou:

"Tenho certeza que o Flamengo chegará a Campeão Mundial de Clubes, porque... é... acho que está escrito".

Infelizmente, ele não viveu para ver sua profecia se realizar, falecendo, enquanto praticava pesca submarina nas Ilhas Cagarras, em frente à praia de Ipanema, no dia 27 de novembro de 1981.

6 de dezembro

FLAMENGO 2X1 VASCO-RJ

Curiosamente, a partir daí, Zico não fez mais gols no ano. Mas, continuou jogando... e muito! E ajudou o Flamengo a bater o Vasco, no Maracanã, com gols de Adílio e Nunes, tendo o time atuado com Raul; Nei Dias, Marinho, Mozer e Junior (Figueiredo); Leandro, Andrade e Zico; Lico (Chiquinho), Nunes e Adílio, e sagrando-se Campeão Estadual do Rio de Janeiro 1981, com os jogadores dedicando esse título a Cláudio Coutinho.

13 de dezembro

FLAMENGO 3X0 LIVERPOOL-INGL

A data maior chegou. Dia 13 de Dezembro de 1981. Local: O Estádio Nacional, de Tóquio, no Japão. Motivo: A decisão do título mundial, contra o campeão europeu, o Liverpool, da Inglaterra. Até hoje, aquele time dos "Reds" é considerado um dos maiores de todos os tempos, e acredita-se que eles não esperavam muito dos brasileiros. O Flamengo os massacrou, fazendo 3x0, placar final, ainda no 1° tempo do jogo e controlando, com absoluta superioridade a etapa derradeira. Zico não fez gol, mas foi participante direto de todos eles, além de ter sido eleito o craque do jogo. No primeiro, um magistral passe para Nunes, por sobre a zaga. O "João Danado" mandou para as redes, abrindo o placar aos 13 minutos. Aos 36, Zico bateu uma falta direto ao gol. O goleiro Gobrelaar soltou e se formou uma confusão na pequena área, até a conclusão final de Adílio: Flamengo 2x0. E, aos 42 minutos, Zico pegou a bola no círculo central do gramado e, com uma frieza característica dos craques, fez um passe em curva para a penetração de Nunes, por trás da zaga, pela direita do ataque. O chute cruzado foi indefensável. O time da terra dos Beatles estava liquidado! Com esta vitória, o Flamengo, que atuou com Raul; Leandro, Marinho, Mozer e Junior; Andrade, Adílio e Zico; Tita, Nunes e Lico, conquistou a Taça Intercontinental de Clubes, sagrando-se, assim, o CAMPEÃO MUNDIAL DE 1981.

Zico e Maradona em amistoso no Maracanã que marcou a despedida de Paulo César Carpegiani do futebol em 15 de setembro de 1981. Flamengo 2 x 0 Boca Júniors – Argentina, com dois gols de Zico.

Ao final de 1981, Zico, com 14 gols, foi o artilheiro disparado da Seleção Brasileira. Com um total de 52 gols, ele, agora só estava atrás de Pelé (que atuou pela Seleção de 1957 a 1960 e de 1962 a 1971, além de um jogo festivo em 1990) na história, em gols marcados pelo Brasil!
No Flamengo, as muitas idas e vindas à Seleção trouxeram uma surpresa: Zico acabou o ano como vice-artilheiro do time, com 45 gols marcados, três a menos que Nunes. Na história, chegou à marca de 409 gols pelo seu clube de coração.

Zico comemora o segundo gol contra o Cobreloa do Chile na primeira partida da decisão da Taça Libertadores da América de 1981, em 13 de novembro.

CAPÍTULO 12

Zico jogando no Campeonato Brasileiro de 1982.

1982

Chegou o esperado ano de 1982. O Flamengo defenderia o título de melhor equipe de futebol do planeta e era, também, ano de Copa do Mundo, na Espanha. Paulo César Carpegiani seguiu sendo o técnico rubro-negro por toda a temporada, assim como Telê Santana comandou a Seleção Canarinho.

20 de janeiro **GOLS 548 e 549**

FLAMENGO 3X2 SÃO PAULO-SP

O ano começou com um jogo fantástico, que entrou para a história. Era apenas a primeira rodada da primeira fase do Campeonato Brasileiro de 1982, mas estavam em campo, possivelmente, os dois melhores times do país. Era o primeiro jogo do Flamengo após o título mundial e as férias subsequentes dos jogadores. O palco foi o Maracanã, com mais de 85.000 espectadores. O tricolor paulista veio com tudo e conseguiu se impor a um sonolento Flamengo, indo para o intervalo com uma vitória incontestável de 2x0. Mas, futebol tem segundo tempo e aquele time nunca se entregava! Aos 13 minutos do reinício, Junior entrou pelo meio e tocou para Zico. O Galinho girou, tabelou com Lico, invadiu a área, pela meia-direita, e chutou forte, no canto esquerdo do goleiro Waldir Peres: Flamengo 1x2.

A partir daí, o jogo se incendiou e quase já se sabia o que ia acontecer. Andrade empatou o jogo. E, aos 36 minutos, Lico recebeu um passe na esquerda e tocou para Junior, que dominou a pelota, relançando-a a Lico, mais à frente. Ele, então, esperou a passagem do lateral-esquerdo rubro-negro e devolveu a bola com direção à linha de fundo. Junior, de pé esquerdo, cruzou, na medida, na cabeça de Zico, que, entre o meio-campista Almir e o zagueiro Darío Pereyra, concluiu, sem chances para o goleiro adversário: Flamengo 3x2. Começava, aí, uma sequência de vitórias de virada na competição.

Zico relembra: "O Flamengo, como jogou até a final do Mundial, teve que encurtar nossas férias, porque já estreava num jogo oficial e contra o timaço do São Paulo. Nosso time entrou menos treinado por isso. O Maracanã estava lotado. Tomamos um passeio no 1° tempo. Não vimos a cor da bola. O São Paulo só fez 2x0. Esse foi o pecado deles. No vestiário paulista, Serginho, autor dos gols sampaulinos, disse, em voz alta: "Pô! Esse que é o Campeão Mundial?". Seu companheiro de clube Mário Sérgio, ex-jogador do Flamengo, respondeu: "Olha, cara, cuidado! Com esse time não se brinca!" Mas, Serginho continuou zombando. Ao final do jogo, Mário Sérgio disse: "Está vendo? Por isso que eles são Campeões Mundiais". O nosso time voltou bem solidário. Não podíamos estar tomando aquele passeio."

24 de janeiro **GOLS 550 e 551**

NÁUTICO-PE 3X4 FLAMENGO

Quatro dias depois, o Estádio do Arruda, em Recife, viu uma das vitórias mais emocionantes do Flamengo naquele ano. Quando o Náutico fez 3x1, já no correr do 2° tempo, poucos esperavam alguma reação. Mas, aquele não era um time comum. Leandro havia feito o gol carioca, único até então. Quando Lico diminuiu para 2x3, Zico acordou. Aos 24 minutos, o zagueiro Mozer avançou, pela meia esquerda, e descolou excelente passe para o Galo, que, com apenas um drible de corpo, tirou o zagueiro Douglas e o goleiro Jairo do lance e tocou para o fundo do gol, agora escancarado à sua frente, empatando o jogo.

E, aos 29 minutos, Zico sofreu falta na entrada da área, pelo lado esquerdo. A expectativa de nova virada encheu o estádio. Zico cobrou com a habitual perfeição, colocando a bola no lado esquerdo do goleiro, que literalmente ficou parado, decretando o placar definitivo do jogo.

28 de janeiro GOL 552

FLAMENGO 5X0 TREZE-PB

Pela terceira rodada, novo jogo no Maracanã. O adversário era o fraco Treze, de Campina Grande. O Flamengo fazia um jogo burocrático, sem esforço ou brilho, e foi para o intervalo com um magro 1x0, gol marcado por Adílio, sem ser ameaçado. Quando a torcida rubro-negra percebeu que o 2° tempo começara igual, iniciou um inédito coro de "Queremos gol!". O time atendeu. Com um gol de Nunes e dois de Andrade, o 4x0 já agradava o torcedor. Mas, faltava o gol do maior ídolo. E ele veio aos 33 minutos. Zico iniciou arrancada espetacular, desde a intermediária do Flamengo, passou rápido entre o cabeça-de-área Draílton e o meia-direita Fernando Baiano, driblou o zagueiro Hermes e o lateral-esquerdo Olímpio, que tentaram até agarrá-lo! Na entrada da área, tocou para Nunes, que, dentro da área, pela direita, chutou cruzado a gol. O goleiro Hélio espalmou. Zico entrou e carimbou as redes paraibanas, com a bola tocando o travessão antes de entrar, encerrando a goleada.

31 de janeiro GOLS 553 a 555

FLAMENGO 3X0 FERROVIÁRIO-CE

Na rodada seguinte, o Flamengo enfrentou o último adversário de seu grupo (O Campeonato Brasileiro de 1982 teve sua primeira fase disputada por grupos de cinco clubes em cada). O adversário, desta vez, era o "Ferrim", do Ceará, cujo técnico confessou que queria não perder de 10x0! O jogo foi fácil, mas nem tanto. Zico abriu o marcador aos 11 minutos da etapa inicial. No lance, Édson virou o jogo, da esquerda para a direita, buscando jogo com o ponta-direita Popéia, que tocou para Nunes. Este, de primeira, cruzou na segunda trave, na cabeça de Zico, que mandou às redes.

O Flamengo, mais uma vez, não forçava o jogo e o segundo gol só saiu no 2° tempo. Aos 10 minutos, Popéia cobrou um escanteio da direita. A zaga cearense falhou e Andrade tentou dominar a bola, que escapou para o centro da área, onde Zico se antecipou ao zagueiro Paulo Maurício e chutou forte, de pé esquerdo, encobrindo o goleiro Barbiroto: Flamengo 2x0.

Dois minutos depois, Nunes cobrou curto um escanteio para Adílio, que devolveu para o "João Danado". Nunes passou para Junior no interior da grande área, pelo lado esquerdo do ataque. O lateral, então, levantou a bola, com o pé direito, e, com uma linda bicicleta, cruzou para Zico entrar, de "biquinho", também usando o pé direito, e definir o placar com um golaço.

16 de fevereiro GOL 556

SÃO PAULO-SP 3X4 FLAMENGO

Depois de vencer as duas equipes nordestinas fora de casa, o Flamengo surpreendeu, apenas empatando com o Náutico, no Maracanã! Preocupação para o confronto final do grupo, no Morumbi, na cidade de São Paulo, quando o tricolor paulista prometia revanche da derrota anterior. E o São Paulo saiu na frente, para delírio de sua torcida. Mas, a partir daí, começou um show de bola do Flamengo. O time da casa foi totalmente envolvido e sua torcida, calada, assistia ao desfile dos cariocas. Com gols de Nunes, Lico e Tita, o placar foi a 3x1 para os visitantes. Aos

10 minutos do segundo tempo, Tita recebeu falta na meia esquerda, setor de ataque, e cobrou, atrasando para Zico. O craque rubro-negro dominou e devolveu a Tita, que avançou pelo lado esquerdo, evitou a marcação do volante Almir e, já no interior da área, fez o breque e, de pé direito, cruzou pelo alto, descobrindo Zico por trás da zaga. O Galinho de Quintino, com um toque de craque, de cabeça, encobriu o goleiro Waldir Peres, colocando a bola no ângulo esquerdo: Flamengo 4x1. Um gol marcado em posição irregular, validado pelo árbitro, acordou o São Paulo, mas a reação parou nos 4x3.

Zico lembra: "Nesse jogo tem a história que muita gente dizia que a gente tinha que perder para cair no outro grupo, que tinha Guarani, Sport e tal. Só que ganhamos e ficamos em primeiro lugar no grupo com Corinthians, Inter e Atlético-MG. E nós, de novo, saímos atrás, logo de cara. O São Paulo fez logo o gol. Por causa daquele 3 a 2 do Maracanã, a torcida lotou o Morumbi, compareceu em massa. Nós estávamos vencendo de 4 a 1 e a torcida ainda empurrando. Aí, fizeram um gol lá, impedido (risos). O meu gol foi uma falta, que o Tita recebeu, tabelou comigo e, da meia esquerda, ele cruzou para área, pelo alto, por trás da zaga, e eu entrei de cabeça e coloquei no ângulo do Waldir Peres. Foi o quarto gol."

25 de fevereiro **GOL 557**

CRICIÚMA-SC 4X2 FLAMENGO

O Flamengo foi, então a Criciúma, no interior de Santa Catarina, para faturar em um amistoso, contra a equipe local. O que ninguém esperava era que, nesse jogo, ocorreria a primeira derrota do time Campeão Mundial, após o título planetário! Surpreendentemente, o time carioca não se acertava e chegou a estar perdendo de 3x0! Iniciou uma reação, com um gol de Zico, aos 45 minutos do primeiro tempo. No lance, Zico recebeu de Junior na meia, tabelou com Lico, invadiu a grande área e tocou no canto direito, na saída do goleiro Zé Carlos. Lico diminuiu para 2x3, fazendo esperar nova virada, mas um gol de contra-ataque marcou a vitória local, para surpresa geral.

27 de fevereiro **GOL 558**

CORINTHIANS-SP 1X1 FLAMENGO

A segunda fase do Campeonato Brasileiro reservou a formação de um supergrupo, chamado de "Grupo da Morte", onde apenas dois poderiam avançar

Flamengo, Atlético Mineiro, Internacional e Corinthians. As quatro maiores torcidas dos estados mais representativos do futebol brasileiro estavam ali, juntas. Na primeira rodada, o Fla enfrentou o Timão, no Morumbi, na capital paulista, para mais de 90.000 espectadores. O Corinthians saiu na frente, mas o Mengo empatou, ainda na primeira fase, na marca dos 43 minutos. Tita, pelo lado esquerdo, descobriu Zico, que estava na entrada da área. O camisa 10 evitou a marcação do lateral-esquerdo Wladimir com um lindo drible e, de pé direito, colocou forte, no canto esquerdo do goleiro César, dano números definitivos ao jogo.

3 de março **GOL 559**

BRASIL 1X1 TCHECOSLOVÁQUIA

Preparando-se para a Copa do Mundo, o Brasil fazia amistosos e, claro, Zico estava neles. Após uma vitória (3x1) sobre a Alemanha Oriental, veio o amistoso, no Morumbi, em São Paulo, Brasil, contra os tchecoslovacos, com a presença de 107.060 torcedores. A seleção da casa não atuava bem e não conseguia furar a retranca europeia.

Até que, aos 5 minutos da etapa final, Mário Sérgio cobrou um escanteio, de forma curta, pela direita, para Paulo Isidoro, que cruzou aberto, pelo alto. Roberto cabeceou. A bola subiu e bateu no travessão. Zico, que aniversariava e acompanhava o lance, ganhou do zagueiro Zurkevic pelo alto e, também de cabeça, escorou para o fundo gol do goleiro Seman: Brasil 1x0. No final, deu empate.

11 de março **GOL 560**

FLAMENGO 1X1 INTERNACIONAL-RS

Depois de uma histórica vitória (mais uma de virada!) sobre o Galo, no Maracanã, mesmo jogando com um jogador a menos desde os 36 minutos do 1° tempo, o Flamengo recebeu, no mesmo local, pela terceira rodada da 2ª fase, o Colorado gaúcho. Chovia a cântaros, e o futebol técnico, altamente prejudicado, foi substituído pela luta. O Fla abriu o placar, ainda no primeiro tempo, na marca dos 36 minutos. Foi quando Andrade avançou pela meia esquerda, driblou o ponta de lança Rubens Paes e arriscou um chute ao gol. A bola bateu no zagueiro Mauro Pastor e sobrou para Zico, que, já dentro da área, chegou antes do goleiro Benítez e desviou a bola para as redes.

17 de março **GOL 561**

INTERNACIONAL-RS 2X3 FLAMENGO

Em Minas Gerais, o Galo tirou a invencibilidade do Flamengo no Brasileirão, derrotando-o por 3x1. A situação do time carioca se complicou. Até aqui, tinha conseguido apenas uma vitória em quatro jogos! A vitória sobre o Inter, no Beira-Rio, teria que acontecer. E Zico viajou, ainda se recuperando de conjuntivite bilateral. Ele lembra que fez teste pouco antes do jogo e foi jogar com um dos olhos ainda quase fechado! O time da virada teve que entrar em ação novamente. No entanto, foi o Flamengo quem abriu o placar. E com Zico. Aos 23 minutos do primeiro tempo, Leandro, localizado na meia-direita, abriu o jogo para Junior. O lateral-esquerdo lançou Adílio na intermediária colorada. Este matou a bola no peito, com muita categoria, e serviu Zico, na entrada da área. O Galinho invadiu com a bola e chutou. O goleiro Gilmar espalmou para cima. Zico entrou no rebote, de cabeça, vencendo o goleiro colorado. O Inter virou o jogo, mas o Fla fez uma "revirada", com gols de Reinaldo Oliveira e Vítor, e venceu, o que valeu a classificação do time para as fases de play-offs do campeonato, com uma rodada de antecedência.

Nas palavras de Zico: "Nesse jogo, eu estava com o problema da conjuntivite. Peguei isso de um caseiro lá de casa (risos). Viajei praticamente com os dois olhos fechados. Havia, ainda, a possibilidade de eu não jogar. Acabei ficando sozinho para não contaminar mais ninguém e tal. Ficava com algodão nos olhos. O Raul era o meu companheiro de quarto e teve que ir para outro. Imagina se o Raul pega conjuntivite (gargalhada)! Aí, antes do jogo, eu fui avaliado e um olho já estava quase bom, bem aberto. Fui para o jogo assim, com um olho só (risos). No lance do gol, o Junior lançou para o Adílio. Ele dominou no peito e passou para mim. Eu toquei, o Gilmar defendeu, mas a bola subiu e eu fiz o gol de cabeça. Foi um jogão, eles viraram pra 2 a 1 e, depois, viramos de novo pra 3 a 2. Acho que foi o Vitor que fez o gol da vitória."

24 de março **GOL 562**

FLAMENGO 2X0 CORINTHIANS-SP

A última rodada trouxe muitas emoções para o Maracanã. Era um clássico entre as duas equipes classificadas. Mas, o 1° tempo acabou sem gols. Até que, aos 27 minutos da segunda etapa, Junior recebeu a bola, pelo setor esquerdo do ataque, invadiu a área, aplicou um belo drible no cabeça-de-área Paulinho e foi derrubado. Pênalti marcado. Zico cobrou forte, no canto esquerdo do goleiro César, que ainda tocou na bola, mas não evitou o gol: Flamengo 1x0. Mais tarde, um gol de Tita definiu a vitória e a queda do último invicto da competição.

28 de março **GOLS 563 e 564**

FLAMENGO 2X0 SPORT-PE

Agora era um jogo em casa e um fora. O primeiro adversário foi o Sport Recife, que, por ter pego um grupo mais fraco, fez mais pontos que o Flamengo e, portanto, levaria as vantagens de jogar a segunda partida em sua casa e de jogar por resultados iguais. Era preciso que o Flamengo abrisse uma boa vantagem no Maracanã, no jogo de ida. Logo aos 8 minutos do primeiro tempo, Leandro invadiu a área, pelo lado direito, tocou para Lico, que devolveu a Leandro. Este, de primeira, cruzou, pelo alto, para o lado esquerdo, onde o centroavante Reinaldo Oliveira dominou no peito e, de perna esquerda, cruzou, rasteiro, para o meio da área. Zico dominou a bola, virou-se e, chutou de pé esquerdo, com a bola batendo no braço do goleiro País e subindo para entrar no ângulo direito do gol: Flamengo 1x0.

Aos 21 minutos do segundo tempo, Zico avançou pelo meio e lançou Adílio, na meia esquerda. O meia rubro-negro ameaçou o chute de longa distância, mas devolveu a pelota a Zico, na entrada da área. O Galinho invadiu e, na saída do goleiro, colocou, à meia-altura, no canto esquerdo da meta, definindo a vitória e uma boa vantagem. Foi seu 100° gol em Campeonatos Brasileiros. No jogo de Recife, o Sport venceu por 2x1, mas o placar agregado (Flamengo 3x2) permitiu aos Campeões Mundiais continuarem na luta por mais um título nacional.

6 de abril **GOL 565**

SANTOS-SP 1X1 FLAMENGO

As emoções não eram poucas para a torcida do Flamengo. Mais uma vez, o adversário levava vantagem. No primeiro jogo, mais uma vitória de virada, no Maracanã, sobre o Peixe: 2x1, com o gol da vitória saindo no finzinho do tempo regulamentar. Para o jogo da volta, no Morumbi, em São Paulo, qualquer vitória dos santistas eliminaria o Flamengo. O Flamengo não atuava bem, era dominado e perdia por 1x0. A noite parecia tão negra, que até Zico não estava bem, errando a maioria das jogadas. Seria a despedida do Mengão? Era o que parecia... até que, já aos 38 minutos do segundo tempo, Marinho, zagueiro que havia marcado o gol da vitória no Rio, ganhou uma dividida pela direita, setor de ataque. Lico pegou a sobra e, por elevação, lançou a Zico, que, dentro da área, dominou a "redondinha" e chutou, com violência, para defesa espetacular do goleiro Marola, que espalmou para escanteio. Na cobrança, Tita, autor do primeiro gol no jogo do Maracanã, mandou a bola, pelo alto, para a entrada da área. Lá, Leandro subiu e, de cabeça, mandou a bola em direção à pequena área. Zico, na frente do goleiro, de costas para o gol, habilmente desviou, também de cabeça, para o fundo das redes, ao lado da trave esquerda, empatando e classificando o Flamengo para as semifinais. Zico considera esse um dos gols mais importantes de sua carreira, lembrando que "uma das grandes virtudes que eu tinha era minha noção de localização em campo", referindo-se ao fato de estar de costas para o gol no lance decisivo.

Zico ainda disse: "Eu digo que esse gol foi um dos mais importantes, porque ali estaríamos eliminados, né? Foi um escanteio. O Leandro escorou, eu estava de costas para o gol... Aí que eu falo dessa visão periférica que eu tinha, que me dava condição e noção de onde eu estava. Então, eu sabia que estava numa situação onde, numa fração de segundos, pensei: "vou tentar desviar para o lado contrário do goleiro". Golpeei de cabeça para o canto esquerdo e o Marola estava no meio do gol. Essa era uma das grandes virtudes que eu tinha. Nós tínhamos um time forte. Quando o jogo ficava apertado, o talento individual quase sempre resolvia, né?"

11 de abril **GOL 566**

FLAMENGO 2X1 GUARANI-SP

O adversário, agora, seria o excelente time do Guarani, de Campinas, do craque Jorge Mendonça. Mais uma vez em desvantagem, o Flamengo precisava vencer na ida, de preferência por uma boa margem de gols. O Maracanã recebeu 120.441 pagantes e o Flamengo começou com tudo. Já na marca dos 12 minutos do primeiro tempo, Andrade fez um passe para Adílio, pela meia esquerda. Este, mesmo marcado pelo meia Júlio César, por elevação, por trás da zaga, lançou para Zico, que dominou a bola no peito na altura da marca do pênalti, protegeu a bola com o corpo e desviou para o fundo do gol, com a perna canhota, à esquerda do arqueiro Wendell que saía em sua direção: Flamengo 1x0. Peu ampliou para o rubro-negro, mas o gol de honra conseguido pelo Bugre, perto do final do jogo, caiu como um balde de água fria! O Guarani em sua casa era quase imbatível! Tanto que o seu goleiro, o ótimo Wendell, em entrevista, ainda no Maracanã, comemorou o placar como uma classificação quase certa à grande final!

15 de abril **GOLS 567 a 569**

GUARANI-SP 2X3 FLAMENGO

Zico, objeto deste livro, foi um grande craque e dizer qual foi seu melhor jogo é uma tarefa muito difícil, mas, com certeza, esse jogo, realizado no Estádio Brinco de Ouro da Princesa, em Campinas, São Paulo, está entre os melhores. E não apenas por causa do Galinho, mas, também, porque, do outro lado, tinha outro craque, que "comeu a bola": Jorge Mendonça. Foi um jogaço, com fortes emoções. E foi do camisa 10 campineiro o gol de abertura do placar, que, então, mandava o Guarani para a decisão do Campeonato Brasileiro e o Flamengo para casa. Mas, aos 22 minutos, ainda no primeiro tempo, Lico cobrou, curto, um escanteio, pela esquerda, para Junior. Do bico da grande área, o lateral, de pé esquerdo, cruzou, pelo alto, para o meio da área, na cabeça de Zico, que testou no canto direito baixo do goleiro Wendell, que nada pôde fazer. Golaço! E aquele 1x1 já servia.

Mas, as emoções continuaram. Aos 3 minutos do segundo tempo, Adílio avançou pela meia esquerda e tocou para Zico, que tabelou com Lico, recebeu um passe "açucarado" e, de primeira, arriscou chute forte, de longa distância, fuzilando o lado direito do gol bugrino. Mais um golaço de Zico! Mais uma virada. Flamengo 2x1.

Não parou por aí. Dezenove minutos depois, Lico foi pela meia esquerda e tocou atrás para Zico, que acionou Tita. O Garoto de Ouro da Gávea lançou para Adílio, que, de dentro da área, chutou forte para grande defesa de Wendell. No rebote, Lico chutou para o gol e o zagueiro Almeida cortou com o uso da mão, segundo o árbitro, evitando o tento. Zico cobrou o pênalti, firme, no canto direito do goleiro: Flamengo 3x1. Jorge Mendonça marcou mais um, mas a vitória do Flamengo estava garantida, assim como a classificação para decidir o campeonato.

Zico relembra: "O problema é que, no primeiro jogo, no Maracanã, tivemos a chance de ganhar de muito e fizemos apenas 2x1. Em Campinas, eles começaram o jogo "já classificados", porque fizeram logo 1x0, né? E, aí, houve um lance muito importante naquele jogo. Teve um corner a nosso favor. Eu fui cobrar e "choveu" lata, garrafa, tudo que é tipo de coisa (risos). Afastei e deixei os caras jogarem. Não cobrei o corner e o jogo não ia andar. O juiz, que era o Carlos Rosa – a gente se respeitava muito -, parou o jogo. O Leandro veio para cobrar e eu dei um bronca nele (risos): "Sai daqui, não vai cobrar nada." Aí, eles cansaram e pararam de jogar coisas (risos). O jogo prosseguiu e, num cruzamento de perna esquerda do Junior, eu fiz de cabeça o gol. Uma testada firme lá no canto. Aí, no segundo tempo, teve aquela tabela que eu fiz com o Lico e dei uma pancada com efeito pra dentro do gol. Esse tipo de gol fiz algumas vezes parecido na minha carreira. Contra o Coritiba em 80 e contra o Chile em 85, por exemplo. Treinava muito esse tipo de chute nos ângulos, né? Então, teve outra tabela, dessa vez com o Adílio. Eu meti a bola para ele e, quando ele chutou, o zagueiro cortou com a mão. Ficou a dúvida na hora, mas ele nem reclamou e o juiz marcou pênalti. Tinha tido já um pênalti em cima do Figueiredo, que o juiz não marcou. Eu bati e esse terceiro gol foi pra colocar a "pá de cal" (risos). O Guarani fez o segundo aos 45 e tinha que fazer mais 2 pra se classificar. Não dava mais tempo."

18 de abril **GOL 570**
FLAMENGO 1X1 GRÊMIO-RS

A final foi contra os tricolores gaúchos. Mais uma vez, o Flamengo entrava em desvantagem, mas, para a decisão havia apenas a vantagem de jogar a segunda partida em casa e, também, uma terceira partida extra, caso fosse necessária. O primeiro jogo, portanto, ocorreu no Maracanã. O Grêmio veio fechado, para levar, pelo menos um empate para decidir em sua casa. E a defesa gremista, comandada pelo goleiro Leão, estava bem cerrada. O tempo passava e o gol do Flamengo não saía. Foi quando aconteceu o pior. Aos 38 minutos do segundo tempo, o time gaúcho, em uma escapada, fez 1x0. O quadro era o pior possível. Se perdesse, o Flamengo teria que vencer o Grêmio no Estádio Olímpico para provocar uma terceira partida, também lá, em Porto Alegre. Sabendo disso, o Flamengo martelou e martelou até que, já a um minuto do fim, Marinho, no lado esquerdo do ataque, cobrou lateral para Junior, que dividiu com China. Junior aproveitou a sobra e, de perna esquerda, cruzou para o bico da pequena área, onde Zico se antecipou ao zagueiro Newmar, dominou com incrível categoria, fazendo a bola quicar, e, na saída de Leão, chutou forte, de perna direita no lado esquerdo do gol. Um golaço que fez o Maracanã tremer, com seus 138 mil espectadores: Flamengo 1x Grêmio 1.

Nas palavras de Zico: "Jogo muito difícil. O Grêmio era um time muito forte. Era o atual campeão brasileiro, né? Jogo de poucas oportunidades. Eles tiveram a felicidade de fazer 1x0 na frente. Fomos para o abafa. Eu fiz o gol de empate e quase viramos. Um jogão! Foi um gol bonito. O Junior cruzou da esquerda, eu antecipei do Batista (sic) e, quando eu olhei, vi só o Leão na minha frente. Pensei: "Caramba, e agora?" Aí, lembrei de uma das coisas que meu irmão me ensinou: "Entrou ali pelo canto, bate cruzado" Então, o Leão fechou o canto direito e eu chutei cruzado, firme, com a parte externa do pé, no canto esquerdo dele (risos). Um golaço!"

21 de abril
GRÊMIO-RS 0X0 FLAMENGO

25 de abril
GRÊMIO-RS 0X1 FLAMENGO

Na quarta-feira seguinte, o jogo de Porto Alegre acabou em um empate sem gols, o que adiou a decisão para o domingo, dia 25. Com um gol de Nunes, logo aos 10 minutos de jogo, em passe magistral de Zico, que, no início da jogada passou a bola por baixo das pernas de Vílson Taddei, o Flamengo venceu, calando a maior parte de um lotado Estádio Olímpico. Apenas se ouvia a festa dos rubro-negros presentes. Com essa vitória, o Flamengo, que atuou com Raul; Leandro (Antunes), Figueiredo, Marinho e Junior; Andrade, Adílio e Zico; Lico, Nunes (Vítor) e Tita, sagrou-se Bi-Campeão Brasileiro 1980/2.

5 de maio **GOL 571**
BRASIL 3X1 PORTUGAL

Lembrem-se que a Seleção estava se preparando para a Copa do Mundo... e Zico, é claro, estava nela. Houve, então, um amistoso contra os portugueses no Estádio João Castelo, em São Luís, Maranhão, Brasil, com mais de 70.000 torcedores presentes. Com um gol em cada tempo (Junior e Éder), o Brasil vencia por 2x0, quando, aos 27 minutos daquela etapa final, Éder avançou pela esquerda, tabelando com Sócrates, mas, dentro da área, o zagueiro Humberto Coelho cortou o passe com a mão. Pênalti, que Zico cobrou, fugindo um pouco ao tradicional, alto, no ângulo superior esquerdo, sem chances para o goleiro Bento: Brasil 3x0.

19 de maio **GOL 572**
BRASIL 1X1 SUÍÇA

Quatorze dias depois, novo amistoso, dessa vez contra os suíços, no Estádio do Arruda, em Recife, Pernambuco, Brasil. Logo no começo do jogo, Careca e Sócrates tabelaram pelo meio da área. Careca passou pelo zagueiro Ludi com um drible de corpo e foi seguro pelo suíço, já dentro da grande área. Pênalti, que Zico cobrou firme, à meia--altura, no canto esquerdo do goleiro Burgener: Brasil 1x0 aos 6 minutos. Foi falsa, no entanto, a impressão inicial de facilidade. Os helvéticos empataram, ainda no 1° tempo, e seguraram o placar de 1x1 até o fim.

27 de maio **GOL 573**
BRASIL 7X0 IRLANDA

O último amistoso da Seleção, antes da estreia na Copa do Mundo, foi realizado no Parque do Sabiá, em Uberlândia, Minas Gerais, Brasil. O adversário era o Eire, com uma seleção mais forte do que a que tinha enfrentado o Brasil no ano anterior e perdido por 6x0. Seu técnico, inclusive, deu uma declaração, afirmando que "agora, sim, os brasileiros iriam ver a verdadeira força do futebol irlandês, pois atuamos com muitos desfalques em 1981". Perdeu a chance de ficar calado. O placar foi ainda maior! E foi de Zico o sétimo gol nacional, aos 34 minutos do 2° tempo. Junior cobrou escanteio pela esquerda. Serginho matou a bola "de canela" dentro da área, mas a bola sobrou para Zico, que tocou, de pé direito, para o fundo do gol do goleiro Mc Donagh, encerrando o massacre.

18 de junho **GOL 574**

BRASIL 4X1 ESCÓCIA

A estreia na Copa se deu com uma vitória emocionante, de virada sobre a U.R.S.S., por 2x1. No segundo jogo, no Estádio Benito Villamarin, em Sevilla, Espanha, uma vitória já daria a classificação antecipada para a 2ª fase. Porém, mais uma vez, o Brasil saiu atrás no marcador. Só que aquela seleção não se abalava facilmente e partiu em busca do empate, que ocorreu aos 33 minutos da fase primeira. Toninho Cerezo tabelou com Zico, avançou pelo meio e foi derrubado. Falta marcada, que o Galinho de Quintino cobrou com a habitual perfeição, no ângulo esquerdo do goleiro Rough, que não teve reação: 1x1. Zico relembra: "No amistoso do Maracanã, em 1977, eu saí do banco e marquei de falta, mandando a bola no canto onde estava o goleiro Rough. No jogo da Copa, mandei de novo no canto dele (*risos*). Pensei que o cara ia imaginar que eu ia mudar e bater por sobre a barreira. Resolvi bater no canto dele de novo. Foi uma das faltas mais bem batidas. Ela foi lá na forquilha, na gaveta, nos 90 graus mesmo!" E, com gols de Oscar, Éder e Falcão, aconteceu a nova vitória dos canarinhos.

23 de junho **GOLS 575 e 576**

BRASIL 4X0 NOVA ZELÂNDIA

Por fim, no mesmo estádio, o último jogo da primeira fase era para cumprir tabela. Os neozelandeses temiam uma grande goleada, mas o Brasil jogou para o gasto. O placar foi aberto aos 29 da primeira etapa. No lance, Toninho Cerezo fugiu pela direita e fez um passe a Leandro, que foi à linha de fundo e cruzou, à meia-altura. Zico, posicionado dentro da grande área, com uma linda meia bicicleta, de pé direito, acertou o canto esquerdo do goleiro Van Hattum. Bonito gol! Zico lembra que uma TV sueca elegeu este como o melhor gol da Copa: "O primeiro gol, o de virada, eu ganhei um prêmio como o gol mais bonito da Copa. Foi uma jogada bonita. O Leandro cruzou e eu me posicionei um pouco à frente e fiz a virada. Treinava muito isso. Gostava de fazer esse tipo de lance. Eu não era especialista, igual ao Bebeto, mas fazia também os meus gols (risos). E, depois, quase faço outro de bicicleta, mas a bola pegou de raspão no meu pé. Uma pena!"

Apenas dois minutos depois, Falcão roubou a bola de Creswell e passou a Zico, que, de primeira, esticou a Sócrates, que fugia pela direita. Leandro se apresentou na ponta e recebeu o passe. O lateral brasileiro dominou e passou para trás para a marca do pênalti, em um lance parecido ao do gol de abertura. Zico, mais uma vez bem posicionado, escorou de chapa, de pé direito, macio, rasteiro, no canto esquerdo do goleiro: Brasil 2x0.

Zico lembra: "O segundo gol foi toda uma jogada muito bonita. A gente veio lá de trás e a bola foi para o Sócrates, lá na direita. O Leandro fez o *overlapping*, o Sócrates meteu a bola e o Leandro, de primeira, cruzou rasteiro. Eu só tive o trabalho de rolar para o gol. Bonito gol, também."

Falcão e Serginho completaram o marcador, em duas assistências de Zico.

2 de julho **GOL 577**

BRASIL 3X1 ARGENTINA

O Estádio Sarriá, em Barcelona, foi o palco dos jogos do Brasil na segunda fase. Era um supergrupo, com Brasil, Argentina e Itália e só um passaria de fase, já para as semifinais. No primeiro jogo, vitória italiana sobre os portenhos, por 2x1. O clássico sul-americano era vida ou morte para os argentinos. O Brasil passeou em campo, com um autêntico show de bola sobre Maradona e companhia. Zico abriu a contagem, aos 11 minutos de jogo. Ele recebeu a bola na meia e passou em profundidade a Serginho, que foi derrubado por Olguín, na intermediária. Falta marcada. Éder cobrou, com a costumeira força. Uma bomba, levemente desviada pelo goleiro Fillol, explodiu no travessão e tocou no chão, à frente da linha de gol. Zico e Serginho correram para finalizar, com o Galinho de Quintino chegando antes. Ele relembra: "Para mim, foi um dos melhores jogos que eu fiz. No gol, eu pressenti e saí um pouco antes da cobrança. Se eu não pego na bola, o Fillol chegava antes do Serginho". Foi o 60° gol de Zico pela Seleção principal do Brasil. Serginho e Junior, em belo passe de Zico, ampliaram para 3x0, antes de Ramón Díaz diminuir. Maradona, nervoso, foi expulso. Infelizmente para o futebol, a caminhada daquele maravilhoso time acabaria com uma derrota de 3x2 para a Itália.

Anos mais tarde, Etcheverry, então o melhor jogador boliviano, recordou, em uma entrevista: "Eu adorava jogar peladas na rua. Só parava por um motivo: ver os jogos do Brasil na Copa do Mundo em 1982. Não perdia um. Aquele time era maravilhoso. Eu chorava a cada gol do Zico." E completou, dizendo que "as poucas imagens que vi de Zico no Maracanã nunca saíram de minha cabeça."

18 de julho **GOLS 578 e 579**

FLAMENGO 5X2 CAMPO GRANDE-RJ

De volta ao Flamengo e ao início da disputa da Taça Guanabara e do Campeonato Estadual do Rio de Janeiro. A estreia, no Maracanã, acabou em uma vitória ampla sobre o Campusca, com dois gols de Zico. O Flamengo chegou ao gol logo aos 8 minutos de jogo, quando Zico foi lançado na frente por Adílio e, com um belo toque, encobriu o goleiro Jorge, que saiu da área, com a bola quicando até entrar bem no meio do gol: Flamengo 1x0.

Foi também aos 8 minutos, só que no segundo tempo, o segundo gol do Galinho. O Flamengo vencia por 2x1 e Peu sofreu pênalti. Zico cobrou firme, bem colocado no canto esquerdo, à meia altura. O goleiro acertou o canto, mas não a bola: Flamengo 3x1.

24 de julho **GOLS 580 e 581**

FLAMENGO 4X0 PORTUGUESA-RJ

No mesmo local, pela segunda rodada, nova goleada. Tita e Lico já tinham se encarregado dos dois primeiros gols do jogo. Aos 38 minutos, ainda no 1° tempo, diante de um domínio territorial absoluto, impondo o ritmo que melhor lhe agradava, alternando ataques em velocidade com toque de bola objetivo e vistoso, o Flamengo fez mais um: Lico e Tita tabelaram, e Lico lançou a Zico, que teve tempo e talento suficientes para olhar para o lado, enquanto a bola vinha em sua direção. Foi dominar e chutar, sem defesa para o arqueiro Itamar: Flamengo 3x0.

Dono do jogo, só sendo ameaçados em lançamentos longos e esporádicos, o Flamengo aumentou o marcador aos 18 minutos do segundo tempo. Junior entrou pela direita e centrou para Peu, que, ao tentar um "peixinho", falhou. A bola sobrou para Zico completar, com um chute forte, depois de atravessar toda a pequena área: 4x0.

27 de julho **GOL 582**

ASL-TR.TOB 1X3 FLAMENGO

Então, o Flamengo foi cumprir mais um compromisso internacional, ainda colhendo frutos do título mundial. O Estádio Nacional de Port Of Spain, em Trinidad & Tobago, no Caribe (América Central), recebeu ótimo público, esperando uma ampla vitória flamenguista. Curiosamente, o Flamengo não se encontrava e o primeiro tempo acabou sem gols. E a surpresa maior aconteceu aos 17 minutos da fase final, quando o ASL abriu o marcador! Menos de meia hora para o final do jogo, cujo placar assombrava o mundo futebolístico. Mas, deu tempo. O time brasileiro acordou e virou. O amazonense Jason (pronuncia-se "Jásson") empatou o jogo aos 32 e, um minuto depois, Zico virou. Recebendo bom passe de Junior, na entrada da área, ele, com um chute colocado, no canto esquerdo, fez 2x1 para o Flamengo. O terceiro gol foi do lateral-direito Antunes, que, apesar do nome, não tinha parentesco com Zico.

4 de agosto **GOLS 583 a 585**

FLAMENGO 8X0 MADUREIRA-RJ

A viagem ao Caribe pagou seu preço e, na volta, cansado, o time perdeu para o Americano, pela Taça Guanabara. A reabilitação tinha que vir contra o Madureira, no Maracanã, pela quarta rodada. E como veio! Oito gols, alguns de raríssima beleza, encantaram a torcida, que, claro, perdoou o tropeço anterior. Zico fez três! O Flamengo já vencia por 2x0, gols de Tita e Andrade, quando, aos 26 minutos, ainda no primeiro tempo, o ponta-direita Wilsinho driblou o lateral-esquerdo Lima e cruzou rasteiro para Zico, livre, empurrar para o fundo das redes com a ponta do pé direito: Flamengo 3x0. Com esse gol, Zico atingiu a fantástica marca de 500 gols em sua carreira profissional!

Adílio fez o quarto e, aos 41 minutos, Lico avançou pela esquerda, fez o drible no zagueiro Rogério e cruzou, de pé direito, pelo alto. Zico, na entrada da pequena área, dominou com o pé direito e fuzilou, de pé esquerdo, pelo alto, sem chance para o goleiro Mauro: Flamengo 5x0, placar do 1° tempo.

Como era de se esperar, o ritmo foi diminuído para a fase final, mas não muito. Lico ampliou para seis e, aos 26 minutos, o zagueiro Mozer escapou pelo setor direito de ataque, foi ao fundo e cruzou, à meia altura, para o interior da área. Zico, bem colocado, pegou de primeira, da entrada da pequena área, acertando o canto esquerdo baixo de Mauro: Flamengo 7x0. Um golaço de Tita encerrou a sensacional vitória rubro-negra.

7 de agosto **GOL 586**

SELEÇÃO DO MUNDO 2X3 SELEÇÃO DA EUROPA

E a maratona se intensificava com jogos festivos. Apenas três dias depois, Zico estava no Giants Stadium, em Nova Iorque, nos Estados Unidos da América, para um jogo beneficente, promovido pela F.I.F.A., em prol da UNICEF, órgão da ONU que desenvolve trabalho de amparo às crianças carentes do Mundo. Zico atuou pela Seleção do Mundo contra a Seleção da Europa. Junior, Falcão e Sócrates foram outros brasileiros a atuar. Aos 28 minutos de jogo, ataque da Seleção Mundial e, após jogada do italiano Chinaglia, o mexicano Hugo Sánchez chutou forte a gol. O goleiro italiano Zoff soltou, do que se aproveitou Zico para mandar a bola ao fundo das redes, inaugurando o marcador. Mas, após perderem o primeiro tempo por 2x0, os europeus viraram o jogo na etapa final.

14 de agosto **GOLS 587 e 588**

FLAMENGO 3X0 BOTAFOGO-RJ

Chegou o dia em que Flamengo e Botafogo se enfrentaram pela primeira vez, após o histórico 6x0. O palco foi o mesmo: o Maracanã. O vencedor também não mudou. Logo a 1 minuto do primeiro tempo, Leandro fez ótima jogada, indo da direita para o meio. Passou por dois marcadores e, num passe magistral, descobriu Zico, que fugiu com a bola, pelo meio da zaga adversária, e, na saída do goleiro Paulo Sérgio, chutou firme, rasteiro, no canto direito, inaugurando o marcador.

Aos 44 minutos, Wilsinho fez bela jogada, passando por Abel e Josimar, invadiu a área e driblou Paulo Sérgio, que cometeu pênalti. Zico cobrou firme, rasteiro, no canto esquerdo: Flamengo 2x0. Na etapa final, Adílio definiria a nova goleada sobre os alvinegros.

18 de agosto **GOLS 589 e 590**

FLAMENGO 3X1 VOLTA REDONDA-RJ

Pela sexta rodada da Taça GB, aconteceu o jogo contra o Voltaço, no Maracanã. O começo do Flamengo foi arrasador. Uma bola na trave chutada por Junior, um gol desperdiçado por Tita e dois marcados por Zico. O primeiro, aos 10 minutos, cobrando, no canto esquerdo, uma falta indefensável, sofrida por Junior.

Aos 13 minutos, Zico emendou, de primeira, um cruzamento de Junior, sem chance para o goleiro Leite: Flamengo 2x0. O time da Cidade do Aço descontou e Junior fez o terceiro, já na etapa final. Zico estava a 10 gols da marca de 600 gols na carreira!

21 de agosto **GOL 591**

FLAMENGO 3X2 BONSUCESSO-RJ

O campo do Bangu, no bairro do mesmo nome, foi um terrível adversário para o Flamengo. Aproveitando-se do nivelamento técnico do jogo (por baixo), o Bonsuça deu trabalho e o Fla suou para vencer. No 1° tempo, o time leopoldinense esteve na frente do placar duas vezes. Aos 42 minutos, Wilsinho tabelou com Adílio, foi ao fundo e centrou rápido para Zico, de virada, chutar no ângulo de Jurandir e estabelecer o 2x2. Leandro havia marcado o primeiro do Mengão e, somente a dois minutos do fim do tempo regulamentar, veio o gol da vitória, feito por Adílio.

7 de setembro **GOL 592**

FLAMENGO 3X2 AMÉRICA-RJ

No feriado da Independência do Brasil, o Flamengo conseguiu uma importante vitória sobre o América, no Maracanã. Foi de Zico o primeiro gol do jogo, logo aos 9 minutos. Tita derivou do meio para a direita e passou a Lico, que enfiou a bola para Leandro na ultrapassagem ("overlapping"). O "Peixe Frito" foi ao fundo e cruzou rasteiro para a pequena área. Lico prensou a bola em dividida com Duílio. A bola sobrou livre para Zico que fulminou de perna esquerda, de dentro da área. O goleiro Gasperin só olhou a bola entrar em seu ângulo superior esquerdo. Leandro fez o segundo do Flamengo (o centésimo gol do time no ano) e Tita, o gol da vitória.

23 de setembro

FLAMENGO 1X0 VASCO-RJ

Flamengo e Vasco acabaram empatados na liderança da Taça Guanabara. Fez-se necessário um jogo extra decisivo. Com um gol de Adílio, aos 45 minutos do 2° tempo, quando todos já aguardavam uma prorrogação, o rubro-negro ganhou por 1x0 e, com essa vitória, o Flamengo, que atuou com Cantarele; Leandro, Marinho, Mozer e Junior; Andrade, Vítor e Zico; Lico, Nunes e Adílio, sagrou-se Pentacampeão da Taça Guanabara 1978/79/80/81/82 (o primeiro pentacampeonato da história do futebol do Rio de Janeiro) e vencedor do 1° turno do Campeonato Estadual do Rio de Janeiro 1982.

28 de setembro **GOL 593**
NEW YORK COSMOS-EUA 3X3 FLAMENGO

O Flamengo foi convidado a participar da despedida do futebol profissional do Capitão do Tricampeonato Mundial da Seleção Brasileira em 1970, Carlos Alberto Torres. Ex-jogador do rubro-negro carioca, Torres atuou, nesse jogo, pelo Cosmos, seu último time, e a presença do Campeão Mundial de Clubes foi muito festejada pelos moradores de Nova Jersey, cidade estadunidense que sediou o jogo, no Giants Stadium. No 1° tempo, a superioridade do time brasileiro foi flagrante, com o Mengo abrindo 3x0, fácil! Zico fez o primeiro gol, aos 17 minutos, quando Carpegiani roubou a bola pelo meio e tocou para ele na intermediária. O Galinho de Quintino dominou de esquerda, girou o corpo e disparou, de pé direito, um chute violentíssimo, no canto direito baixo do goleiro Birkenmeyer, com a bola tocando na trave antes de se encaminhar para as redes. Wilsinho e Junior ampliaram o marcador. No 2° tempo, o Cosmos, que atuou reforçado pelos craques Beckenbauer (alemão) e Sócrates cresceu e, contando, inclusive, com dois gols de pênaltis infantilmente cometidos pela zaga rubro-negra, empatou a festa!

2 de outubro **GOLS 594 e 595**
FLAMENGO 3X1 BONSUCESSO-RJ

O 2° turno do Campeonato Estadual do Rio de Janeiro correspondia, a partir desse ano, à Taça Rio de Janeiro. Na segunda rodada, o Flamengo enfrentou o Bonsucesso, no Maracanã. Aos 12 minutos do primeiro tempo, Wilsinho, aparecendo pela direita, tabelou com Adílio, foi ao fundo e cruzou, à meia-altura, para a entrada da pequena área. Zico acertou belo chute, de primeira com a perna direita, no canto esquerdo do goleiro Jurandir: Flamengo 1x0.

Aos 40 segundos do início do segundo tempo, Nunes fez bela jogada pela esquerda e passou a bola para Zico, já dentro da área. O Camisa 10 da Gávea tirou dois zagueiros com um corte para dentro e chutou forte, cruzado, no canto esquerdo, ampliando para 2x0 o marcador. Foi o 300° gol do Galinho no Maracanã. Nunes marcou o último gol do Flamengo neste jogo.

10 de outubro **GOL 596**
FLAMENGO 1X0 BOTAFOGO-RJ

A seguir, mais um confronto contra os botafoguenses, num Maracanã com mais de 80.000 pessoas. Desta vez, não houve goleada. O único gol do jogo saiu aos 31 minutos do primeiro tempo. Andrade roubou a bola pela direita, no setor de defesa do Flamengo, e passou a Zico, que estava no círculo central do campo. O Galinho dominou, conduziu em direção ao campo de ataque e fez ótimo passe para Adílio, aberto na ponta esquerda. O meia rubro-negro recebeu, invadiu a área e rolou, macio, para Zico, já na entrada da área. Este dominou a bola com a perna direita, fazendo-a quicar uma vez e, sem deixá-la cair, acertou um bonito chute, na "cara" dela, à meia-altura, no canto direito do goleiro Luís Carlos. Em três jogos, o Flamengo havia feito 10 gols contra nenhum do Botafogo!

22 de outubro **GOL 597**
RIVER PLATE-ARGE 0X3 FLAMENGO

Paralelamente ao Estadual, o Flamengo começou a luta pelo Bicampeonato da Taça Libertadores da América.

Colocado num grupo de gigantes do futebol sul-americano, o time brasileiro estreou perdendo para o Peñarol, do Uruguai, por 1x0, em Montevidéu. O jogo seguinte, contra os argentinos do River Plate, no Estádio Monumental de Nuñez, em Buenos Aires, tornou-se uma decisão. Na primeira etapa, Lico fez 1x0 para o Flamengo. Aos 4 minutos do 2° tempo, Lico lançou para Zico, na meia esquerda, antes da intermediária de ataque. Ele recebeu, deu um lindo drible para dentro em seu marcador e partiu para o gol. O goleiro Puentedura recuava, correndo de costas para seu gol, olhos em Zico. O Galinho chutou, de longe mesmo, no contrapé do arqueiro portenho, que, desolado, foi buscar a bola nas redes, sem sequer ter esboçado uma defesa: um golaço! Nunes marcou o último gol da histórica vitória do Mengão.

Zico lembra de uma história, que envolveu um futuro titular da Seleção da Argentina: "O Caniggia jogava na categoria de base do River Plate. Ele me disse, anos depois, que assistiu àquele jogo. Ele já tinha ouvido falar de mim, mas depois dessa partida, eu passei a ser o ídolo dele. Também falou que todos torciam para o River e ele torceu para mim."

25 de outubro **GOL 598**

PORTUGUESA-RJ 3X2 FLAMENGO

Três dias depois, tinha jogo pela Taça Rio, contra a Lusinha, na Ilha do Governador. Devido à maratona de jogos e viagens, o técnico Paulo César Carpegiani poupou quatro titulares nesse jogo, mas Zico jogou. E abriu o placar com um gol olímpico, aproveitando-se dos famosos ventos do estádio. Foi aos 32 minutos do 1° tempo. O escanteio foi cobrado pela esquerda do ataque, com o pé direito. O goleiro Jadir não alcançou a bola que fez curva até adentrar as redes. No entanto e apesar do segundo gol, marcado por Nunes (2x1), a Portuguesa se aproveitou do cansaço e do desentrosamento do Flamengo para vencer por 3x2.

28 de outubro **GOLS 599 e 600**

FLAMENGO 5X0 MADUREIRA-RJ

Apesar da derrota anterior, Carpegiani mandou um time misto para Niterói, para o confronto seguinte pelo Estadual contra o tricolor suburbano. Dessa vez, o Mengo, ainda contando com Zico, não decepcionou. Deu uma sonora goleada, que começou com gols de Nunes e Zezé. Aos 39 minutos, ainda no primeiro tempo, o mesmo Zezé cobrou escanteio pela direita. A bola veio alta e cruzou toda a extensão da grande área, chegando aos pés de Marinho, que, de bate-pronto, colocou alto para o meio da pequena área. O goleiro Claudionor falhou e Zico, que vinha por trás, completou de cabeça para o fundo das redes: Flamengo 3x0.

Já no 2° tempo, aos 16 minutos, Leandro, pela direita, fez belo lançamento, pelo alto, na entrada da área, para Zico. De cabeça, Zico serviu a Tita, que, já dentro da área, chutou com a perna esquerda. Claudionor fez bela defesa com o pé direito, mas, no rebote, Zico, livre, de pé esquerdo, completou para o fundo do gol, fazendo 4x0 para o Mengão. Foi o 600° gol da carreira futebolística de Zico, contando desde os tempos de amadorismo. Um gol de Tita encerrou o placar.

2 de novembro **GOL 601**

FLAMENGO 4X2 RIVER PLATE-ARGE

Então, no Maracanã, o Flamengo recebeu o River Plate pelo returno, em jogo válido pela Taça Libertadores da América 1982. No 1° tempo, Tita fez 1x0. Junior aumentou na etapa final. O River diminuiu e, na marca dos 27 minutos,

Junior recebeu um passe na esquerda, iludiu a marcação com um drible de corpo, foi ao fundo pela esquerda e fez o centro, de canhota, para a área congestionada. Zico, bem colocado, por trás de dois adversários, acertou forte cabeçada, por cima do arqueiro Puentedura: Flamengo 3x1. O time argentino descontou de novo, mas um gol de Ronaldo definiu a vitória rubro-negra.

10 de novembro **GOL 602**

FLAMENGO 3X0 AMERICANO-RJ

Já tendo conquistado a Taça Guanabara e, portanto, uma vaga na decisão do Campeonato Estadual, e disputando, paralelamente, a Taça Libertadores, o Flamengo não foi bem na Taça Rio de Janeiro, relegada a segundo plano. Mas, a competição trouxe a realização de um jogo histórico. Era a reabertura para jogos do Estádio da Gávea. E os gols do jogo saíram, todos, no 1° tempo. Nunes fez os dois primeiros e, aos 45 minutos, Wilsinho, em boa jogada, passou por César e, quando se preparava para chutar, foi derrubado por Oliveira, dentro da grande área. Pênalti, que Zico cobrou, com chute forte, no canto direito do goleiro Amauri. Zico dedicou esse gol ao argentino Agustín Valido, ex-ponta-direita do Flamengo, que fez, no estádio da Gávea, o gol do título do primeiro Tricampeonato Carioca do clube, conquistado em 1942/3/4. O eterno ídolo do clube estava na Gávea nesse jogo, então com 68 anos de idade.

13 de novembro **GOL 603**

FLAMENGO 2X1 BANGU-RJ

De volta ao então maior estádio do Mundo, o jogo seguinte foi contra o Bangu, que saiu na frente, segurando aquele 1x0 até o intervalo. Aos 5 minutos da etapa final, no entanto, Zico invadiu a grande área e foi derrubado pelo zagueiro Tecão. Na cobrança do pênalti, sem chances de defesa para o arqueiro banguense Tião, Zico empatou o jogo, para Nunes, vinte minutos depois, decretar mais uma vitória rubro-negra. Foi o último gol de Zico pelo Flamengo em 1982 e o 100° de pênalti em sua carreira.

19 de dezembro **GOLS 604 a 606**

RIO DE JANEIRO 4X3 SÃO PAULO

Era comum, no final ou no início de temporadas, que se organizasse um amistoso entre as seleções carioca e paulista. O Maracanã foi palco de um encontro desses no final de 1982. Zico, é claro, estava lá. Havia, quase sempre, um jogo de compadres para que a festa acabasse empatada, para que não houvesse derrotados. Mas, esse dia acabou diferente. Aos 9 minutos, os paulistas abriram o marcador, com Sócrates. Mas, dois minutos depois, Junior recebeu a bola na intermediária, viu a penetração de Zico e, com a perna esquerda, fez o lançamento perfeito. O chute saiu rasteiro, sem defesa para o goleiro Solito: 1x1. Com gols de Gílson (RJ) e João Paulo (SP), a etapa inicial acabou conforme o *script*: com muitos gols e empatada.

Logo aos 4 minutos do 2° tempo, Paulo Egídio revirou o jogo para São Paulo. Mas, apenas dois minutos se passaram até que Zedílson foi derrubado por Pita dentro da área. Zico cobrou o pênalti com a categoria de sempre: Cariocas 3x3.

Três minutos depois, – aos 9, portanto – Zico apanhou a bola pouco depois da linha divisória do meio-campo, iniciou uma arrancada para a área adversária, seguido por três zagueiros, penetrou e fuzilou no canto esquerdo de Silas, agora no gol paulista. Foi o gol mais bonito do jogo: Rio de Janeiro 4x3.

Quando Zico foi substituído (por Ernani), o nível do amistoso (com outras várias modificações nos dois times) caiu, limitando-se às tentativas da seleção paulista de empatar. Como não conseguiam, o árbitro Pedro Carlos Bregalda resolveu ajudar! Bem perto do final do jogo, ele inventou um pênalti de Perivaldo sobre Paulo Egídio, que João Paulo, no entanto, desperdiçou. Um minuto depois, o goleiro carioca, Gasperin, fez sua parte, cometendo novo pênalti. João Paulo perdeu novamente e, aí, não teve mais jeito: O Rio de Janeiro venceu o embate por 4x3!

Zico foi o artilheiro isolado da Seleção Brasileira em 1982 com 8 gols marcados. Permaneceu como segundo maior da história, atingindo a marca de 60 gols com a camisa canarinho.
E voltou a ser artilheiro do Flamengo em uma temporada. Fez, ao todo, 47 gols para o rubro-negro, totalizando 456 tentos como jogador profissional do clube da Gávea.
Com 59 gols, Zico foi o jogador brasileiro que mais fez gols no ano de 1982.

Zico comemora com Júnior, Éder e Falcão seu segundo gol contra a Nova Zelândia na goleada de 4 x 0, pela copa de 1982 em 23 de junho.

Zico comemora gols pelo Campeonato Brasileiro em 1982.

CAPÍTULO 13

Zico marca o primeiro gol do Flamengo na vitória de 3 x 0 sobre o Santos na decisão do Campeonato Brasileiro em 29 de maio de 1983. O Flamengo seria Tricampeão Brasileiro.

1983

O ano de 1983 foi de grandes mudanças na vida profissional de Zico. No entanto, começou sem dar pistas disso. Pelo Flamengo, de cara, Zico encarou o Campeonato Brasileiro, em busca do tricampeonato. Paulo César Carpegiani ainda era o técnico do Mengão.

23 de janeiro **GOL 607**
FLAMENGO 2X0 SANTOS-SP

A primeira fase foi dividida em grupos de cinco equipes. Logo na primeira rodada, aconteceu um clássico no Maracanã. Baltazar, recém-trocado por Tita com o Grêmio, marcou o primeiro gol do jogo. Depois foi a vez de Zico. Aos 26 minutos do segundo tempo, ele recebeu de Junior no círculo central, avançou pelo meio e abriu na esquerda para Baltazar. O centroavante dominou a bola e a passou mais atrás para Junior, que acionou novamente Zico, na entrada da área. O Galinho de Quintino, de letra, entregou a Robertinho, que vinha pela meia direita. Este recuou para Lico. O ponta matou no peito e deu, então, um belo toque, por elevação, para Junior que, de cabeça, serviu Zico, na altura da marca do pênalti. O Camisa 10 da Gávea, na saída do goleiro Ademir Maria, com um belo toque por cobertura, com o pé esquerdo, fez um golaço, encerrando o marcador: Flamengo 2x0.

30 de janeiro **GOL 608**
FLAMENGO 1X1 MOTO CLUB-MA

Uma semana depois, ainda no Maracanã, o adversário foi o também rubro-negro Moto Club, do Maranhão. A equipe nordestina surpreendeu e saiu na frente. Aos 38 minutos, ainda da etapa inicial, Zico penetrou pelo meio e acionou Vítor, que tentou o passe por elevação a Leandro, mas o zagueiro Sandoval cortou com a mão. Falta marcada na entrada da área. Zico cobrou, de modo fantástico, por cima da barreira, no ângulo direito do goleiro Samuel, empatando o prélio. Todos esperavam a virada e uma vitória tranquila, mas, surpreendentemente, os maranhenses seguraram o empate até o apito final.

3 de fevereiro **GOL 609**
RIO NEGRO-AM 1X1 FLAMENGO

Então, aconteceu a primeira partida fora de casa, no Estádio Ismael Benigno (chamado de "Colina"), em Manaus, Amazonas. O gramado, muito ruim, e as precárias condições do próprio estádio (Os jogadores entraram por um buraco no muro junto com os torcedores!) fizeram a diferença e o Flamengo não passou de um empate. O time do Norte saiu na frente, mas, aos 12 minutos do 2º tempo, Zico fez o segundo gol olímpico de sua carreira, cobrando um escanteio de forma inesperada, surpreendendo o goleiro Tobias.

20 de fevereiro **GOL 610**
FLAMENGO 7X1 RIO NEGRO-AM

A vingança ficou para o jogo do returno, no Maracanã. Empolgados, os amazonenses fizeram 1x0 aos 6 minutos e se empregaram numa defesa forte para tentar manter a zebra. Um gol de Adílio, já ao final da primeira etapa, abriu a porteira. Os rionegrinos nem acreditaram quando foram para o intervalo já perdendo de 3x1, tentos de Robertinho e Leandro! No 2° tempo, aos 20 minutos, Zico deixou sua marca. Tudo começou com Andrade, na meia-esquerda, passando a Baltazar, que, em bela jogada, recebeu na entrada da área, virou e, com um belo toque, serviu a Zico, já no interior da grande área. Mesmo marcado, ele dominou com o pé direito e, com um leve toque de pé esquerdo, entre dois zagueiros, desviou do goleiro Tobias, que caiu para o lado esquerdo, com a bola entrando lentamente no outro lado: Flamengo 4x1. Baltazar e o lateral-direito Cocada, duas vezes, definiram a goleada.

Zico conta um problema de entendimento com Baltazar: "Falava sempre com os atacantes e o Baltazar tinha dificuldade de entender (risos). Segura um pouco a bola, que eu vou chegar. Ele dominava e chutava. Eu dizia: "Pô, Baltazar, espera eu chegar". "Ah, mas você está longe". "Segura 2, 3 segundos. Eu vou chegar". Cheguei a desenhar isso para o Baltazar – aula de geometria mesmo! (risos)"

13 de março **GOLS 611 e 612**

TIRADENTES-PI 1X3 FLAMENGO

Zico só voltou a marcar na estreia do clube na segunda fase do Campeonato Brasileiro. O jogo foi em Teresina, no Piauí, no Estádio Alberto Silva, contra o hoje extinto Tiradentes. O placar foi aberto aos 27 minutos do primeiro tempo por Zico. Junior disputou uma bola com o volante Zuega na intermediária e acabou sofrendo falta. Após cobrar a penalidade para Adílio na intermediária, Zico recebeu a bola de volta, já na entrada da área, de onde acertou um chute, colocado, no canto esquerdo do goleiro Batista: Flamengo 1x0.

Aos 10 minutos do segundo tempo, Zico avançou pelo meio, driblou dois adversários e, da entrada da área, disparou um forte chute, à meia-altura, indefensável, no canto direito do gol adversário: 2x0 para o rubro-negro carioca. O Tiradentes diminuiu, mas um gol de Andrade encerrou o marcador.

21 de março **GOL 613**

FLAMENGO 3X0 AMERICANO-RJ

Pela terceira das seis rodadas dessa fase, o jogo foi contra o Americano, de Campos dos Goytacazes, no Maracanã. Robertinho havia feito os dois primeiros gols do jogo, mas faltava a cereja do bolo. E ela veio aos 43 minutos do 2° tempo, com Vítor avançando pela direita e acionando Junior, que se livrou da marcação, foi ao fundo e cruzou pelo alto para a área, calculado na cabeça de Zico, que, da linha da pequena área, testou firme, no canto direito, à meia altura, para marcar o terceiro e último gol do jogo.

23 de março **GOLS 614 e 615**

FLAMENGO 2X0 TIRADENTES-PI

O jogo seguinte, no Maracanã, contra o Tiradentes, começou com cara de goleada. Logo aos 11 minutos de jogo, Robertinho bateu um escanteio pela direita. A bola veio alta, muito aberta e, da entrada da área, Vitor, de cabeça, passou a Zico, que estava na entrada da pequena área. O Galinho dominou com o pé direito e, mesmo marcado, chutou, com o pé esquerdo, tirando do goleiro Batista, colocando a bola à sua esquerda: Flamengo 1x0.

Aos 27 minutos, ainda do primeiro tempo, o ponta Édson avançou pela esquerda, deu belo drible no seu marcador, foi ao fundo e cruzou, na medida, no primeiro pau, para Zico, já dentro da pequena área, cabecear no ângulo direito, ampliando para 2x0. Mas, ficou nisso. A má atuação derrubou o técnico Paulo César Carpegiani.

11 de abril **GOL 616**

FLAMENGO 2X0 GOIÁS-GO

Carlinhos assumiu o comando do time, mas teve três empates e uma derrota nos primeiros jogos. Veio a estreia na terceira fase do Campeonato Brasileiro, que se deu no Maracanã. Robertinho abrira a contagem, mas o Goiás continuava fazendo jogo duro. Um segundo gol se fazia necessário para evitar um tropeço em casa. E ele veio aos 16 minutos do segundo tempo, quando Adílio, pelo meio, perto da meia-lua, mesmo marcado por dois zagueiros, rolou para Zico, que devolveu para o camisa 8, deixando-o cara a cara com o goleiro. Adílio driblou Édson, mas chutou alto e a bola bateu no travessão. Na rebatida, Baltazar se atrapalhou com a bola, que sobrou para Zico recuar, posicionar o corpo e chutar forte, de perna direita, no meio do gol, definindo o placar. Apesar da vitória, Carlinhos caiu.

17 de abril **GOLS 617 e 618**

FLAMENGO 5X1 CORINTHIANS-SP

Cléber Camerino dirigiu o time interinamente no empate sem gols com o Guarani-SP, em Campinas, e Carlos Alberto Torres, ex-zagueiro do time, assumiu o comando técnico em seguida. A estreia foi num clássico contra o Timão no Maracanã, e não poderia ser melhor. O Flamengo massacrou o Corinthians, com Sócrates, Zenon, Wladimir e Leão, com um show de bola... e gols! Mas, o placar só foi aberto aos 39 minutos de jogo. No lance, Vítor avançou pelo meio e abriu na direita para Leandro. O lateral do Flamengo e da Seleção Brasileira tentou o cruzamento pelo alto, de pé direito, mas a bola bateu em Wladimir. Obediente, ela voltou para Leandro, que, dessa vez, cruzou por baixo, de pé esquerdo. Júlio César Barbosa deu lindo passe, de calcanhar, por cima da zaga corinthiana, para Zico que esticou o pé direito e apenas desviou do goleiro Leão, com a bola entrando à sua esquerda. Um golaço! Flamengo 1x0.

No último minuto do primeiro tempo, após tabela entre Mozer e Adílio, o zagueiro Daniel Gonzales cortou um passe com a mão, ainda fora de sua área. Zico, fugindo ao seu melhor estilo, cobrou forte, rasteiro, no canto esquerdo. Leão, que esperava uma cobrança colocada, foi surpreendido: Flamengo 2x0.

No segundo tempo, o "passeio" continuou. Com gols de Adílio, Mozer e Élder, o Fla chegou aos 5x0, antes de Sócrates descontar. Daí até o final do jogo, quem resolveu aparecer foi o árbitro Roque José Gallas, que anulou dois gols do Flamengo, absolutamente legais!

Zico lembra, às gargalhadas, uma história de superstição do novo técnico: "Na véspera, Junior e eu, devido a compromissos, chegamos quando o resto do pessoal estava aquecendo. Carlos Alberto nos chamou e ficamos conversando. Depois, fomos aquecer e, no jogo, metemos 5x1. No jogo seguinte, quando a turma foi aquecer, ele nos chamou para conversar. Depois, falei para o Junior que ele iria querer fazer isso sempre. 'Na próxima, vamos nos esconder dele.' Chegamos mais cedo e ficamos escondidos lá atrás de umas placas, do outro lado do campo. 'Quando o pessoal começar a aquecer e der a volta, a gente entra no meio.' A turma sabia e ficou rindo ao ver o Torres nos procurando. A gente entrou no meio, mas ele foi lá e nos tirou. Ele veio do Botafogo muito supersticioso. Ele usou a mesma roupa até perder. Falava que usava até a mesma cueca! Eu já o conhecia. Quando eu tinha 11 anos, em 1964, meu irmão Antunes, muito amigo dele, jogava no Fluminense e eu ia ver os treinos e ficava batendo pênaltis com o Carlos Alberto, batendo bola. Morávamos perto e íamos e vínhamos no mesmo carro."

20 de abril **GOL 619**

GOIÁS-GO 1X1 FLAMENGO

Três dias depois, no Serra Dourada, em Goiânia, o retorno contra os alvi-verdes goianos acabou empatado. Zico fez, de pênalti, o gol dos cariocas, aos 40 minutos do primeiro tempo, abrindo o marcador da partida. O lance começou com o meia Élder tabelando com Zico pela meia-direita, invadindo a área e sendo derrubado pelo zagueiro Paulo Nely. Zico cobrou forte, à meia-altura, no canto direito do goleiro Édson, que caiu para o lado esquerdo.

22 de abril **GOLS 620 a 622**

FLAMENGO 7X1 BLOOMING-BOL

Paralelamente ao Campeonato Brasileiro, o Flamengo disputava a Taça Libertadores da América. Num grupo com dois bolivianos (Bolívar e Blooming) e um brasileiro, o Grêmio, de Tita, só o vencedor passaria adiante. O início foi bom, com um empate com os gaúchos no Sul, mas o time trouxe apenas um ponto dos dois jogos na Bolívia, complicando-se. Vencer o Blooming, no Maracanã, era imperativo para manter as esperanças. O jogo, por demais, lembrou o confronto com o Rio Negro, pelo Campeonato Brasileiro. Os bolivianos saíram na frente, marcando um gol com poucos segundos de bola rolando. O empate veio logo e foi o início de uma estrondosa goleada. Robertinho fez os dois primeiros gols do Mengão. O Flamengo já vencia por 3x1, gol de Élder, quando, aos 25 minutos do segundo tempo, Zico avançou pelo meio e rolou para Adílio, que dominou e abriu na direita para Robertinho. O ponta do Flamengo cortou para a direita e cruzou pelo alto para o interior da grande área, onde já estava Zico que, de bicicleta, fez um golaço, chutando para baixo, com a bola entrando sob o goleiro boliviano Terrazas: Flamengo 4x1.

Baltazar fez o quinto e, aos 39 minutos, Gilmar "Popoca" serviu Robertinho na esquerda. Este driblou o zagueiro, foi ao fundo e cruzou, rasteiro, para a entrada da pequena área. Zico se antecipou ao goleiro, driblou-o com o pé direito e, com o gol vazio, completou de pé esquerdo: 6x1.

Por fim, aos 43 minutos, Zico lançou Baltazar pelo meio. O centro-avante partiu, no meio dos zagueiros, mas, na dividida, a bola sobrou para Édson, na ponta esquerda. Ele se livrou de um marcador e cruzou, de perna esquerda, para a entrada da pequena área para Baltazar, que foi derrubado, antes de completar para o gol. Pênalti marcado. Zico cobrou forte pelo alto, no canto direito: Flamengo 7x1.

8 de maio **GOL 623**

FLAMENGO 1X1 VASCO-RJ

O Campeonato Brasileiro encerrou as fases de grupos e iniciaram-se os confrontos eliminatórios. Um confronto regional foi marcado para o Maracanã nas quartas-de-final: Flamengo x Vasco. No primeiro jogo, vitória rubro-negra por 2x1. Por ter melhor campanha, o Flamengo se classificaria até perdendo por um gol de diferença na segunda partida. O Maracanã estava engalanado e com 121.353 espectadores presentes. O Vasco fez 1x0, enervando as expectativas das duas torcidas. Mas, o tempo passava e aquele resultado servia. Com calma e inteligência, o Mengo não se afobou e foi premiado com o gol do empate aos 44 minutos do segundo tempo. Mozer iniciou a jogada pela direita, no setor de defesa, e fez um lançamento longo, na ponta direita, para Élder que, de calcanhar, deu belo passe para Adílio, que se encontrava livre na meia-direita. O "neguinho bom de bola" avançou e, ao invadir a área, na saída de Mazarópi, rolou macio para o meio, onde estava Zico, desmarcado, que só teve o trabalho de empurrar para o gol vazio e comemorar, junto à bandeira de corner, o empate e a classificação. A explicação de Zico é curiosa: "Foi o gol mais fácil que eu fiz em minha vida. Era o Dia das Mães. Como eu não podia beijar minha mãe, beijei a bandeirinha de corner."

12 de maio **GOLS 624 e 625**

FLAMENGO 3X0 ATLÉTICO-PR

A etapa seguinte foram as semifinais, contra o Furacão, do Paraná. Com melhor campanha na fase anterior, o Atlético teve as vantagens de fazer a segunda partida em casa e de jogar por resultados iguais. O primeiro encontro se deu no Maracanã, com 109.819 pagantes. O Flamengo pressionou desde o início, visando obter boa vantagem. Aos 40 minutos do primeiro tempo, o placar foi aberto. Vítor acionou Baltazar pela meia-direita. Este deixou a bola com Junior, que dominou, ajeitou para a perna esquerda e cruzou para a área, pelo alto. O lateral-direito Sóter, que estava na marcação de Zico, rebateu de cabeça para o alto. Na sobra, o zagueiro Flávio tentou afastar, mas a bola foi pelo alto na direção de Júlio César Barbosa, que, de cabeça, acionou Zico na entrada da pequena área. Sem sair do chão, também de cabeça, Zico acertou belo golpe, no canto direito baixo do goleiro Roberto Costa, que nada pôde fazer.

No segundo tempo, Vítor ampliou para o Flamengo. E, aos 16 minutos, Adílio, que estava no campo de defesa, pelo lado esquerdo, acionou Élder pelo meio. De primeira, o meia adiantou a bola até Zico que dominou, avançou e abriu na ponta direita para Robertinho. Ao invadir a área, o ponta foi derrubado pelo lateral-esquerdo Sérgio Moura, após levar o chamado "drible da vaca". Pênalti marcado, que Zico bateu com extrema categoria, com força, no canto esquerdo baixo do goleiro, definindo o bom marcador final para o Flamengo, que teve Mozer expulso de campo.

"Considero que tive uma atuação muito boa.", diz Zico. "Fiz o primeiro gol de cabeça, depois de uma linha de passe com o Júlio César, dentro da área. Foi um bonito gol. No segundo gol, eu dei o passe para o Vítor e, no terceiro, eu meti a bola para o Robertinho que, dentro da área, sofreu pênalti. Bati bem e fiz o terceiro. Logo depois, eu fiz um lançamento, sei lá, de 40 metros, no peito do Leandro, dentro da área, que chutou para o gol, quase fazendo o quarto gol nosso. Foi uma grande vitória e um passo importante pra nossa classificação."

29 de maio **GOL 626**

FLAMENGO 3X0 SANTOS-SP

O Flamengo chegou a mais uma decisão de Campeonato Brasileiro. O adversário seria o mesmo da estreia, o Santos. No jogo de ida, vitória do Peixe por 2x1, em São Paulo. Na volta, Maracanã "entupido" de gente (Público recorde em jogos de Campeonatos Brasileiros: 155.253 presentes!), uma vitória por dois ou mais gols daria o título ao clube carioca. O time paulista jogava pelo empate. Mas, havia algo acontecendo na surdina. O Flamengo já vendera Zico para o futebol italiano, algo que nem passava na cabeça de qualquer torcedor rubro-negro. Além do alto escalão flamenguista, apenas Zico e poucos parentes sabiam. Zico entrou em campo com o coração apertado e querendo, mais do que nunca, conquistar aquele título. O Flamengo começou avassalador. Logo aos 40 segundos de jogo, veio o primeiro ataque, numa trama entre Adílio e Zico. O zagueiro Joãozinho, do Santos, cortou, chutando forte para o alto. No campo de defesa do Flamengo, o zagueiro Figueiredo rebateu para o meio de campo, onde Élder roubou a bola do atacante santista Serginho e tocou para Júlio César Barbosa no círculo central. O lourinho tocou imediatamente mais atrás para Junior, que descobriu Vítor no meio. O volante do Flamengo driblou Pita e, de perna esquerda, descolou ótimo lançamento, na ponta esquerda, para Júlio César. O camisa 11 deu dois dribles desconcertantes em Toninho Oliveira, foi ao fundo e, de perna esquerda, cruzou rasteiro para o meio da área, onde Baltazar, de costas para o gol, foi travado por Joãozinho. Junior pegou a sobra e, de primeira, chutou colocado, para excelente defesa do goleiro Marola. No rebote, Zico, de carrinho, com a ponta do pé direito, empurrou para o fundo do gol: Flamengo 1x0 e delírio no Maracanã. A vantagem do Santos se fora bem rápido. Leandro, após cruzamento de Zico em cobrança de falta, e Adílio, o craque do jogo, completaram a goleada. Com esta vitória, o Flamengo, que atuou com Raul; Leandro, Figueiredo, Marinho e Junior; Vítor, Adílio e Zico; Élder, Baltazar (Robertinho) e Júlio César Barbosa (Ademar), sagrou-se Tri-Campeão Brasileiro 1980/2/3.

"Fiz o 1° gol com 40 segundos de jogo. Jogada do Júlio César pela esquerda que rolou pra trás e, no rebote do chute do Junior, estiquei o pé e fiz o gol. Foi uma loucura (risos). Esse gol foi fundamental, porque a gente precisava fazer logo um gol para igualar com o Santos. Aí, ficou como um 0 a 0. Foi um título especial para mim, porque eu já sabia que estava vendido para a Udinese."

E Zico partiu. Ao final da temporada, apesar de atuar por apenas cinco meses, o Galinho ficou em terceiro lugar na artilharia do Flamengo, com 20 gols. No total, sua gloriosa carreira no clube do seu coração, tão surpreendentemente interrompida, teve 476 gols marcados... por enquanto! Próxima parada: a Udinese, da Itália.

23 de julho **GOL 627**

DISTRITO FEDERAL 3X2 SANTA CATARINA

Antes do embarque definitivo para a Itália, Zico, assim como Rivellino, participou, como convidado, de um amistoso no Estádio Serejão, em Taguatinga, cidade-satélite de Brasília, no Distrito Federal, atuando pelo selecionado local. A partida, que ficou conhecida como "O Jogo da Solidariedade", foi em benefício das vítimas das enchentes que assolaram o Sul do país naquele ano. A Seleção Brasiliense perdia por 1x0, quando, aos 4 minutos do 2° tempo, Zico dominou uma bola, à altura da meia-lua e, mesmo cercado pela zaga adversária, deu uma série de dribles em seus marcadores, até conseguir espaço para chutar, sem defesa para o goleiro catarinense Gílson, empatando o prélio. Foi um belo gol de despedida dos gramados brasileiros... por um tempo.

31 de julho **GOL 628**

UDINESE 3X1 HAJDUK SPLIT-IUG

Foi nesse dia que aconteceu o primeiro gol de Zico defendendo outro time, que não o Flamengo. Num jogo pelo

Torneio Cidade de Udine, no Estádio Friulli, em Udine, sua nova cidade, Zico fez o segundo gol da vitória. O brasileiro Edinho havia marcado primeiro gol dos italianos, quando, aos 42 minutos de jogo, o ponta-direita Causio cruzou, da direita, para a cabeça do zagueiro Tesser, na entrada da área, pela esquerda. Esse tocou curto para o centro-avante Virdis, que, também de cabeça, passou a Zico. Estando de costas para o gol, o Galinho controlou a bola duas vezes com o pé direito, sem deixá-la tocar no gramado e, sem que os adversários esperassem, virou, de repente, e chutou com força, colocando a bola no canto direito do goleiro Pudar, do time iugoslavo. Com esse belo gol, iniciou-se uma nova era.

5 de agosto **GOL 629**

UDINESE 2X1 REAL MADRID-ESP

A Udinese disputou, pelo mesmo torneio, uma partida contra os espanhóis do Real Madrid em Udine. Os visitantes saíram na frente no placar e seguraram o 1x0 até o intervalo. Aos 5 minutos do segundo tempo, o meio-campista Gallego cortou com a mão, um passe de Zico para o italiano Causio. Falta marcada na entrada da área. Zico se encarregou da cobrança, fazendo-a com perfeição, à direita do goleiro Augustín, empatando o jogo. Causio fez o gol da vitória. Com uma vitória por 3x0 sobre o Vasco, do Brasil, na última rodada, a Udinese conquistou esse torneio.

15 de agosto **GOL 630**

UDINESE 3X2 AMÉRICA-RJ/BR

Houve um amistoso contra o América carioca, também no Estádio Friuli. Aos 23 minutos de jogo, Zico fez um passe para Causio, que fugiu pela esquerda e cruzou pelo alto. Zico "voou" e, de cabeça, entre o zagueiro Maxwell e o lateral-esquerdo Aírton, acertou o ângulo superior esquerdo do goleiro Gasperin, para delírio dos torcedores italianos: Udinese 1x0.

21 de agosto **GOL 631**

UDINESE 1X1 BOLOGNA-IT

A primeira competição oficial pelo novo clube foi a Copa da Itália. Zico fez o gol único da equipe no empate com o Bologna, em Udine. Foi aos 5 minutos da etapa final, quando, após cobrança de um escanteio, Zico acertou o ângulo direito do goleiro Bianchi, de cabeça, fazendo 1x0 para a Udinese.

24 de agosto **GOL 632**

COSENZA-IT 1X2 UDINESE

Três dias depois, no Estádio San Vito, na cidade de Cosenza, Zico colaborou na vitória sobre o Cosenza, pela mesma competição, marcando o gol de empate. Foi aos 36 minutos do primeiro tempo, quando o meio-campista Gerolin recebeu pela direita, avançou, tabelou com Causio e cruzou para a área. A zaga rebateu mal e Zico, já na pequena área, aproveitou o rebote, chutando firme, de pé direito, de primeira, no canto direito do goleiro Busi. Na etapa final, Edinho fez o gol da vitória de virada.

31 de agosto **GOL 633**

VARESE-IT 2X2 UDINESE

No último dia do mês, a Udinese ficou num empate de dois gols com o Varese, ainda pela Copa da Itália. O jogo foi realizado no Estádio Franco Ossola, em Varese. A Udinese perdia por 1x0, quando, aos 5 minutos da etapa final, Zico, num sem-pulo sensacional, mandou a bola às redes do time da casa, sem defesa para o goleiro Zunico.

12 de setembro GOLS 634 e 635
GENOA-IT 0X5 UDINESE

Foi, no entanto, no Estádio Luigi Ferraris, da cidade de Gênova, em jogo válido pelo Campeonato Italiano, que Zico conquistaria de vez a torcida com seu futebol. Comandou o time em uma histórica vitória por goleada fora de casa. A Udinese já vencia por 1x0, quando, aos 42 minutos, ainda da primeira etapa, Edinho cobrou falta da esquerda, encontrando o meia-armador Mauro na ponta direita, que tocou rápido para Zico, já dentro da área. Com um belo drible de corpo, ele se livrou do zagueiro Testoni ("que virou 360 graus", lembra Zico) e, de pé esquerdo, acertou o canto direito do goleiro Martina, que nada pode fazer, apesar de ainda tocar na bola: Udinese 2x0.

Aos 44 minutos da etapa final, o show de Zico encantava a todos no estádio, mesmo com o time da casa perdendo de 4x0. Virdis foi derrubado pelo meio-campista Viola, na entrada da área, pelo lado esquerdo. A torcida do Genoa (!!!) pediu Zico! A cobrança da falta foi magnífica, com a bola entrando no ângulo direito do goleiro, que, parado, apenas assistiu: Udinese 5x0, placar final. Zico lembra, emocionado: "Foi a primeira vez que uma torcida adversária me aplaudiu. Foi fantástico!" E, também, pela primeira vez, o Galinho fez mais de um gol em um jogo pelo time italiano.

18 de setembro GOLS 636 e 637
UDINESE 3X1 CATANIA-IT

De volta ao Estádio Friuli, em mais um jogo pelo Campeonato Italiano, uma vitória com mais dois gols de Zico. O Catania saiu na frente com um gol contra do meio-campista Marchetti. Aos 30 minutos do primeiro tempo, Zico avançou pelo meio e foi derrubado na entrada da área pelo zagueiro Cláudio Ranieri. Falta marcada. A Itália toda já sabia o final da história. Zico cobrou no ângulo direito do goleiro Sorrentino, apesar deste ter colocado oito jogadores na barreira, empatando o jogo. O goleiro nem se mexeu.

Aos 17 minutos da etapa final, Mauro recebeu pela direita, invadiu a área, driblou três adversários e cruzou. O zagueiro Giovanelli desviou mal e a bola sobrou para Zico, que, de pé direito, desferiu um chute forte para estufar as redes. Mais um golaço. Udinese 2x1. Marchetti compensaria o gol contra marcando (a favor!) o terceiro gol da Udinese.

25 de setembro GOL 638
AVELLINO-IT 2X1 UDINESE

Uma semana depois, o primeiro gol marcado em uma derrota da Udinese. Foi, ainda pelo Campeonato Nacional, no Estádio Partenio, em Avellino. O time perdia por 1x0, quando, aos 6 minutos da etapa final, Mauro lançou Virdis, que, de primeira, serviu Causio. Este recebeu falta dura na intermediária adversária, cometida pelo zagueiro Vullo, a 95 metros do gol. Ainda assim, seis jogadores formaram a barreira. Zico bateu curto para Causio, que só parou a bola para o próprio Galo, de pé direito, acertar um chute colocado, em curva, da esquerda para a direita, no ângulo superior direito, longe do goleiro Cervone: 1x1.

2 de outubro GOL 639
UDINESE 1X1 VERONA-IT

Nesse jogo realizado em Udine, foi de Zico o gol do empate com o Verona, pelo Campeonato Italiano. Surgiu aos 18 minutos do segundo tempo, quando Gerolin cobrou um lateral, com rapidez, para Marchetti. Este, de primeira, cruzou para o interior da grande área, onde Zico, penetrando entre o meia Di Gennaro e o lateral Ferrone, esticou o pé direito, desviando do goleiro Garella e mandando a bola para o fundo do barbante.

17 de outubro **GOLS 640 a 644**

LUGANO-SUÍÇA 1X6 UDINESE

Em amistoso no Estádio Comaredo, em Lugano, na Suíça, a Udinese aplicou uma goleada no Lugano. Zico fez cinco! O primeiro deles foi de pênalti, aos 7 minutos do 1° tempo. A jogada começou com Causio, que, depois de aplicar dois dribles espetaculares, passou a Zico. O camisa 10, livre na área, foi derrubado pelo goleiro Bernasconi. Pênalti indiscutível! Com um forte chute, à esquerda do goleiro, Zico empatou o jogo: 1 x 1.

O segundo aconteceu aos 19 minutos, já da etapa final. Após receber um passe de Pradella na entrada da área, Zico deu dois dribles desconcertantes em um adversário e, da meia-lua, acertou um chute violento para vencer o arqueiro, que nada pôde fazer. Um golaço!

Aos 28 minutos, Zico, com um belo gol de cabeça, após cruzamento de Virdis, ampliou para 4 x 1. Sacchetti, que substituíra Bernasconi, nada pôde fazer.

Dez minutos depois, Zico marcou mais um. Foi em uma jogada confusa dentro da área do Lugano, na qual, entre muitas pernas, apareceu a de Zico, que chutou para o fundo das redes.

Por fim, Zico encerrou o marcador, com um gol aos 39 minutos. Tesser lançou a bola para a área. A zaga rebateu e a bola sobrou para Zico, que, da entrada da área, deu um lindo toque por cobertura sobre Sacchetti, ampliando o marcador.

23 de outubro **GOL 645**

UDINESE 2X2 INTERNAZIONALE-IT

De volta ao Campeonato Italiano, aos 5 minutos do 1° tempo daquele jogo realizado no Estádio Friuli, Zico abriu o placar do empate contra a Inter de Milão. Na jogada, Mauro cobrou um escanteio curto para Zico dentro da área. O brasileiro aplicou um lindo drible de letra no zagueiro Collovati, que o derrubou, cometendo pênalti. A cobrança foi firme, com a bola entrando no canto direito do goleiro Zenga, que foi para a esquerda.

6 de novembro **GOL 646**

UDINESE 1X0 ROMA-IT

No mesmo local, Zico conquistaria de vez os torcedores de Udine. Há muito tempo, a equipe local não sabia o que era vencer a Roma. Muito menos aquele fantástico time, que contava com os brasileiros Falcão e Toninho Cerezo. E o único gol do jogo só saiu aos 40 minutos do segundo tempo. O goleiro da Udinese, Borin, saiu jogando pela direita com Edinho, que logo passou para Causio. Este ajeitou, atravessou o meio-campo e descolou passe longo, pelo alto, para Zico, na entrada da área. Ele esperou a bola quicar uma vez e, mesmo marcado de perto pelo centro-avante romanista Pruzzo, com o pé direito, acertou chute violento no canto esquerdo, para vencer o goleiro Tancredi. Um gol histórico!

"Ah, esse jogo foi bem emocionante! Foi quando a Udinese venceu a Roma, que era a atual campeã italiana e tinha Cerezo, Falcão, Bruno Conti, Anceloti, Pruzzo e uma porção de craques. Começou com uma grande defesa do nosso goleiro, o Cassette. Ele foi seguro para não sair rápido e foi marcada uma falta. Ele bateu rápido pro Edinho que, em seguida, passou pro Causio. Ele fez um lançamento longo para mim. Eu entrei na corrida e, quando a bola quicou, dei uma pancada, de peito de pé. Foi um golaço! Eu digo, nas minhas palestras, que esse gol passou por todas as linhas do campo. Todos tocaram na bola: o goleiro, o zagueiro, o meia e o atacante (risos). Inesquecível!"

9 de novembro **GOL 647**

UDINESE 1X2 GUADALAJARA-MÉX

Três dias depois, houve um amistoso internacional contra o Chivas mexicano, no Coliseum Stadium, em Los Angeles, E.U.A.. O time perdeu, mas Zico deixou sua marca aos 29 minutos do primeiro tempo. Causio fugiu pela esquerda com a bola e, da linha de fundo, centrou para a grande área. Mauro desviou de cabeça e a bola sobrou para Zico, que, entre os zagueiros, acertou um bonito voleio, estufando as redes de Ledesma, com a bola batendo no travessão, antes de entrar, fazendo 1x0 para a Udinese.

31 de dezembro **GOL 648**

UDINESE 4X1 NAPOLI-IT

E, no último dia do ano, pelo Campeonato Italiano, Zico marcaria um gol na goleada sobre o Napoli, em Udine. O time já vencia por 1x0, gol de Causio, quando, aos 30 minutos, ainda da etapa inicial, Gerolin invadiu a área pela meia esquerda e foi derrubado pelo zagueiro Kroll. Pênalti bem marcado, que Zico cobrou à meia-altura, no canto direito do goleiro Castellini, deslocado para o canto oposto, atingindo a marca de 21 gols pela equipe italiana em 1983. Virdis e Miano completariam os gols da Udinese nesse jogo.

A Seleção Brasileira utilizou, em seus quatorze jogos nessa temporada, apenas jogadores que atuavam em clubes brasileiros. Zico atuou apenas em um jogo, quando ainda era do Flamengo, e não marcou gols, mantendo-se como o segundo maior artilheiro da história, com 60 gols.

Zico marca o primeiro gol na goleada de 5 x 1 sobre o Corinthians pelo Campeonato Brasileiro em 17 de abril em 1983. Neste jogo o Flamengo teve ainda três gols mal anulados. Foi um passeio rubro-negro.

Zico comemorando gols pelo Campeonato Brasileiro de 1983.

CAPÍTULO 14

Zico marca de bicicleta no empate de 3 x 3 entre a Udinese e o Milan em 8 de janeiro de 1984.

1984

Zico passou todo o ano de 1984 atuando na Itália. A saudade dos brasileiros amantes do futebol era grande, porque os jogos da Udinese raramente apareciam na televisão e a Seleção Brasileira estava concentrada apenas em jogadores que atuavam no país. Mas, o povo de Udine não tinha do que reclamar.

8 de janeiro **GOLS 649 e 650**
MILAN-IT 3X3 UDINESE

Pelo Campeonato Italiano 1983/4, um jogo contra o poderoso Milan, que, jogando em sua casa, o Estádio San Siro, na cidade de Milão, abriu o marcador. Mas, aos 40 minutos, ainda da etapa inicial, Marchetti cruzou da direita, pelo alto, para a área. Mauro desviou de cabeça e, ainda pelo alto, Virdis desviou para o meio da pequena área, encontrando Zico que, sem goleiro, chutou forte para estufar as redes, empatando o prélio.

O rubro-negro de Milão marcou mais dois gols, parecendo ter liquidado a fatura. No entanto, já aos 39 minutos do 2º tempo, Zico recebeu um passe pelo meio, avançou e tocou na meia-direita para Causio. O italiano dominou e devolveu a pelota, pelo alto, para o Galinho que virou o corpo e deu uma sensacional pucheta com a perna direita, acertando o canto direito do goleiro Piotti. Um golaço: Udinese 2x3. Para delírio da torcida local, Causio empatou definitivamente o jogo, três minutos depois.

Zico lembra que, indo para o jogo, Causio ficou exaltando o San Siro e dizendo que um jogador para ser grande, tinha que jogar bem lá. Zico, que havia crescido jogando no Maracanã e feito gol em Wembley, não levou muita fé, mas ao final do jogo, perguntou para o companheiro italiano: "E aí? Passei no teste?".

22 de janeiro **GOLS 651 e 652**
CATANIA-IT 0X2 UDINESE

Pela mesma competição, no Estádio Angelo Massimino, em Catania, Zico seria decisivo na vitória sobre o time local. O jogo teimava em um 0x0, quando, aos 25 minutos da segunda etapa, Mauro roubou a bola no meio do campo e lançou para Zico que vinha penetrando pela meia esquerda. Entre três adversários e de fora da área, Zico acertou um chute certeiro e violento no canto direito do goleiro Sorrentino, inaugurando o placar.

No minuto final do tempo regulamentar, Ranieri obstruiu Zico na entrada da área. Falta que Zico cobrou com perfeição, sobre uma barreira de sete integrantes. A bola foi ao ângulo direito de Sorrentino, que não a alcançou. O público local o aplaudiu, e Zico, emocionado, agradeceu.

29 de janeiro **GOLS 653 e 654**
UDINESE 2X1 AVELLINO-IT

Uma semana depois, o Estádio Friuli presenciou mais dois gols de Zico, que levaram a equipe de Udine a mais uma vitória. O adversário até assustou, fazendo 1x0. Mas, aos 20 minutos de jogo, Miano foi derrubado na entrada da área e a falta foi marcada. Zico, embora tenha escorregado no momento da cobrança, conseguiu acertar o ângulo esquerdo do goleiro Paradisi, que foi na bola, mas não conseguiu fazer a defesa: Udinese 1x1.

Aos 32 minutos da etapa final, o centro-avante Mauro, pela meia-esquerda, invadiu a grande área driblando e foi derrubado pelo zagueiro Favero. Pênalti, que Zico cobrou firme, no canto esquerdo, para virar o jogo: Udinese 2x1.

4 de fevereiro **GOL 655**
LECCE-IT 3X5 UDINESE

Depois, houve um jogo amistoso no Estádio Via del Mare, na cidade de Lecce, com muitos gols. Zico, é claro, deixou o dele. Foi aos 19 minutos do 1° tempo, quando recebeu a bola na intermediária adversária, tabelou com Mauro, recebeu na frente, invadiu a área e, na saída do goleiro Pionetti, chutou colocado, no canto esquerdo: 2x0 para a Udinese.

12 de fevereiro **GOL 656**
VERONA-IT 2X1 UDINESE

De volta ao Campeonato Italiano, mais um gol do Galinho, mas que não evitou uma derrota. O jogo aconteceu no Estádio Bentegodi, em Verona. A Udinese saiu perdendo o jogo, mas, aos 8 minutos da fase final, Zico, pela direita, cobrou falta pelo alto para a grande área. Na sequência, Edinho foi derrubado pelo zagueiro Storgato. Pênalti marcado, que Zico cobrou no canto esquerdo, deslocando o goleiro Garella para o lado oposto e empatando o jogo.

19 de fevereiro **GOL 657**
UDINESE 3X1 FIORENTINA-IT

Veio, então, mais um jogo difícil. Este, contra a Fiorentina, em Udine. Após um 1° tempo empatado (1x1), a Udinese começou a pressionar a equipe de Florença, em busca da vitória. Aos 27 minutos daquele 2° tempo, Zico fez um passe para Mauro, que foi derrubado por Passarella na entrada da área, pela meia-esquerda. A expectativa no estádio era grande e Zico não decepcionou. Cobrança à meia-altura, no canto esquerdo inferior do goleiro Galli, que só ficou olhando: Udinese 2x1. Virdis marcou o terceiro, definindo o jogo.

22 de fevereiro **GOLS 658 e 659**
UDINESE 2X0 TRIESTINA-IT

Esse jogo contra o Triestina, no Friuli, valeu pelas oitavas-de-final da Copa da Itália. E começou com jeito de goleada. Logo aos 11 minutos de jogo, Zico recebeu um passe perfeito de Causio no meio do campo, partiu, driblando um adversário e, de pé direito, tocou no canto direito do goleiro Zinetti: Udinese 1x0.

Aos 21 minutos, ainda da primeira fase, Zico marcou em cobrança de falta, ampliando o marcador. A bola descaiu, entrando no canto baixo direito da meta, pegando o arqueiro, que saíra antes, no contrapé. No entanto, o jogo não teve mais gols.

21 de abril **GOL 660**
JUVENTUS-IT 3X2 UDINESE

Zico voltou a marcar neste importante jogo pela 27ª rodada do Campeonato Italiano. O adversário era a "Velha Senhora", que saiu na frente no marcador em seu estádio, o Comunale, de Turim. A Udinese empatou e virou ainda no 1° tempo. Zico fez o segundo, aos 42 minutos. Na jogada, Causio virou o jogo da direita para a esquerda e encontrou Mauro. Este avançou e deu bom passe para o craque brasileiro que, na entrada da área, deu um drible desconcertante no zagueiro Gentile e, de pé direito, tocou, rasteiro, na diagonal, por baixo do goleiro Tacconi. Um golaço! Mas, na etapa final, a Juve revirou e venceu.

29 de abril **GOL 661**

UDINESE 2X0 LAZIO-IT

Dias depois, em Udine, pela penúltima rodada do campeonato, uma vitória sobre os romanos da Lazio. Zico marcou, aos 41 minutos do 2° tempo, o segundo gol. Tudo começou com Causio roubando a bola de Marini, na intermediária de seu campo, avançando e, uma vez no círculo central, antecipando-se à chegada do zagueiro Filizetti e fazendo um passe aberto para a esquerda para Zico, que, livre de marcação, avançou, invadiu a área e, com o pé direito, tocou macio, por baixo do goleiro Orsi, marcando, assim, mais um belo gol e dando números finais ao jogo.

1 de maio **GOL 662**

LUZERN-SUÍÇA 2X3 UDINESE

Zico fez o gol da vitória em um amistoso internacional, em Lucerna, na Suíça. A Udinese vencia por 2x1, com dois gols de Virdis, quando, aos 42 minutos do primeiro tempo, Zico, cobrando uma falta a uns trinta metros do gol, venceu o goleiro Waser com um chute forte: Udinese 3x1. Mais um gol de bela feitura do Galinho de Quintino.

8 de maio **GOL 663**

UDINESE 4X1 BARCELONA-ESP

Sete dias depois, em outro amistoso, uma sensacional goleada sobre os espanhóis do Barcelona, no Estádio Friuli. O gol de Zico surgiu aos 13 minutos da etapa final. Ele roubou a bola do volante Olmo no meio, avançou e dividiu com o zagueiro Miguel. A bola sobrou para Mauro, que acompanhava o lance, na entrada da área. Ele dominou e, na saída do goleiro Artola, tocou para Zico que, com o gol vazio, estufou a rede para fazer 1x0 para a Udinese.

28 de julho **GOL 664**

RAPPRESENTATIVA FRIULI-IT 0X5 UDINESE

Em um amistoso de pré-temporada em Tarvisio, na Itália, Zico fez, de falta, um dos gols da Udinese. O lance ocorreu aos 41 minutos do 1° tempo, quando Gerolin foi derrubado por um zagueiro. Na cobrança, a bola, antes de entrar, ainda "explodiu" no travessão, desceu e bateu nas costas do goleiro Luppoli: Udinese 3x0.

11 de agosto **GOL 665**

UDINESE 1X1 KÖLN-AL.OC.

Já em agosto, na disputa do Torneo Città di Udine, a Udinese empatou com o Colônia, da então Alemanha Ocidental, no estádio Friuli, em Udine. O gol dos italianos saiu aos 8 minutos do segundo tempo, quando Mauro lançou Zico atrás da zaga. O camisa 10 driblou o goleiro Schumacher e, já quase sem ângulo, chutou para o fundo das redes.

Na disputa de pênaltis, o Köln venceu por 4x3, classificando-se para a disputa do título.

13 de agosto **GOL 666**

UDINESE 1X1 MILAN-IT

Pela disputa do terceiro lugar do torneio, no mesmo estádio de Moretti, em Udine, Zico fez, de pênalti cometido pelo goleiro milanês Terraneo sobre Carnevale, que fora lançado por Mauro, o primeiro gol do jogo, aos 36 minutos de jogo. A cobrança foi rasteira, no canto esquerdo. A Udinese ficou no terceiro posto, vencendo a disputa de pênaltis por 9x8. Zico chegou a cobrar duas vezes, marcando em ambas.

22 de agosto **GOL 667**
CAVESE-IT 0X3 UDINESE

Nove dias depois, pela Copa da Itália, uma vitória fácil no Estádio Simonetta Lamberti, em Cava de' Tirreni. A Udinese já tinha feito um gol, quando, aos 40 minutos do primeiro tempo, Selvaggi foi derrubado na entrada da área. Falta que Zico cobrou com extrema perfeição, à meia-altura, à direita do goleiro Moscatelli, ampliando o marcador para 2x0.

29 de agosto **GOLS 668 e 669**
UDINESE 2X1 LECCE-IT

Uma semana depois, o adversário era mais difícil, mas Zico se encarregou de despachá-lo para delírio dos torcedores presentes ao Friuli. A Udinese saiu perdendo, mas, aos 25 minutos do 2º tempo, houve uma falta a favor do time, ao lado da grande área, pela esquerda, sofrida por Mauro. Esperava-se um cruzamento, mas Zico bateu direto ao gol, descaindo. O goleiro Pionetti, surpreso, deu um tapa na bola, quase em cima da linha, mas para seu azar, a bola bateu no meio-campista Orlandi, postado ao lado da trave direita, e entrou: 1x1.

E, a um minuto do fim do tempo regulamentar, Mauro avançou pela esquerda e foi derrubado na intermediária. Falta marcada. Zico cobrou forte e colocado, no canto superior esquerdo de Pionetti, virando o marcador: Udinese 2x1.

9 de setembro **GOL 670**
UDINESE 3X3 SAMPDORIA-IT

Depois, pela mesma competição e no mesmo local, houve um empate com muitos gols contra a Sampdoria. Zico marcou uma vez, aos 40 minutos da etapa inicial. Carnevale foi derrubado na intermediária de ataque. Falta que Zico cobrou "de três dedos", chutando forte no canto esquerdo do goleiro Bordon. Mais um bonito gol do Galinho: Udinese 2x1.

23 de setembro **GOL 671**
UDINESE 5X0 LAZIO-IT

Começou o Campeonato Italiano da temporada 1984/5 e os torcedores de Udine deliraram, em casa, com uma sonora goleada sobre a Lazio, de Roma. Zico, é claro, deixou o dele. Foi o segundo do jogo e do time, aos 35 minutos do primeiro tempo. Na jogada, Mauro recebeu um passe pelo lado esquerdo e serviu Zico no meio. De primeira, o brasileiro deu um belo toque de cobertura para Miano que, também de primeira, devolveu a Zico, já na entrada da área. Ainda pelo alto, Zico fez um passe a Causio, pelo lado direito. De cabeça, o italiano devolveu a bola para o meio, de onde Zico, de bate-pronto, de frente para o goleiro Orsi, mandou para as redes.

Zico lembra que, nesse jogo, ao bater uma falta, sofreu distensão e ficou um mês parado. "Estava chovendo, campo pesado. Eu bati bem forte e doeu tudo." Sobre o gol: "Esse foi um gol bonito prá caramba. Fizemos uma tabela de linha de passe pelo alto de cabeça e eu peguei de primeira de voleio. Foi um golaço mesmo!"

29 de novembro **GOL 672**
UDINESE 2X0 SELEÇÃO DA AUSTRÁLIA

Foi em um amistoso intercontinental que Zico marcou seu último gol naquela temporada. A seleção australiana foi a vítima da vez, no Estádio Friuli. O placar foi aberto aos 15 minutos de jogo, quando Zico recebeu do zagueiro Tesser e, dentro da área, entre três zagueiros, deu um drible curto de futebol de salão e chutou de bico, de canhota, à esquerda do goleiro Pezzano.

Zico terminou 1984 como artilheiro da Udinese, com 24 gols marcados, totalizando 45 pela equipe italiana.

Zico numa arrancada contra o Milan pelo Campeonato Italiano em 8 de janeiro de 1984.

Zico marca de pênalti gol pela Udinese, pelo Campeonato Italiano, temporada 1983/1984.

Zico e Michel Platini em jogo válido pelo Campeonato Italiano 1983/1984 entre Udinese e Juventus em 21 de abril de 1984.

CAPÍTULO 15

Zico pela Udinese no Campeonato Italiano.

1985

O ano de 1985 marcou a volta de Zico ao Flamengo e à Seleção Brasileira, mas isso demoraria uns meses para acontecer. O Galinho de Quintino começou o ano ainda na Udinese, sem saber do aparato que estava sendo criado para tentar seu retorno. Enquanto isso, continuou a desfilar seus gols na Itália.

31 de março **GOL 673**

UDINESE 2X1 INTERNAZIONALE-IT

Foi no Estádio Friuli, em Udine, que Zico fez seu primeiro gol na temporada. O jogo valeu pelo Campeonato Italiano e foi dele o gol do empate (1x1), aos 36 minutos da etapa inicial. No lance, Zico recebeu a bola na entrada da área e foi derrubado pelo zagueiro Ferri. Falta marcada no semi-círculo, que Zico cobrou com perfeição, à meia-altura no canto esquerdo do goleiro Recchi.

5 de abril **GOLS 674 a 676**

BASILIANO-IT 0X5 UDINESE

Nesse amistoso, Zico fez três gols. Basiliano, local do jogo, é uma comuna italiana da região do Friuli-Venezia Giulia, província de Udine, com cerca de 5.000 habitantes. Esse encontro, realizado no estádio Comunale Sompearc, teve a duração de 40 minutos no 1° tempo e 35 no segundo! Aos 15 minutos de jogo, em jogada iniciada junto à bandeirinha de escanteio, Zico abriu o placar, completando, numa linda bicicleta, para as redes do goleiro Tuttino, marcando, assim, o primeiro gol do novo estádio do Basiliano.

No início do 2° tempo, quando a Udinese já vencia por 3x0, um zagueiro local interceptou a bola com a mão. Pênalti, que Zico converteu, aos 5 minutos, deslocando o goleiro.

O jogo se encerrou com o terceiro gol do Galinho. Edinho fez um cruzamento da direita, bem aproveitado por Zico, que se antecipou ao goleiro Mazzorini – que substituíra Tuttino – e a um zagueiro do Basiliano, mandando a bola ao gol: Udinese 5x0 aos 35 minutos.

14 de abril **GOL 677**

JUVENTUS-IT 3X2 UDINESE

No Estádio Comunale, em Turim, houve mais um jogo pelo Campeonato Nacional da Itália. A "Vecchia Signora" vencia por 3x1, quando, aos 45 minutos do 2° tempo, Zico diminuiu. Na jogada, Carnevale recebeu em velocidade e foi derrubado na entrada da área, pela meia direita. Dessa vez, Zico cobrou a falta, batendo de três dedos, com extrema violência, no alto e no meio do gol para fazer um golaço e encerrar o marcador. O arqueiro Bodini não pôde impedir o gol. Foi o 50° gol de Zico pela Udinese.

15 de maio **GOL 678**

VENEZIA-IT 1X4 UDINESE

Depois, Zico só marcaria em amistosos pela Udinese. Nesse jogo, realizado no Estádio Pier Luigi Penzo, em Veneza, foi dele o terceiro gol de sua equipe. Aos 14 minutos da fase final, Mauro arriscou chute de longa distância. A bola desviou em um zagueiro adversário e sobrou para Zico, dentro da área, completar de pé esquerdo para o fundo das redes: 2x0.

16 de maio **GOLS 679 a 683**
MANIAGO-IT 1X11 UDINESE

A Udinese fez muitos gols num amistoso contra o Maniago. O jogo foi no Estádio Toni Bertoli, em Maniago, uma comuna italiana da região do Friuli-Venezia Giulia, província de Pordenone, com cerca de 11.700 habitantes. Logo aos 11 minutos de jogo, Zico recebeu de Gerolin pelo meio, driblou dois zagueiros, invadiu a área e, de pé direito, chutou cruzado no canto direito do goleiro Piccoli, fazendo 2x0 para a Udinese.

O Maniago descontou, mas, Montesano avançou pela meia esquerda e foi derrubado na entrada da área, pela esquerda do ataque. Zico cobrou a falta com categoria, alto, no lado direito do goleiro, e aumentou o placar para 3x1, aos 17 minutos.

Aos 42 minutos, ainda na etapa inicial, o meio-campista Marcolin passou para Montesano, que avançou pelo meio e passou para Zico, na intermediária do ataque. O passe veio um pouco atrás, mas, rápido, o brasileiro puxou a pelota e invadiu a área, ganhou uma dividida e, na saída do arqueiro, tocou em seu contrapé, à esquerda. Um golaço! Udinese 4x1.

Aos 14 minutos do 2º tempo, Selvaggi avançou pela esquerda, foi à linha de fundo e cruzou fechado, alto, para a área. O goleiro conseguiu desviar, fazendo a bola chocar-se com a trave e voltar para a frente. Zico, de pé esquerdo, pegou o rebote e acertou o ângulo superior direito, com um "balaço", fazendo já 8x1 para os visitantes.

Aos 31 minutos, Zico recebeu passe de Miano na entrada da área, driblou um zagueiro e, na saída do goleiro, deu um lindo toque de letra, usando o pé esquerdo para mandar a bola para o fundo das redes. Outro golaço! Udinese 9x1. Esse foi o último gol de Zico com a camisa da Udinese, 11 na temporada, totalizando 56 gols pelo clube italiano.

21 de maio **GOLS 684 e 685**
VERONA-IT 1X6 SELEÇÃO TOP

No estádio Bentegodi, de Verona, Zico, jogando por um selecionado dos destaques do Campeonato Italiano, marcou dois gols em um amistoso contra o Verona, recém-proclamado Campeão Italiano, no campo deste. A Seleção Top teve convidados ilustres, como o escocês Souness, o alemão ocidental Rumenigge, os italianos Zenga, Baresi e Altobelli, e outros. Aos 20 minutos do primeiro tempo, após driblar três vezes o mesmo adversário na entrada da grande área, fingindo que ia chutar, Zico finalizou de pé direito, no canto esquerdo do goleiro Spuri, abrindo o placar. Um gol de placa que valeu o ingresso para cada um dos 32 mil presentes.

Já o segundo, marcado aos 11 minutos do segundo tempo, foi descrito pelo jornal italiano *Corriere dello Sport* como o mais bonito do jogo. O Galinho percebeu o goleiro Garella (que havia substituído Spuri) adiantado, e, da entrada da área, o encobriu. Garella ainda tentou voltar para impedir o gol, mas acabou entrando com bola e tudo. Um gol que mereceu os aplausos da torcida veronese e do próprio adversário.

Zico lembra e conta: "Eu fiz dois golaços. Num dos gols, eu driblei o 10 adversário três vezes. Eu driblava, ele voltava, até ele ficar caído e eu fiz o gol, batendo de fora da área, por cobertura. E o outro, no segundo tempo, eu peguei a bola lá de fora e dei um balãozinho no goleiro Garella. A bola entrou no ângulo direito e ele, depois de pegar a bola, saiu me aplaudindo."

8 de junho **GOLS 686 e 687**

BRASIL 3X1 CHILE

A volta de Zico aos gramados brasileiros aconteceu no Beira-Rio, em Porto Alegre, Rio Grande do Sul. Foi num amistoso da Seleção Brasileira. Aos 35 minutos do 1° tempo, Renato Gaúcho avançou pela ponta-direita, logo após a linha de meio do campo, cortou para o meio, ajeitou a bola e fez um belo lançamento, de pé esquerdo, para Zico, que, entrava na área pela direita, em velocidade, e, dividindo com um zagueiro chileno, chutou de primeira, uma "bomba" de pé direito, à meia--altura. O goleiro Rojas ainda tocou na bola, mas não conseguiu segurá-la e ela foi parar no fundo das redes, no canto direito: Brasil 1x0. Foi o 600° gol de Zico em sua carreira profissional.

Leandro ampliou e, aos 4 minutos da fase final, Sócrates recebeu no meio de campo, avançou e tocou à esquerda para Careca, que, rapidamente, fez o lançamento para Zico. Este, na entrada da grande área, esperou o quique da bola e chutou forte, de pé direito, rasteiro, à direita de Rojas, que já havia saído da pequena área: Brasil 3x0.

16 de junho **GOL 688**

PARAGUAI 0X2 BRASIL

Oito dias depois, pelas Eliminatórias da Copa do Mundo 1986, o Brasil foi ao Estádio Defensores del Chaco, em Assunção, Paraguai, enfrentar a seleção local. Com boa atuação, o Brasil já vencia por 1x0, gol de Casagrande, quando, aos 25 minutos do 2° tempo, Zico fez mais uma obra-prima. Leandro dominou a bola no meio-campo, pela direita, com categoria, avançou e fez o passe para Zico, que já corria para a área. O Galinho, na corrida, percebeu que a bola veio um pouco atrás. Sem diminuir o passo, levantou-a com o calcanhar do pé direito, impulsionando--a para frente e, sem deixá-la bater no chão, chutou no canto esquerdo do arqueiro Almeida, que apenas observou, sem possibilidade de defesa: Brasil 2x0. Um lindo gol, sem dúvidas!

Nas palavras do Galinho: "Aquele gol é típico de caras que estão acostumados a jogar pelada na rua mesmo, né? De mudar na hora aquilo que você estava pensando em fazer, devido às condições de campo e tal. Que você está acostumado a tabelar com a parede, com meio-fio, campo com buraco, sabe onde a bola vai quicar. Aquele campo horroroso do Defensores Del Chaco, que a gente chamava de "Defensores Del Charco" (risos) foi um dos piores campos que nós jogamos. Muito buraco, duro prá caramba, a bola quicava igual a uma peste. Aquele tipo de jogada que eu fazia muito até, com o Adílio. Quando ele pegava esse tipo de bola, eu já corria pelo meio ou pela esquerda. Ele rolava e eu entrava com a bola e sempre procurando entrar no meio dos zagueiros e, ali, foi o Leandro que veio com a bola e eu parti pelo meio e ele enfiou a bola. Ela pegou velocidade, quicou, eu passei da bola e não tive alternativa, a não ser puxar a bola no calcanhar. O zagueiro também não esperava que eu fosse fazer aquilo e ficou meio paralisado. Só deu tempo de eu pegar de primeira, bola no alto, na corrida. Foi um dos gols mais bonitos e mais difíceis que eu fiz na vida. Se eu tentar fazer aquilo de novo, com os mesmos passos, é complicado. Então, foi um gol realmente memorável e uma vitória muito importante, que praticamente nos deu a classificação para a Copa."

Esse foi o último gol de Zico em um jogo de Eliminatórias para Copas do Mundo, totalizando onze gols. Ele era, então, o jogador brasileiro que mais havia marcado em jogos dessa competição.

12 de julho **GOL 689**

FLAMENGO 3X1 SELEÇÃO AMIGOS DO ZICO

Esse dia foi especial para Zico e para a torcida do Flamengo. Após um ousado plano de marketing, Zico retornou ao seu clube de coração e, para marcar sua reestreia, foi programado um amistoso no Maracanã, contra uma seleção de craques. A Seleção Amigos do Zico contou com quinze jogadores com passagem pela Seleção Brasileira, além de Jacozinho, jogador do C.S.A.-AL, do argentino Maradona e do paraguaio Delgado. Empurrado por uma entusiasmada torcida, o Flamengo foi fazendo gols. Primeiro com Tita, depois com Marquinho. Mas, faltava o dono da festa fazer o dele. A expectativa aumentou com a marcação de uma falta pelo lado esquerdo do ataque do Flamengo, ao lado da área, aos 24 minutos da fase final. Zico surpreendeu o goleiro Gilmar, batendo direto ao gol, embora quase sem ângulo. A bola entrou no ângulo superior direito do gol, apesar dos esforços desesperados do arqueiro: Flamengo 3x0. Ele estava de volta!

Zico relembra: "Aquele foi um gol meio que inusitado, parecido com um que fiz contra o Campo Grande em 1982. Sem ângulo, normalmente daquela posição ali, os goleiros esperam que você cruze ou coloque lá no outro ângulo e o Gilmar, eu acho que pensou dessa forma, só que eu bati no canto de cá mesmo e acho que o surpreendi. Quando ele chegou na bola, ela já tinha entrado."

14 de julho **GOL 690**

FLAMENGO 3X0 BAHIA-BA

Apenas dois dias depois, no mesmo local, um jogo pelo Campeonato Brasileiro. O cansaço não afetou o time, que com grande exibição, goleou o tricolor baiano. Foi de Zico o segundo gol, no segundo minuto do 2° tempo. A jogada começou com Chiquinho e Tita tabelando pela meia-direita, já próximo à área. O lance foi cortado com um toque de mão do meio-campista Leandro, do Bahia. Zico cobrou a infração com fantástica categoria, no ângulo esquerdo de Roberto, fazendo Flamengo 2x0.

Zico diz: "Na verdade eu lembro muito pouco desse jogo. Lembro que foi uma cobrança forte, bati bem. Bem depois, eu bati uma falta igualzinha a essa, lá no Japão, contra o Marinos, que, na época, era o Nissan. Foi exatamente assim. Bati algumas faltas como essa durante minha carreira. Firme, no canto alto, por fora da barreira. Contra o América, na decisão de 1974, foi assim também. Eu tinha repertório e treinava muito."

4 de agosto **GOL 691**

C.S.A.-AL 0X4 FLAMENGO

Entre a disputa do Brasileiro e o início do Estadual, o Flamengo viajou pelo país, realizando amistosos. No Estádio Rei Pelé, em Maceió, capital de Alagoas, enfrentou o Centro Sportivo Alagoano. Com uma ótima atuação, o Mengo goleou. Zico, aos 23 minutos do 1° tempo, marcou o terceiro, após o atacante Chiquinho, gingando para cima do zagueiro Vininho, chutar em gol. O chute saiu fraco, mas o goleiro Zé Luís falhou e largou a bola. Zico entrou livre e conferiu.

8 de agosto **GOL 692**

SELEÇÃO DE NATAL-RN 0X1 FLAMENGO

O Estádio Machadão, em Natal, Rio Grande do Norte, veria mais uma vitória do Flamengo. E mais um gol de Zico. Foi o único gol do jogo, acontecido aos

34 minutos da etapa inicial, com Zico surpreendendo o goleiro César com um forte chute de fora da área.

11 de agosto **GOL 693**
BARAÚNAS-RN 2X3 FLAMENGO

Três dias depois, no Estádio Leonardo Nogueira, em Mossoró, interior do Rio Grande do Norte, o Flamengo venceu mais um amistoso. Zico foi quem abriu o caminho, fazendo 1x0 aos 17 minutos de jogo. O lance começou com Élder lançando Andrade, que passou a Zico. Este tocou para Tita, que devolveu a bola para Zico marcar no goleiro Gilberto.

25 de agosto **GOLS 694 e 695**
FLAMENGO 5X0 BONSUCESSO-RJ

Então, começou a participação do Flamengo na Taça Guanabara e no Campeonato Estadual do Rio de Janeiro 1985. O jogo foi realizado no Estádio Caio Martins, em Niterói. O Galinho abriu o marcador aos 16 minutos de bola rolando. No lance, Bebeto foi derrubado por Serjão, na intermediária do Bonsucesso. Tita cobrou a falta em profundidade para Zico, que penetrava pela meia-esquerda. Após dominar o lance, Zico driblou o meia Wescley para dentro, ajeitou a bola e bateu, forte, à direita do goleiro Jurandir.

Já na etapa final, em ataque pela esquerda, Zico dominou a bola na entrada da grande área e cruzou, de esquerda, na direita para Bebeto. Jurandir ficou indeciso na saída de gol. Bebeto recebeu livre e foi derrubado por Serjão. Pênalti claro, que Zico bateu, com categoria, com chute rasteiro, à direita do arqueiro: Flamengo 3x0, na marca dos 16 minutos.

No jogo seguinte, contra o Bangu, Zico foi atingido covardemente no joelho. A forte pancada interrompeu a carreira de Zico por meses.

Zico comemorando gol pela Udinese no Campeonato Italiano.

Com três gols marcados no ano pela Seleção, Zico foi um dos vice-artilheiros do Brasil, ao lado de Alemão e Careca e um gol atrás de Casagrande. Na história, continuava sendo o segundo maior artilheiro, agora com 63 gols, superado apenas por Pelé.
Pelo Flamengo, entre sua volta e a contusão, Zico marcou 7 vezes, acabando o ano na 4ª colocação da artilharia do clube, ao lado de Adílio e Tita. Com 483 gols no total, firmava mais seu posto de maior artilheiro da história do futebol do Flamengo.

CAPÍTULO 16

Sócrates e Zico antes do jogo contra o Fluminense, no Maracanã em 16 de fevereiro de 1986.

1986

O ano de 1986 não foi muito feliz para o Galinho de Quintino no futebol. Ele voltou a jogar e foi convocado para a Seleção Brasileira para a Copa do Mundo, mas, suas condições físicas não ajudaram e teve que se submeter a novas intervenções cirúrgicas, ainda por conta da entrada desleal do jogador do Bangu, no ano anterior. Ainda assim, foi nesse ano que ele nos brindou com duas partidas de gala, uma pelo Flamengo e outra pelo Brasil.

5 de fevereiro **GOL 696**

SELEÇÃO DO IRAQUE 0X2 FLAMENGO

O Flamengo, com Zico de volta e Sebastião Lazaroni de técnico, iniciou a nova temporada com amistosos no exterior e, no dia 5 de fevereiro, estava no Estádio El Shaab, em Bagdá, com 55.000 torcedores presentes, para enfrentar a seleção iraquiana, que se preparava para a disputa da próxima Copa do Mundo. Mostrando desenvoltura para quem estava na pré-temporada, o clube carioca encantou os locais com uma boa exibição. Bebeto abriu o marcador para Zico, aos 25 minutos do 2° tempo, completar. No lance, Júlio César Barbosa tocou para Leandro, que foi à linha de fundo e cruzou. Zico recebeu a bola, ameaçou o chute e, quando o goleiro se atirou, colocou a bola com categoria: Flamengo 2x0. Zico foi aplaudido.

16 de fevereiro **GOLS 697 a 699**

FLAMENGO 4X1 FLUMINENSE-RJ

De volta ao Brasil, um Fla-Flu marcou a 1ª rodada da Taça Guanabara, que correspondia, também, ao 1° turno do Campeonato Estadual do Rio de Janeiro 1986. A torcida teve muitos motivos para comparecer. Além da volta de Zico aos gramados brasileiros, Sócrates estaria em campo, fazendo com o camisa 10 da Gávea, uma dupla de craques, acompanhada do talento do garoto Bebeto. O Maracanã estava lotado com 84.303 pagantes. Numa jogada no início, Zico claudicou e a torcida do Fluminense não perdoou e gritou: "Bichado! Bichado!". Zico nada falou. Aos 10 minutos do 1° tempo, Bebeto foi lançado por Zico na entrada da área e, com a bola dominada, buscou a penetração entre Vica e Ricardo Gomes, que fez o corte. A bola sobrou para Adílio, sem marcação, pela ponta esquerda. Ele cruzou para trás, pelo alto, para cabeçada de Zico nas redes do goleiro Paulo Victor: Flamengo 1x0. O lado tricolor da torcida emudeceu.

Pouco depois, Zico bateu uma falta que, após desviar levemente na barreira, chocou-se contra o travessão. A bola voltou para fora da área, de onde Sócrates finalizou, mas para fora. Aos 44 minutos, de pênalti, o Fluminense empatou e sua torcida voltou a hostilizar o Galinho.

Veio a etapa final e o Flamengo tomou conta do jogo. Zico, Sócrates, Bebeto e Adílio, auxiliados pelos excelentes Leandro e Adalberto, infernizavam a defesa tricolor. Quatro incríveis chances de gol foram salvas. Até que Andrade, em apoio ao ataque, tentou entrar na área, mas foi derrubado, quase junto à linha, na meia-esquerda, por Vica. Zico cobrou a falta, aos 27 minutos, por sobre a barreira, com efeito e violência, colocando a bola à esquerda de Paulo Victor, bem no ângulo, colada na junção entre a trave esquerda e o travessão. O goleiro apenas observou, parado no meio do gol: Flamengo 2x1 e delírio no Maracanã, com a torcida rubro-negra gritando o nome de seu ídolo a plenos pulmões. Foi, sem dúvida, uma das cobranças mais perfeitas de sua carreira. Zico comemorou de braços abertos para o alto, em direção à torcida do Flamengo.

Depois de Paulo Victor salvar o que seria outro golaço de Zico, Bebeto fuzilou-o, mandando mais uma bola para suas redes, aos 30 minutos. O êxtase era total no lado esquerdo das arquibancadas. Mas, a festa ainda não tinha acabado. Aos 34 minutos, o lateral-esquerdo tricolor Branco tentou dar um lençol em Jorginho e os dois caíram junto à área. Bebeto veio na corrida, saiu com a bola dominada, invadiu a área, num lance parecido com o gol anterior, e acabou derrubado por Ricardo Gomes, na cobertura do lance. Zico cobrou o pênalti, já na marca dos 35 minutos, com muita segurança, colocando a bola forte e à meia-altura, à esquerda do goleiro, sem defesa: Flamengo 4x1. Jogo liquidado e, após comemorar com sua torcida, Zico desabafou, gritando palavras impublicáveis para a torcida do Fluminense, que nada mais cantava. Depois, no vestiário, trancado na sala de massagem, Zico chorou muito, por quase dez minutos, emocionado com seu reencontro, de fato, com a torcida, com o Maracanã e com o delírio que seus três gols provocaram. Era o fim de uma angústia que o atormentava desde os últimos meses do ano anterior. Ele declarou após o jogo: "Acho que, hoje, demonstrei que não estava enganando nem a mim nem a vocês, com a insistência de que eu era o mesmo. O dia em que minhas pernas não aguentarem mais, não será preciso ninguém me dizer, eu saberei que chegou a minha hora de parar."

Recordando, hoje, aquele dia, Zico fala: "Aquele jogo teve a história do "Bichado! Bichado!", que foi muito desagradável e aí a torcida do Fluminense pagou pela boca. Foi uma coisa criada pelo Dunshee de Abranches e o Renato Maurício Prado, que colocaram uma página inteira no jornal, dizendo: "Zico bichado". Aí, quando eu entrei em campo, tomei um susto com a torcida tricolor gritando aquilo. Comecei a fazer as coisas e, quando tudo começou a dar certo, eu pensei: "Opa! Hoje é o dia! (risos)" Fiz o primeiro gol de cabeça, numa triangulação bacana comigo, Adílio e Bebeto. Logo depois, cobrei uma falta no canto do goleiro, que explodiu no travessão. Aí, quando teve a segunda falta, já no segundo tempo, para confundir o Paulo Victor, eu pensei: "Vou cobrar lá do outro lado". Coloquei lá e o Paulo Victor não teve reação. Foi um golaço! Logo depois, o Bebeto fez o terceiro e, em seguida, ele mesmo sofreu um pênalti, acho que do Vica. Cobrei à meia-altura, forte, sem chance para o Paulo Victor. Corri pra galera e me vinguei, dentro de campo, da torcida do Fluminense (risos). Foi um jogo especial."

No dia 10 de Agosto, sem Zico em campo, o Flamengo venceu o Vasco, no Maracanã, por 2x0, conquistando o Campeonato Estadual do Rio de Janeiro 1986.

30 de abril **GOLS 700 a 702**

BRASIL 4X2 IUGOSLÁVIA

O técnico Telê Santana acreditou e convocou Zico para a Seleção Brasileira para a disputa da Copa do Mundo do México. Zico, fazendo preparação especial, foi poupado de alguns amistosos. Fez sua estreia com a camisa canarinho, nessa temporada, nesse jogo, no Estádio do Arruda, em Recife, Pernambuco, com 54.249 torcedores presentes. Quem assistiu àquele jogo não esquecerá. Sem saber, Zico marcaria seus três últimos gols pela Seleção. E foi um show! Como cartão de visitas, uma falta cobrada no travessão, com o goleiro Ljukovčan parado, só torcendo com o olhar. Aos 20 minutos, Branco cobrou falta da meia-esquerda para dentro da área. Zico, de costas para o arco, surpreendeu a todos, desviando de calcanhar, em chute enviesado, para as redes do atônito goleiro: Brasil 1x0. E, com esse gol, ele chegou à incrível marca de 700 gols em sua carreira, no total, desde o amadorismo! O bom time iugoslavo acordou e pressionou até empatar a partida.

E a torcida pernambucana ficou muito preocupada, quando, na etapa final, em cobrança de pênalti, os europeus viraram o placar. Mas, Gracan fez pênalti em Mozer. Aos 16 minutos, Zico bateu com categoria, colocando a bola do lado esquerdo do arqueiro Stojic (Ljukovčan saíra machucado), que pulou, convicto, para a direita: 2x2. Mas, a Seleção não jogava bem e era envolvida pelos iugoslavos. A torcida ensaiava vaias para o Brasil. Só que Zico havia reservado o melhor para o final.

Aos 30 minutos, Müller recuperou uma bola na entrada da área, perto da meia-lua, pela meia-esquerda, e a deixou a Zico, que deu um drible de corpo para a esquerda, passando por um zagueiro, partiu para cima do goleiro, que foi fintado de forma idêntica e bateu para o gol, agora escancarado à sua frente, de pé esquerdo, rasteiro. Um autêntico gol de placa para ser visto e revisto para sempre: Brasil 3x2. O narrador Luciano do Valle falou: "Não há palavras para descrever o gol de Zico". Careca faria o último gol do jogo.

"Fiz três gols", lembra Zico, "e um golaço encobriu o outro, né? (risos) O primeiro, de calcanhar, ficou esquecido em função do outro lá. Parece até que é fácil! (risos) Foi um gol de puro improviso. Você não vai preparado, pensando em fazer aquilo. É o recurso no momento mesmo. O Branco cobrou uma falta por baixo, bateu mal na bola, eu antecipei ao goleiro e ao zagueiro e, com habilidade, apenas desviei para o gol, consciente. O último gol foi aquilo, né? Intuição e habilidade. Foi importante, também, a movimentação do Müller, que puxou a marcação de dois zagueiros com ele, abriu um caminho pra mim, que entrei, driblei os dois zagueiros, o goleiro e fiz um golaço. Muito bacana, eu pude ver depois, a narração do Luciano do Valle. Foi muito emocionante. Foi um jogo muito legal para mim, numa época difícil."

No amistoso seguinte, o último antes da Copa, contra o Chile, Zico voltou a sentir o joelho operado. Novo drama começava. Telê manteve Zico no grupo da Copa e ele ainda contribuiu, marcando um dos gols do Brasil na cobrança de pênaltis contra a França, mas a campanha do Brasil não foi adiante.

Com três gols, Zico acabou 1986 em terceiro lugar na artilharia do Brasil. Apenas atrás de Pelé, terminou com 66 gols marcados pela Seleção Brasileira principal. Apenas 20 anos depois, em 2006, portanto, Zico perderia o posto de vice-artilheiro da história do Brasil, quando Ronaldo ("Fenômeno") o ultrapassou em um gol.
Nova cirurgia foi necessária e Zico não voltou a marcar pelo Flamengo naquele ano. Ficou apenas em oitavo lugar na artilharia do clube na temporada, com quatro gols, ao lado de Marquinho, Adílio, Ailton e Jorginho. Mas, inalcançável, brilhava como maior artilheiro da história rubro-negra, agora com 487 gols.

CAPÍTULO 17

Zico comemora com Renato Gaúcho, gol do ponta na vitória de 2 x 0 sobre o Palmeiras pela Copa União, no Maracanã em 7 de novembro de 1987.

1987

O ano seguinte (1987) foi de recuperação e incerteza sobre a volta de Zico aos campos de futebol. No entanto, o Galinho, mais uma vez, venceu os obstáculos e seu futebol voltou a nos encantar. E já voltou com um gol!

21 de junho GOL 703

FLAMENGO 1X1 FLUMINENSE-RJ

A tão esperada volta aconteceu num Fla-Flu, estranhamente marcado para o Estádio Caio Martins, em Niterói, valendo pela Taça Rio de Janeiro e pelo Campeonato Estadual do Rio de Janeiro 1987. Antônio Lopes era o técnico do Flamengo. O estádio lotado viu quando, aos 16 minutos do 1° tempo, Bebeto, pela meia-esquerda, lançou o centroavante Kita, que, na velocidade, ganhou de Rangel e foi barrado pelo zagueiro Alexandre Torres. Pênalti que Zico cobrou, com violência, no canto esquerdo de Paulo Vítor: Flamengo 1x0. Com esse gol, Zico chegou à marca de 18 gols em Fla-Flu's, como profissional, tornando-se o maior artilheiro da história do clássico, até hoje. O Galinho superou Pirilo, centroavante do clube de 1941 a 1947, que balançou as redes tricolores 17 vezes. A vitória não veio, mas a torcida rubro-negra saiu muito feliz com o retorno de seu craque maior.

20 de setembro GOL 704

FLAMENGO 2X1 VASCO-RJ

Zico foi poupado de amistosos que o time fez pelo país para voltar em forma para o Campeonato Brasileiro 1987, a Copa União. E, nesse jogo, válido pela segunda rodada da primeira fase, foi decisivo. Era um Flamengo e Vasco no Maracanã. Carlinhos assumiu o cargo de técnico, no lugar do demitido Antônio Lopes, nesse clássico. O jogo estava disputado e empatado em um gol, quando, perto do final do tempo regulamentar, o lateral-direito vascaíno Paulo Roberto cometeu pênalti sobre Zinho. Zico, sem temor, bateu à direita de Acácio. A bola bateu na trave e entrou: Flamengo 2x1 aos 47 minutos do 2° tempo. E o nome de Zico foi entoado no Maraca.

22 de novembro GOLS 705 a 707

FLAMENGO 3X1 SANTA CRUZ-PE

Zico, como craque que sempre foi, mudou seu estilo de jogo. Não era mais aquele jogador que partia em direção ao gol, com frequência. Passou a comandar cerebralmente o time com passes precisos. Desde que voltara, apenas havia marcado gols de bola parada. Mas, isso iria mudar. Na última e decisiva rodada da fase de classificação do Campeonato Brasileiro, o Flamengo recebeu o tricolor pernambucano, precisando vencer, no Maracanã, para ir às semifinais. O primeiro tempo terminou sem gols, gerando grande expectativa na torcida. Mas, aquele dia seria mágico! Logo a um minuto do reinício, a bola veio da esquerda para a área do Santa Cruz, cruzada pelo lateral-esquerdo Leonardo. O zagueiro

Ivan falhou e Zico entrou, de canhota, para abrir o marcador. A bola entrou rasteira, no canto esquerdo do goleiro Birigüí. Foi o 490° gol de Zico pelo Flamengo. Será que ele atingiria a surpreendente marca dos 500 gols no clube?

O Santa empatou e o relógio corria. Até que, aos 34 minutos, Zinho deu uma série de dribles, pela esquerda, até sofrer pênalti, cometido por Orlando, lateral-direito. Zico bateu rasteiro: bola do lado esquerdo, goleiro do outro: Flamengo 2x1.

A torcida rubro-negra fazia a festa para seu ídolo, mas o melhor estava por vir. Na marca dos 45 minutos, houve uma falta cometida por Ivan sobre o ponta-direita flamenguista Alcindo, pela direita do ataque, lado oposto ao preferido pelo pé direito do Galinho. Surpreendentemente, Zico bateu de curva, com a bola entrando no ângulo, à direita do goleiro, que nem sequer se mexeu: Flamengo 3x1, naquele que foi o 100° gol do time no ano. Mas, o mais importante: o Rei do Maracanã estava de volta!

Assim, Zico se recorda desse dia: "Esse foi outro jogo em que as coisas começaram a dar certo e eu arrisquei de tudo. Fiz uma jogada bonita no 1° tempo, coloquei a bola entre as pernas de um zagueiro, na altura da meia-lua, e chutei forte, mas o Birigüí pegou. Depois, acertei uma bicicleta no travessão. Joguei muito bem. Teve o primeiro gol, no qual, após um cruzamento do Leonardo, a bola sobrou para mim e, de perna esquerda, eu chutei para marcar. O Leonardo ficou emocionado. Estava se firmando no time. Teve o segundo, de pênalti, e o terceiro gol, de falta, que foi uma pintura e que ficou marcado pela diferença que é, né? Foi linda! Aí, teve aquelas histórias do Zé do Carmo (risos), que ficou na barreira, virado para o gol e Birigüí chamou a atenção dele: "Zé, Zé, vira pra lá" e o Zé do Carmo respondeu: "Não, eu também quero ver o gol" (gargalhadas)."

2 de dezembro **GOL 708**

ATLÉTICO-MG 2X3 FLAMENGO

O Flamengo ainda provocava dúvidas sobre sua capacidade. E o adversário, nas semifinais, foi o Galo de Minas Gerais, favoritíssimo da imprensa ao título nacional. No primeiro jogo, no Maracanã, vitória rubro-negra, por 1x0. No jogo da volta, bastava o empate, mas uma derrota por qualquer placar significaria o fim do sonho. O confronto trouxe para a eternidade mais um jogo entre aquelas grandes equipes. Carlinhos mandou o time para frente - nada de jogar pelo empate! E, aos 22 minutos da fase inicial, Zico recebeu a bola na intermediária, lançou Bebeto na ponta direita e acompanhou a jogada. Bebeto cruzou e Zico subiu entre Luisinho e Batista e deu uma certeira cabeçada, para baixo e no canto direito, indefensável para o goleiro atleticano João Leite: Flamengo 1x0. O Flamengo ampliaria, com Bebeto, mas o Mineirão se incendiou com a reação do Atlético, empatando o jogo. Então, Renato Gaúcho, num gol inesquecível, calou o estádio e classificou o Mengão para mais uma final.

Zico lembra: "Todos os jogos, daí para frente, foram muito complicados, porque naquele gol de falta contra o Santa Cruz, na hora da comemoração, eu me empolguei e esqueci que não podia saltar em cima da perna esquerda. Acabei rompendo os pontos da cirurgia que eu tinha feito no joelho. Depois dali, sentia fortes dores em todos os demais jogos. Era um sacrifício mesmo! E aquele jogo foi o pior, porque o jogo contra o Santa foi no domingo e somente no outro domingo houve o primeiro jogo com o Atlético, no Maracanã. Aí, eu tive uma semana cheia pra me tratar. Este com o Atlético no Mineirão já foi na quarta. Eu tive pouco tempo para me recuperar. Acordava às 2 horas da manhã para botar gelo no joelho, lá junto com o Isaías. Torcida do Atlético soltando fogos na frente do hotel, aquelas coisas, né? E, quando chegou no intervalo do jogo, no vestiário, o joelho começou a inchar muito e, no segundo tempo, chegou a um ponto que eu não conseguia mais ter uma boa movimentação com a perna esquerda. Doía muito! Aí, eu tive que sair. Eu tinha feito um gol de cabeça no 1° tempo. Um cruzamento do Bebeto e eu me antecipei como um centroavante e desviei do João Leite. Foi um gol muito importante!"

O goleiro João Leite também lembraria desse jogo, anos depois, em uma entrevista: "Naquele dia, Zico fez um gol de muito oportunismo. Tomei muito gol dele. Ter o Zico como adversário era muito ruim para qualquer goleiro."

6 de dezembro
INTERNACIONAL-RS 1X1 FLAMENGO

13 de dezembro
FLAMENGO 1X0 INTERNACIONAL-RS

Zico não marcou gols nas finais contra o Internacional, mas foi um dos destaques daquela fantástica equipe. No Beira-Rio, um empate em 1x1 e, no Maracanã, uma vitória por 1x0. Os gols do garoto Bebeto colocaram o time no topo do cenário nacional de novo, sob a batuta do seu eterno maestro, agora definitivamente recuperado. Com essa vitória, o Flamengo, que atuou com Zé Carlos; Jorginho, Leandro, Edinho e Leonardo; Andrade, Ailton e Zico (Flávio); Renato Gaúcho, Bebeto e Zinho, sagrou-se Tetra-Campeão do Campeonato Brasileiro 1980/2/3/7, conquistando, com esse último, a Copa União.

Zico e Nunes em 1987.

Zico e Leandro na entrada do time em campo, na decisão Flamengo x Internacional pela decisão da Copa União, em 13 de dezembro de 1987, no Maracanã.

Com seus seis gols marcados no ano, Zico acabou em 5° lugar na artilharia da temporada, continuando como o maior de todos os tempos, agora com 493 gols com o Manto Sagrado do futebol.

CAPÍTULO 18

Zico, pelo Flamengo e Tita, pelo Bayer Leverkusen na Copa Kirin, no Japão em 1988.

1988

Zico começou o ano de 1988 se recuperando. Quando aconteceu um convite para que o Flamengo fosse ao Japão disputar a Copa Kirin, pintou um impasse. O dinheiro era bom, mas o clube estava disputando o Campeonato Estadual do Rio de Janeiro e não podia abandonar a competição. Resolveu-se, então, que um time misto seria mandado, com apenas três titulares no grupo, incluindo Zico, exigência dos orientais. E foi nessa excursão que o Galinho de Quintino voltou a marcar gols e fazer história no Flamengo.

29 de maio **GOL 709**

SELEÇÃO DO JAPÃO 1X3 FLAMENGO

O dia da estreia do time na Copa Kirin chegou. O jogo foi realizado no Estádio Nacional de Tóquio, onde o Flamengo havia conquistado o título Mundial em 1981. A seleção nacional japonesa foi o adversário daquele Flamengo, integrado por dois jogadores emprestados pelo América-RJ, um jogador emprestado pelo Porto Alegre-RJ, além de Márcio e Gilmar, jogadores rubro-negros que estavam emprestados ao América-RJ e à Ponte Preta-SP, respectivamente. O técnico nessa competição foi João Carlos. Foi Zico quem abriu o marcador, em cobrança de pênalti, logo aos 9 minutos da primeira etapa, colocando a pelota à direita do arqueiro nipônico Morishita, que pulou para o lado contrário. Os "americanos" Paulo César e Delacir marcaram os outros gols do rubro-negro.

7 de junho **GOL 710**

FLAMENGO 1X0 BAYER LEVERKUSEN-AL.OC

Depois de empates em 1x1 com o Bayer Leverkusen, da então Alemanha Ocidental, e com a Seleção da China, o Flamengo se habilitou para decidir o torneio em um jogo extra contra a equipe europeia, novamente no Estádio Nacional de Tóquio. Depois de um 1° tempo equilibrado e sem gols, as equipes voltaram para o tempo decisivo. A torcida japonesa vibrou muito quando, aos 10 minutos, Márcio dominou a bola na ponta-esquerda, avançou, conduzindo a bola para o meio, na direção da área, driblou um adversário e passou a Gérson. O meio-campista deixou a bola quicar e, com ela no alto, tocou a Zico, na altura da meia-lua, que, de primeira, sem deixar a bola cair, devolveu a Márcio, já na entrada da grande área. O atacante recebeu, ajeitou e chutou para o gol. A bola quicou e bateu na trave direita do goleiro Vollborn, indo, com efeito, para o lado oposto, onde o centroavante Paloma, na entrada da pequena área, apareceu para, de primeira, cruzar para o meio. Um zagueiro cortou com o ombro. A bola subiu na direção de Zico, que, da entrada da pequena área, concluiu de cabeça, encobrindo zaga e goleiro adversários. A bola ainda bateu na trave direita, antes de ganhar as redes.

Zico se recorda: "O que eu lembro é que houve uma bola cruzada na área e aí aconteceu um bate-rebate, eu estava pela direita e a bola sobrou pra mim no alto. Eu cabeceei cruzado lá do outro lado. Foi um jogo difícil! Eu recebi marcação homem a homem o tempo todo. Quando o Bayer estava com a bola, esse cara não jogava. Só estava em campo para me marcar e fazer faltas. Teve uma hora que eu me irritei, peguei a bola, dei pra ele e disse: "Ó, isso aqui é a bola, é prá jogar, entendeu?" (risos) Por conta dessa marcação, eu avancei, porque não ia aguentar correr o jogo todo com um cara em cima de mim, e recuei um pouco o Gilmar

"Popoca". Aí, no final do jogo, o Cantarele chutou uma bola pra frente, e eu sozinho. Quando eu parti em direção à bola, sofri uma distensão muscular e acabou que não joguei a final do Estadual contra o Vasco."

E, no longínquo Brasil, a torcida rubro-negra vibrava com mais um troféu trazido com a colaboração decisiva de seu maior ídolo. Com essa vitória, o Flamengo, que atuou com apenas dois titulares nesse jogo, sagrou-se Campeão invicto da Copa Kirin 1988, formando com Cantarele; Valmir, Leandro, Gonçalves e Paulo César; Delacir, Gérson, Gilmar e Zico (Jecimar); Márcio e Paloma (Zé Ricardo).

14 de agosto
HUELVA-ESP 0X1 FLAMENGO (0X0)(0X1)

Mais tarde, em uma viagem à Espanha, Zico participou, embora sem marcar gols, da conquista do Troféu Colombino 1988, alcançada com vitórias sobre os espanhóis Real Zaragoza (2x1) e Huelva (1x0, com o gol, marcado por Aldair, saindo na prorrogação). A equipe campeã, então comandada pelo técnico Candinho, formou com Zé Carlos; Jorginho, Aldair, Edinho e Leonardo; Delacir, Luvanor e Zico (Ailton); Alcindo, Bebeto e Zinho.

23 de outubro GOL 711
GUARANI-SP 1X5 FLAMENGO

De volta ao Brasil, iniciou-se o Campeonato Brasileiro de 1988. O começo do Flamengo foi titubeante, e Candinho foi demitido. João Carlos dirigiu o time por alguns jogos até a chegada de Telê Santana. Na estreia deste, um complicado adversário: o Bugre de Campinas. O Estádio Brinco de Ouro da Princesa iria testemunhar, naquele dia, um autêntico show de bola... do Flamengo! Mas, o show e a goleada só vieram na etapa final. O jogo estava 1x1, quando, aos 10 minutos do 2º tempo, Zinho, em uma jogada toda construída pela ponta-direita, passou para o lateral-direito Xande, mais aberto. Este tocou na frente para o meia Luvanor, que foi até a linha de fundo, ganhou no corpo do meio-campista bugrino Boiadeiro e cruzou para o "segundo pau". Zico, na entrada da pequena área, subiu mais que o zagueiro Vágner e cabeceou, no canto esquerdo, encobrindo o goleiro Sérgio Néri: Flamengo 2x1. Alcindo, Aldair e Zinho marcariam mais três gols naquela vitória, iniciada por Sérgio Araújo.

28 de 0utubro GOL 712
FLAMENGO 3X0 CRICIÚMA-SC

Cinco dias depois, o adversário foi o Criciúma, no Maracanã. Bebeto já havia balançado as redes catarinenses duas vezes em jogadas iniciadas por Zico, que jogava uma enormidade. Foi quando, aos 21 minutos da etapa final, Bebeto deu um drible de corpo em Sílvio Laguna e, da linha de fundo, pela esquerda do ataque, rolou para Zico, que chegava correndo. O chute de pé direito do Galinho saiu violento, "de três dedos", sem defesa para Luís Henrique: Flamengo 3x0. O maior estádio do Mundo delirou com mais este belo gol de Zico!

"Eu fiz o terceiro gol", lembra ele. "Esse gol contra o Criciúma, eu comecei o lance e abri na esquerda para o Bebeto. Ele dominou, esperou minha chegada e fez o passe na entrada da área e eu peguei na veia, como se diz. Foi uma pancada forte, lá na "gaveta". Um golaço mesmo!"

9 de novembro GOL 713
CORITIBA-PR 2X2 FLAMENGO (2X2)(3X2)

No Couto Pereira, em Curitiba, pela última rodada do primeiro turno da primeira fase, o Flamengo começou perdendo, com um gol aos 32 minutos de jogo, mas, seis minutos depois, Sérgio Araújo fez um cruzamento da direita para a área. O goleiro Rafael subiu e espalmou. A bola voltou aos pés de Zinho, dentro da área, que recuou para Leonardo, que vinha na corrida. Um chute defeituoso foi, casualmente, na direção de Zico, na altura da marca do pênalti. De calcanhar, ele desviou a bola para o gol. O zagueiro Everaldo salvou, mas a bola voltou para Zico, que, de bico e de pé esquerdo, fuzilou para empatar. Este foi o 600° gol de Zico no Brasil. Bebeto colocaria o Mengão na frente, mas o Coxa empataria de novo. Na disputa de pênaltis, necessária segundo o regulamento da competição, o Coritiba levou a melhor por 3x2.

13 de novembro **GOL 714**

INTERNACIONAL-RS 3X1 FLAMENGO

Pela décima-terceira rodada do Campeonato Brasileiro, a primeira rodada do segundo turno da primeira fase, o Flamengo foi derrotado, no Estádio Beira-Rio, em Porto Alegre. Como consolo, Zico deixou sua marca. O colorado gaúcho já vencia por 2x0, quando, na marca dos 22 minutos, ainda no 1° tempo, Zico, em jogada individual, dominou a bola na intermediária adversária, driblou Luís Fernando, livrou-se da falta de Maurício, penetrou e, com novo drible, dessa vez sobre Nenê, chegou à entrada da área. O chute saiu forte, com direção precisa e entrou no canto superior esquerdo do goleiro Taffarel, sem chance de defesa. Um gol de rara beleza: Flamengo 1x2.

Zico comemora golaço contra o Criciúma pelo Campeonato Brasileiro em 28 de outubro de 1988.

Zico marca de cabeça contra o Bayer Leverkusen, da Alemanha pela decisão da Copa Kirin em Tóquio em 7 de junho de 1988.

Zico encerrou a temporada de 1988 tendo feito 6 gols pelo Flamengo, ocupando a 5ª colocação na artilharia da temporada, ao lado de Renato Gaúcho e Ailton. Na história, já tinha alcançado 499 gols pelo clube de seu coração, sendo, disparado, o número 1.

CAPÍTULO 19

Zico e Alcindo, comemorando a conquista do bi-campeonato da Taça Guanabara, pelo Flamengo, no Maracanã em 1989.

1989

O ano de 1989 foi o último de Zico no Flamengo e no futebol profissional do Brasil. Um ano que o coroaria com títulos, uma marca histórica e um gol inesquecível de despedida.

16 de abril **GOL 715**

FLAMENGO 8X1 NOVA CIDADE-RJ

O primeiro gol do Galinho na temporada aconteceu no Estádio da Gávea, em jogo válido pela penúltima rodada da Taça Guanabara (1° turno do Campeonato Estadual do Rio de Janeiro 1989). O Rubro-Negro, do técnico Telê Santana, dava show e já vencia o Nova Cidade por 6x0, quando, aos 18 minutos da etapa final, Bebeto sofreu pênalti. Como a bola sobrou para Zinho, o árbitro deu continuidade ao lance. Postado quase ao lado da trave, Zinho premiou Zico com a bola para que ele marcasse seu primeiro gol no campeonato. A torcida foi ao delírio. Com seu gol nesse jogo, Zico se tornou o primeiro (e, até aqui, o único!) jogador a marcar 500 gols pelo Flamengo!

23 de abril

FLAMENGO 3X1 VASCO-RJ

No jogo seguinte, uma vitória de 3x1 sobre o Vasco deu ao Flamengo, que atuou com Zé Carlos; Jorginho, Aldair, Zé Carlos II e Leonardo; Aílton (Marquinhos), Renato e Zico; Alcindo (Sérgio Araújo), Bebeto e Zinho, o título de Bi-Campeão, invicto, da Taça Guanabara 1988/9, além de ser o vencedor do 1° turno do Campeonato Estadual do Rio de Janeiro 1989. Os gols do Rubro-Negro foram marcados por Bebeto (os dois primeiros) e Renato.

7 de maio **GOL 716**

FLAMENGO 3X3 BOTAFOGO-RJ

Pela terceira rodada da Taça Rio de Janeiro, correspondente ao 2° turno do Estadual, Flamengo e Botafogo se enfrentaram no Maracanã. Zico abriu o marcador daquele empate de seis gols, aos 18 minutos do 1° tempo, cobrando uma falta da intermediária, sofrida por ele mesmo. A jogada começou com o zagueiro Rogério dentro da área, pelo lado esquerdo, recuando a bola para Zinho. O ponta-esquerda atrasou mais ainda, para o meio, onde Zico apareceu. O craque tentou driblar o volante Luisinho, mas foi parado com falta, na intermediária. A cobrança saiu muito forte, o goleiro alvinegro Ricardo Cruz ficou parado, sem reação, e a bola foi ao ângulo esquerdo, estufando as redes: Flamengo 1x0. A estátua de Zico, que está na sede da Gávea, foi inspirada na comemoração deste gol.

7 de julho **GOL 717**

TORONTO BLIZZARD-CAN 0X2 FLAMENGO

No segundo semestre do ano, o Flamengo, com a presença exigida de Zico, foi ao Canadá para um jogo amistoso, no Estádio Varsity, na cidade de Toronto. O placar final de 2x0 foi estabelecido na etapa inicial. O centroavante Nando, aos 15 minutos, abriu o placar, para Zico, definir a vitória do Mengão, na marca dos 32 minutos de jogo. Ele recebeu a bola na altura da intermediária de ataque, pela direita. O primeiro marcador foi driblado por debaixo das pernas. Zico partiu, então, em uma jogada característica sua, em direção à grande área, driblando, em sequência, outros três adversários, dois dos quais ficaram no chão. Já dentro da área, ante a aproximação de mais dois jogadores do time canadense, tocou sutilmente, com a perna esquerda, à esquerda do goleiro Pat Harrington. Uma pintura de gol!

26 de julho **GOL 718**

BLUMENAU-SC 1X3 FLAMENGO

Em jogo válido pela Copa do Brasil, então em sua primeira edição, o Flamengo foi a Blumenau, Santa Catarina, enfrentar a equipe local, no Estádio do Sesi. O Mengo já vencia por 2x1, gols de Alcindo e Nando, quando, aos 32 minutos do 2° tempo, Zico tocou para o meia Renato, que avançou, atravessou a linha do meio de campo com a bola dominada, até que um adversário chegou trombando com ele, levando-o ao chão. A bola sobrou para o lateral--direito Leandro Silva, que percebeu a penetração livre de Zico e tocou. O camisa 10 da Gávea se aproximou da área e tocou rasteiro, na saída do goleiro Leandro Leal, à sua esquerda, definindo o placar da vitória. No Rio de Janeiro, no jogo da volta, outra vitória por 3x1 classificou o Flamengo para a fase seguinte.

2 de agosto **GOL 719**

FLAMENGO 2X0 CORINTHIANS-SP

Pela fase seguinte, a terceira, um clássico no Maracanã, contra o Timão. Aos 35 minutos do 1° tempo do jogo de ida, Zinho cobrou um corner pela direita. O cabeça-de-área corinthiano Márcio se atrapalhou com seu goleiro Ronaldo e desviou de cabeça para trás. Zico, localizado em frente à segunda trave, apenas testou para baixo e para as redes: Flamengo 1x0. Em lance idêntico, Nando definiu o jogo, cinco minutos depois.

9 de agosto **GOL 720**

HAMBURGO-AL.OC 1X3 FLAMENGO

Antes do jogo da volta contra o Corinthians, o Flamengo arrumou tempo para viajar até a Alemanha Ocidental para a disputa de um torneio tradicional, na cidade de Hamburgo. Na estreia, no estádio Wilhem-Koch, uma vitória sobre a equipe local do Saint Pauli: 2x0. No dia seguinte, veio a decisão contra outro time da cidade, o Hamburgo. Logo aos 13 minutos, Zico colocou o Flamengo na frente: 1x0. E com grande atuação, o Galinho de Quintino comandou a vitória de 3x1. Com essa vitória, o Flamengo, que atuou com Cantarele; Leandro Silva, Gonçalves (Júnior Baiano), Rogério e Leonardo; Ailton, Júnior e Zico (Renato); Alcindo (Marcelinho), Nando (Bujica) e Zinho, sagrou-se Campeão da Bier Cup 1989.

12 de agosto **GOL 721**

CORINTHIANS-SP 4X2 FLAMENGO

De volta ao Brasil, três dias após o último jogo na Europa, o time já estava em campo e para uma partida decisiva! O local foi o Pacaembu, em São Paulo, e valia uma vaga na semifinal da Copa do Brasil. Como havia vencido, na ida, por 2x0, o time carioca poderia até perder por um gol de diferença que se classificaria. Ou até por dois gols, desde que não fosse por 2x0, único placar que levaria a decisão da vaga para a cobrança de pênaltis. O Corinthians incendiou o jogo, abrindo o placar aos 20 minutos de jogo, com um gol olímpico de Neto. Mas, dezessete minutos depois, Zico recebeu na meia-esquerda, logo após o círculo central, driblou o meia Eduardo, avançou, passou pelo atacante Viola e, mesmo marcado pelo volante Márcio, já pela meia-direita, virou o corpo e, de perna esquerda, cruzou para a área. O zagueiro Pinela cortou de cabeça e a bola foi parar na meia-lua, quicou, Eduardo tocou levemente para o alto. Quando a pelota desceu, bateu em Zinho e foi parar nos pés do zagueiro Marcelo Djian, que, já dentro da área, chutou de qualquer jeito para a linha de fundo. A bola sobrou na esquerda para Leonardo, que chegou antes do lateral-direito Wilson Mano. O lateral-esquerdo do Flamengo foi ao fundo e cruzou, pelo alto, na segunda trave. Zico, com uma cabeçada certeira, colocou o balão no canto esquerdo baixo do goleiro Ronaldo: 1x1. Na etapa final, o Timão fez 4x1, mas um gol salvador de Junior, a três minutos do fim, classificou o Flamengo.

13 de setembro **GOL 722**

AMÉRICA DO SUL 3X1 EUROPA

Em setembro, no Estádio Nacional de Tóquio, no Japão, foi disputado um amistoso com os maiores destaques do futebol mundial. A Seleção Sul-Americana entrou com sete brasileiros e quatro argentinos e deu um passeio nos europeus. Dominou o jogo, sobretudo no primeiro tempo. Logo aos 7 minutos, o argentino Valdano, após receber excelente passe de Zico, abriu o placar. Aos 23 minutos, o goleiro Pfaff espalmou para a frente um chute cruzado. Zico recebeu, quase na marca do pênalti, matou a bola com a coxa esquerda e, de perna direita, chutou à direita do arqueiro, que nem esboçou reação, merecendo os aplausos do público de cerca de 40.000 espectadores, fazendo 2x0. No 2º tempo, o também argentino Kempes ampliou para 3x0. Rummenigge, craque alemão ocidental, aos 45 minutos, marcou o gol de honra da Europa.

14 de outubro **GOL 723**

FLAMENGO 2X0 NÁUTICO-PE

Depois daquele gol, Zico só voltaria a marcar pelo Campeonato Brasileiro 1989. O local foi seu estádio preferido, o Maracanã. Valdir Espinosa era o técnico do Rubro-Negro. O jogo estava difícil e o Flamengo só conseguira fazer um gol, de Renato, já na etapa final, quando, a um minuto do término do tempo regulamentar, Leonardo avançou pela lateral-esquerda e cruzou na entrada da área. Zico, que vinha na corrida, chutou forte, de pé direito, surpreendendo o goleiro Mauri, com a bola entrando em seu canto direito: Flamengo 2x0, placar final. Este foi o último gol de Zico no Maracanã, chegando a incrível marca de 335 gols no estádio, como seu maior artilheiro na história. Esta marca persiste até os dias de hoje.

2 de dezembro **GOL 724**

FLAMENGO 5X0 FLUMINENSE-RJ

Com o Flamengo previamente fora da disputa pelo título brasileiro, o Fla-Flu da penúltima rodada foi escolhido como a despedida de Zico do Flamengo em jogos oficiais. O local, surpreendentemente, não foi o Maracanã, mas, sim, o Estádio Municipal de Juiz de Fora, Minas Gerais. E, se aquele dia já era histórico antes de começar, o Flamengo e Zico o tornaram ainda mais inesquecível. Aos 21 minutos de jogo, Aílton, pelo meio, passou para Zico, na entrada da grande área. Ele dominou e aplicou um lindo drible entre as pernas de Donizete Oliveira, que o segurou, cometendo falta. Zico ajeitou a bola. A falta era mais distante e central do que sua preferência, mas Zico cobrou com extrema precisão, no ângulo esquerdo de Ricardo Pinto, que chegou a tocar com a ponta dos dedos na bola. A bola ainda tocou na trave esquerda, antes de morrer dentro do arco. Um lindo gol: Flamengo 1x0. Para coroar mais aquele dia, Renato Gaúcho, Luís Carlos, Uidemar e Bujica elevariam o escore para incríveis 5x0 no tricolor das Laranjeiras! Após o jogo, emocionado, o Galinho declarou: "Há muito tempo, não pegava tão bem na bola!" E, hoje, se recorda: "Nesse jogo, os dois times já estavam eliminados e eu estava organizando uma Copa com meus filhos aqui no Clube da Aeronáutica. Aí, eu pedi para o Espinosa para ir depois para Juiz de Fora. Fiz a entrega dos prêmios e tal e "subi" com eles para o jogo. O time foi de ônibus e eu fui de carro. Não fui dirigindo, mas fui de carro. Acho que foi o Pinheiro que me levou. Cheguei até antes do time e fomos para o jogo. Foi um jogo, até pelas circunstâncias, inesquecível. O gol foi lindo! Foi daquelas cobranças que eu faço por fora da barreira e ela vai no ângulo. O Ricardo Pinto chegou a tocar na bola, mas não evitou o gol. Bati forte. Além do gol, fiz um lançamento, sei lá, de 30 metros pro Renato fazer o segundo gol, depois eu saí."

Com esse gol, Zico chegou à marca de 19 gols em Fla-Flu's, como profissional, confirmando-se como o maior artilheiro da história do clássico, até hoje.

Palavras do goleiro Ricardo Pinto, em 2013: "Tentei armar a barreira de forma diferente para dificultar, mas era o Zico. Ele bateu, eu toquei na bola, que bateu na trave e entrou no outro lado. Ele disse que foi um dos gols de falta mais bonitos da carreira. Calhou de ter sido eu. Na época, disseram que eu tinha orgulho de tomar gol do Zico. Não foi bem assim. Não tenho nenhum orgulho de tomar gol, mas tive muito orgulho de ter enfrentado o Zico. Nunca escondi que sempre fui fã dele", disse o ex-goleiro.

E foi uma goleada histórica, que veio para diminuir a tristeza que passou a habitar os corações dos aficcionados do Flamengo. "E agora como é que eu fico, nas tardes de domingo, sem Zico no Maracanã? E agora, como é que eu me vingo de toda derrota na vida, se a cada gol do Flamengo eu me sentia um vencedor?", cantou Moraes Moreira.

Junior e Zico recebem homenagem em 1989.

Zico marca de falta no empate de 3 x 3 com o Botafogo pelo Campeonato Carioca em 7 de maio de 1989.

Zico, com os nove gols marcados na temporada, ficou apenas na sexta posição dos artilheiros do Flamengo em 1989, mas, completou sua história com incríveis 508 gols, mais do que o dobro do segundo maior artilheiro rubro-negro, seu antigo ídolo, Dida!

CAPÍTULO 20

Zico no Maracanã, pelo Madureira Máster contra um combinado Alemão Máster em 1990.

1990

A carreira profissional de Zico acabara... por um tempo! Mas, naquele momento, nem o próprio Galinho de Quintino sabia da reviravolta que iria ocorrer em sua vida. Enquanto isso, Zico aceitou participar de uma seleção brasileira de ex-jogadores (categoria máster). Houve um torneio, chamado de Copa do Craque, e Zico continuou fazendo o que sabia: marcar gols!

17 de janeiro **GOL 725**
BRASIL 2X1 POLÔNIA (MÁSTERS)

Em 17 de Janeiro de 1990, no Estádio do Canindé, em São Paulo, marcou o primeiro gol do Brasil na vitória de 2x1 sobre a Polônia, aos 16 minutos de jogo. No lance, Zico recebeu de Wladimir na entrada da área, livrou-se dos zagueiros Janes, Wojeieck, Wawrowsld e do goleiro Tomazezczs e rolou macio para o fundo das redes, pra marcar um golaço.

24 de janeiro **GOL 726**
BRASIL 5X0 HOLANDA (MÁSTERS)

Zico voltou a marcar na decisão, contra a Holanda, no Pacaembu, também na capital paulista. Foi dele o primeiro gol na goleada canarinho, surgido logo aos 2 minutos, quando Éder avançou pela esquerda e lançou por trás da zaga, na entrada da área, para Cláudio Adão. O centroavante dominou, saiu da marcação do zagueiro Hovenkamp e passou para Zico, no lado direito. O Galinho dominou e tocou rasteiro no canto esquerdo do goleiro Doesburg.

6 de fevereiro
FLAMENGO 2X2 WORLD CUP MÁSTERS

Veio o dia 6 de Fevereiro de 1990, um dia que ficou marcado para Zico. Num Maracanã abarrotado de gente (89.622 espectadores), um amistoso para marcar definitivamente sua despedida da camisa oficial do Flamengo. Como adversário, um time formado por craques nacionais e internacionais, uma verdadeira Seleção do Mundo! No 1° tempo (0x0), atuaram jogadores do time do Flamengo Campeão Mundial de 1981(Raul (Cantarele); Nei Dias, Leandro, Marinho e Junior; Andrade, Adílio e Zico; Tita, Nunes e Lico) e, no 2° tempo (2x2), o time de 1990, reforçado pelo Galinho (Zé Carlos; Aílton, Leandro (Júnior Bahiano), Fernando e Leonardo; Junior (Uidemar), Edu, Zico e Zinho; Renato Gaúcho e Bujica). O jogo acabou aos 44 minutos do 2° tempo, logo após a "saída" de Zico, que atuou muito bem, mas não marcou gols.

22 de fevereiro **GOLS 727 e 728**
AMÉRICA DO SUL 4X2 EUROPA (MÁSTERS)

Desde a conquista do Mundial de 1981, o Japão se apaixonara por Zico. Isso aumentou com a conquista da Copa Kirin, em 1988. O país asiático resolveu promover um amistoso entre másters da América do Sul e da Europa e, claro, Zico estava lá. Foram dele dois gols da vitória sul-americana por 4x2, no Estádio Nacional de Tóquio. No primeiro, marcado aos 26 minutos da etapa final, quando a Europa vencia por 2x1 (gols de Altobelli e Hansi Müller contra um de

Sócrates), Éder avançou pela esquerda e lançou Zico pela meia-direita. Este dominou na entrada da área e, de pé direito, colocou no canto esquerdo do goleiro belga Pfaff, empatando o jogo.

A América do Sul passou à frente com um gol de Kempes e, na marca dos 37 minutos, Zico recebeu lindo passe pelo meio do cabeça-de-área Batista, avançou e na saída do arqueiro Schumacher, que substituíra Pfaff, bateu colocado no canto esquerdo do goleiro alemão, para fazer 4 a 2 e fechar o placar.

22 de abril **GOL 729**

SELEÇÃO DO BRASIL 1X0 SELEÇÃO DE BRASÍLIA-DF/BR (MÁSTERS)

Depois, houve um outro compromisso pelos másters do Brasil, realizado no Estádio Mané Garrincha, na Capital Federal. O gol único do jogo, de Zico, surgiu aos 33 minutos da etapa final, quando ele recebeu belo passe de Paulinho, se livrou do zagueiro Gilvan e chutou forte no canto esquerdo do goleiro Bocaiúva.

1 de junho **GOL 730**

ITÁLIA-1982 1X9 BRASIL-1982

Seguindo seu amor pelo futebol, Zico continuou a desfilar pelo Mundo. No Estádio Adriatico-Giovanni Cornacchia, em Pescara, na Itália, participou com um gol na "vingança" da Copa de 1982. Foi aos 37 minutos do 1° tempo. Falcão recebeu passe de Roberto "Dinamite" e tocou por cima da zaga na entrada da área para Zico, que dominou e, de pé direito, chutou forte, no canto direito, sem defesa para o goleiro Galli, fazendo 3x1.

3 de junho **GOL 731**

SELEÇÃO DO MUNDO 4 X 4 SELEÇÃO DA ALEMANHA OCIDENTAL (MÁSTERS)

Dois dias depois, na cidade de Innsbruck, na Áustria, Zico voltou a marcar. Fez um gol neste empate, em jogo que serviu de despedida para o alemão Hansi Müller.

2 de julho **GOLS 732 a 735**

EUROPA 10X7 AMÉRICA DO SUL (MÁSTERS)

Outro jogo entre másters sul-americanos e europeus aconteceu em Roma, na Itália, no pequeno Estádio Flaminio. Apesar de Zico ter feito quatro gols, os sul-americanos foram derrotados por 10x7. Seus gols saíram aos 20 e 35 minutos da primeira etapa e aos 3 (empatando o jogo em 6x6) e 20 minutos da fase final. Cesar Menotti, técnico campeão do mundo pela Argentina em 1978, foi o treinador do time sul-americano nesse jogo.

GOLS 736 a 738

O ano não acabaria antes de mais três gols de Zico. Em 30 de Setembro, Zico vestiu uma nova camisa, a do Madureira, do Rio de Janeiro. Foi num jogo, no Maracanã, no qual os másters do tricolor suburbano derrotaram o Sttutgart da Alemanha, da mesma categoria, por 4x2. Zico fez um gol.

Ele também marcou um gol pela Seleção da SAFERJ contra uma seleção máster do Rio de Janeiro (vitória de 4x1 no Estádio Caio Martins, em Niterói) e outro pela Seleção de másters do Brasil na vitória de 6x1 sobre uma seleção da mesma categoria do Amapá. Este jogo, realizado no dia 17 de Outubro, aconteceu no Zerão, estádio da cidade de Macapá.

Com esse gol, Zico totalizou 14 gols marcados no ano de 1990, nesse intervalo de sua carreira profissional.

Zico com os irmãos Tunico (a esquerda) e Edu (a direita), futuro craque do América, no quintal de casa em 1959.

Zico no time do Juventude em 1964, outro time de futebol de salão de Quintino. Zico é o segundo agachado da esquerda para a direita.

Zico com seu pai, seu Antunes, e o irmão Edu, 1958.

CAPÍTULO 21

Arte sobre a carreira de Zico.

1991

Veio o ano de 1991 e, de cara, a realização de uma Copa do Mundo máster, nos Estados Unidos da América. Em três jogos realizados no Joe Robbie Stadium, da cidade de Miami, três gols de Zico.

22 de janeiro **GOL 739**

BRASIL 2X1 ITÁLIA (MÁSTERS)

Contra a Itália, seu gol, marcado aos 33 minutos da segunda etapa, foi o da vitória por 2x1. Em jogada pessoal, Zico foi entrando pelo meio, chutou e aproveitando o rebote do goleiro Coparoni, mandou para o fundo das redes.

24 de janeiro **GOL 740**

BRASIL 4X0 URUGUAI (MÁSTERS)

O Uruguai caiu de goleada, em jogo válido pela semifinal do torneio. E Zico fez o último gol do jogo, aos 37 minutos do tempo final, de pênalti, sofrido por César, após ser lançado, invadir a grande área e acabar derrubado por Villasán. Penalidade que o Galinho cobrou com perfeição, sem chances de defesa para o goleiro Carrabs.

27 de janeiro **GOL 741**

BRASIL 2X1 ARGENTINA (MÁSTERS)

E, na decisão, contra a Argentina, seu tento saiu aos 42 minutos do 2° tempo. A jogada desse gol começou pela ponta-direita, com César "Maluco" cruzando alto na área. O goleiro Gatti saiu para fazer a defesa, mas o zagueiro Ruiz se antecipou e atrapalhou seu companheiro. A bola, desviada, foi para o meio da área, e Zico, rápido, antecipou-se ao meia Squeo para tocar por cobertura, de pé direito, e fazer o gol do título. "Foi um golaço de cobertura.", diz Zico. "Acho que o goleiro era o Gatti. Foi engraçado porque eu estava com uma distensão muscular e fiquei de fora dos primeiros jogos da primeira fase. Aí, no jogo contra o Uruguai, a gente precisava ganhar e eu entrei machucado mesmo, fiz o gol, vencemos e passamos de fase. Aí, contra a Argentina, eu entrei e estava 1x1. Fiquei na frente, só tocando e tal. Aí, sobrou a bola pelo alto e eu me antecipei e toquei por cima do Gatti, de pé direito de curva, bola difícil, foi lá no ângulo. Bonito gol mesmo."

20 de abril **GOL 742**

SELEÇÃO DO BRASIL 6X1 VARIÉTES-FR (MÁSTERS)

Notícias sobre a volta de Zico ao profissionalismo começavam a pipocar, mas, antes de se concretizarem os rumores, o Galinho fez mais quatro gols na categoria máster. Marcou um gol em Brasília, no Estádio Mané Garrincha, na vitória da Seleção por 6x1 sobre o time do Variétes, da França.

30 de maio **GOL 743**

AMIGOS DE CABRINI-IT 7X5 SELEÇÃO DO MUNDO (MÁSTERS)

Zico fez um gol pela Seleção do Resto do Mundo na derrota por 7x5 para um combinado italiano, em Cremona, em 30 de Maio (aos 33 minutos da etapa inicial, fazendo 3x4), na despedida do futebol do lateral-esquerdo italiano Cabrini.

1 de junho **GOL 744**

GENOA-IT 3X4 COMBINADO BRASILEIRO (MÁSTERS)

E mais um gol foi marcado por Zico, dessa vez atuando por um Combinado de Brasileiros, na vitória de 4x3 sobre o Genoa, em Gênova, Itália. O Galinho fez, de pênalti, 16 minutos do 2° tempo, colocando no placar daquele momento, 4x0 para os brasileiros.

15 de junho **GOL 745**

FLAMENGO 1X1 SELEÇÃO DA SAFERJ (MÁSTERS)

Quatorze dias depois, Zico voltou a fazer gol pelo Flamengo, pelos másters, no empate de 1x1 com a Seleção da SAFERJ, no Estádio da Gávea.

Então, estourou a bomba no mundo esportivo! O Japão, através do clube Sumitomo, anunciou a contratação de Zico, como jogador profissional, para ajudar o clube e o futebol do país a se desenvolver. O show iria continuar! Foi no dia 18 de maio de 1991 que Zico, então com 38 anos, assinou contrato com o Sumitomo Metal Industries para ser jogador (e técnico dentro de campo, também!) daquela equipe japonesa, que disputava a segunda divisão do país e almejava grandes coisas. Pelo Sumitomo, atuava o também brasileiro Mílton Cruz, ex-Botafogo e Internacional. O contrato previa duração até 1994 e a primeira partida de Zico pelo novo clube seria em julho. O Galinho voltou ao Brasil, fez alguns jogos exibições, preparou malas e partiu para o Oriente, onde recomeçou a marcar gols. Vivia-se uma era pré-internet, e saber notícias vindas do outro lado do planeta não era fácil. A televisão também não tinha ampla cobertura internacional e os raros dados apurados sobre esse período serão aqui narrados.

26 de julho **GOL 746**

SUMITOMO 2X1 YAMAHA-JAP

Era a estreia esperada. E já valeu taça! O Sumitomo enfrentou o Yamaha, venceu por 2x1 e faturou a Copa Yamaha, com direito a um gol de Zico! E foi de falta. A infração foi cometida do lado esquerdo do ataque e Zico, com a camisa azul com detalhes brancos do Sumitomo, bateu forte, à meia altura à direita do goleiro adversário. Este tocou na bola, mas não evitou que ela se encaminhasse às suas redes. Era o primeiro gol da nova era profissional de Zico.

31 de julho **GOLS 747 e 748**

SUMITOMO 4X4 ANA ZENIC-JAP

Cinco dias depois, Zico marcaria duas vezes no empate de oito gols contra o Ana Zenic. Um gol em cada tempo. No seu primeiro gol, penetrou driblando e tabelando até colocar a bola à esquerda do goleiro.

Depois, para delírio dos torcedores presentes, um tradicional gol de falta, da esquerda do ataque para o ângulo superior direito do gol.

4 de agosto **GOL 749**

SUMITOMO 5X0 SELEÇÃO DE HOKKAIDO-JAP

Seguiam os jogos pelo Japão e, nessa goleada em um jogo amistoso, Zico marcou mais um gol para sua carreira.

18 de agosto **GOLS 750 e 751**

SUMITOMO 4X2 MITSUBISHI-JAP

Estreando na Copa do Japão, dois clubes representantes de fortes empresas japonesas se degladiaram. Essa competição era disputada em jogos eliminatórios, incluindo clubes das primeira e segunda divisões do futebol nipônico. O Mitsubishi, time pertencente à divisão principal, fazendo valer seu favoritismo, fez 2x0. Mas o Sumitomo tinha Zico! Aos 19 minutos, ainda na primeira etapa, o craque brasileiro matou a bola no peito, na coxa direita, esperou a bola quicar e pegou, de esquerda, forte e indefensável, diminuindo o marcador.

Dois minutos depois, Jonas, ex-juvenil do São Paulo, empatou, após receber passe de Zico. E a primeira fase terminou em 2x2.

Aos 18 minutos do 2º tempo, Zico deu dois cortes em um adversário e chutou seco no canto para virar o marcador: Sumitomo 3x2. Aos 26, Zico driblou três adversários, inclusive o goleiro, e cruzou, da linha de fundo, para Tikisu marcar o 4x2 final.

Cerca de 3.000 pessoas foram ao estádio, e os jornais deram muito destaque ao jogo, fato incomum no Japão da época. Em apenas quatro jogos, Zico havia marcado importantes gols, classificando a equipe para a fase seguinte da Copa do Japão. Logo recebeu a alcunha de "Presidente da bola".

7 de setembro GOL 752

SUMITOMO 5X0 OTSUKA-JAP

Nessa goleada, valendo pela Campeonato Japonês da Segunda Divisão, Zico marcou um gol.

14 de setembro GOL 753

SUMITOMO 1X0 TOKYO GAS-JAP

Foi do Galinho o gol único dessa nova vitória do Sumitomo, pela mesma competição.

18 de setembro GOL 754

SUMITOMO 2X3 TOHO TITANIUM-JAP

Aqui, ainda pela Série B japonesa, Zico marcou seu primeiro gol em uma derrota do seu novo time. O adversário era conhecido pelo nome abreviado de Totita. Apesar desse resultado negativo, o Sumitomo chegou ao dia 29 de Setembro como o líder do Campeonato Japonês da Segunda Divisão.

10 de outubro GOL 755

SUMITOMO 3X1 CHUO BOHAN-JAP

Mais um gol consignado pelo Azul e Branco do Japão por aquela competição.

16 de outubro GOL 756

SUMITOMO 2X0 NTT-JAP

As vitórias se sucediam... e os gols de Zico também. Aqui, mais um foi contabilizado. Zico era o artilheiro com três gols, onze desde que chegou ao Japão.

19 de outubro GOL 757

SUMITOMO 1X2 FUJITSU-JAP

Nesse jogo, o gol de Zico não impediu a derrota.

27 de outubro GOL 758

SUMITOMO 4X1 KOSMO-JAP

Pela 11ª rodada do Campeonato Japonês da Segunda Divisão, cerca de três mil torcedores assistiram à goleada sobre o Kosmo, que manteve o Sumitomo na liderança isolada, com 22 pontos ganhos em onze jogos (cada vitória valia três pontos), três a mais que o Fushito, do também brasileiro Pita, ex-São Paulo. O Galinho fez um bonito gol de falta, deu passes para outros dois e mandou duas bolas na trave! Em sete jogos na competição, Zico já tinha sete gols marcados, contra nove do artilheiro do campeonato, Eliel, outro brasileiro, que vinha atuando desde a primeira rodada. Koshiro abriu o placar aos 5 minutos de jogo. Um minuto depois, Zico, de voleio, carimbou a trave adversária. Aos 16, depois de driblar dois jogadores do Kosmo, sofreu a falta que converteu em gol. No terceiro gol, Zico tabelou com Jonas e deixou Fujishiro na cara do gol para marcar. O quarto gol, marcado aos 28 minutos do segundo tempo, foi de Zico, mas creditado a Karo!

30 de outubro **GOLS 759 e 760**
SUMITOMO 4X0 KOFU- JAP

Nesse jogo, Zico fez dois gols. Com nove gols, em 4 de Novembro, era o artilheiro do time na competição.

9 de novembro **GOL 761**
SUMITOMO 5X4 NIPPON UNIVERSITY- JAP

O eterno Camisa 10 da Gávea marcou mais um na chuva de gols ocorrida nessa peleja.

26 de novembro **GOL 762**
SUMITOMO 1X0 KYOTO- JAP

Nesse dia, ao marcar o gol da vitória sobre o Kyoto, Zico igualou um recorde: fez gols em nove jogos consecutivos! O outro recordista, Vágner Lopes, do Hitachi, jogava na Divisão Principal. Foi o décimo gol de Zico na competição, agora liderando a artilharia da Série B do Campeonato Japonês, ao lado de Eliel, do Yanmar. Após 14 rodadas, o Sumitomo liderava o primeiro turno, ao lado do Fujita, com 31 pontos cada. O Tokyo Gas vinha em terceiro. O Sumitomo já se garantira na Primeira Divisão japonesa do ano seguinte!

30 de novembro **GOL 763**
SUMITOMO 2X0 YOMIURI JUNIOR- JAP

Quatro dias depois, num sábado, Zico conseguiu mais um recorde em sua carreira. Ao marcar no jogo contra o Yomiuri, Zico fez o décimo gol em dez jogos consecutivos, ganhando, com isso, um troféu, instituído pela Federação Japonesa, e assumindo a artilharia do campeonato, com 11 gols. O gol foi marcado de pênalti, batido à esquerda do goleiro, que ainda tocou na bola.

Encerrou-se, assim, o primeiro turno do Campeonato Japonês da Segunda Divisão daquela temporada, com o Sumitomo dividindo a liderança com o Fujita, com 34 pontos ganhos cada, seguido, no terceiro posto, pelo Yanmar, com 28. O segundo turno só seria disputado em 1992.

Zico encerrou 1991 com 18 gols marcados pelo Sumitomo.

Zico brincando com a bola nas ruas de terra batida de Quintino em 1965.

Zico aos 5 anos de idade em casa em Quintino, 1958, subúrbio do Rio de Janeiro.

Zico, dona Matilde, Edu e os filhos de Edu, na casa de Quintino, 1976.

Os irmãos Tonico, Zico, Edu, Antunes e Nando, 1969.

CAPÍTULO 22

Zico no Kashima Antlers do Japão.

1992

Após curtir as férias com a família e amigos no Brasil, Zico voltou ao Japão para a sequência da temporada, agora no ano de 1992.

15 de janeiro **GOLS 764 e 765**

SEL. SHIZUOKA-JAP 2X2 SEL. SUL-AMERICANOS-JAP

Antes do reinício do Campeonato Japonês da Segunda Divisão, Zico disputou um amistoso por uma seleção de jogadores sul-americanos radicados naquele país asiático, contra a Seleção de Shizuoka, naquela cidade japonesa. Foi de Zico a autoria dos dois gols de sua equipe no empate de 2x2.

19 de janeiro **GOLS 766 e 767**

SUMITOMO 4X0 YOMIURI JUNIOR-JAP

Quatro dias depois, em Kashima, recomeçando a temporada de jogos oficiais, uma goleada, valendo pelo Campeonato Japonês da Segunda Divisão, com dois gols do Galinho de Quintino, um deles em cobrança de falta.

2 de fevereiro **GOLS 768 e 769**

SUMITOMO 3X0 TOKYO GAS-JAP

Naquele domingo, o público de Kashima presenciou mais uma vitória ampla do time da cidade, com mais dois gols de Zico.

8 de fevereiro **GOLS 770 e 771**

TOHO TITANIUM-JAP 0X5 SUMITOMO

De dois em dois, Zico ia aprimorando seu faro de artilheiro. Agora, a vítima foi o Totita, na cidade de Hiratsuka. Um dos gols dele foi em uma cobrança de falta.

8 de março **GOLS 772 e 773**

SUMITOMO 2X1 NTT-JAP

Após um jejum de um mês, Zico voltou a marcar duas vezes. Foram os gols da vitória sobre o NTT Kanto, em Kashima. O Sumitomo seguia bem no campeonato, em busca da ascensão à Primeira Divisão.

15 de março **GOL 774**

SUMITOMO 2X1 KOSMO-JAP

Sete dias depois, nova vitória em casa, dessa vez contra o Kosmo, com um gol de Zico.

22 de março **GOL 775**

KOFU-JAP 0X3 SUMITOMO

Por fim, com um gol de Zico, o Sumitomo goleou o último adversário, fora de casa, na cidade de Kofu, e definiu sua classificação para a Divisão Principal do Campeonato Japonês da próxima temporada. A contratação de Zico surtira o efeito desejado. Zico terminou a competição como artilheiro, tendo marcado 21 gols em 21 jogos! E o Galinho de Quintino já tinha 28 gols marcados pelo Sumitomo.

30 de maio **GOLS 776 e 777**

SEL. SUÍÇA 3X6 SEL. MUNDO (MÁSTERS)

No intervalo entre as temporadas, Zico ainda cumpriu um compromisso festivo, atuando por uma seleção máster do Resto do Mundo contra a Seleção da Suíça da mesma categoria, em Sion, naquele país europeu. O Estádio Tourbillon foi testemunha de dois gols do Galo na vitória dos visitantes por 6x3.

Nesse ínterim, houve uma mudança no futebol japonês. Os times não mais poderiam usar os nomes de empresas. E o Sumitomo Metals Industries mudou seu nome para Kashima Antlers, que em português, em uma tradução livre, poderia significar "As Galhadas de Antlers", numa referência aos cornos do cervídeo, símbolo do clube, cuja imagem aparece em seu escudo.

4 de julho GOL 778

SANFRECCE HIROSHIMA-JAP 2X1 KASHIMA ANTLERS

O primeiro gol de Zico, agora no seu time de nome novo, foi em um amistoso na cidade de Hiroshima. Seu gol, em cobrança de pênalti, não impediu a derrota de sua equipe.

25 de julho GOL 779

KASHIMA ANTLERS 1X1 GAMBA PANASONIC-JAP (1X1)(3X2)

O Kashima foi à cidade de Fukuoka disputar a Meiers Cup e, na estreia, empatou com o Gamba Panasonic, com gol de Zico. Na disputa de pênaltis, o Kashima saiu vitorioso por 3x2. Zico fez um.

9 de setembro GOL 780

KASHIMA ANTLERS 4X3 YOMIURI VERDY KAWASAKI -JAP

Zico não atuou no mês de agosto, recuperando-se de uma contusão, mas voltou para a disputa da Copa Nabisco. E fez um gol na vitória sobre o Yomiuri Verdy (hoje Tokyo Verdy), colocando 3x2 para seu time no placar de então, aos 5 minutos da etapa final. O jogo foi realizado no Estádio Nacional de Tóquio.

23 de setembro GOL 781

KASHIMA ANTLERS 3X4 YOKOHAMA MARINOS -JAP

Dias depois, no mesmo local e pela mesma competição, uma derrota amenizada por mais um gol de falta do Galinho. A infração foi cobrada pela direita da grande área, mas Zico bateu com curva, fazendo a bola passar pelo lado de fora da barreira e retornar, indefensável, para o fundo das redes do Marinos. O goleiro até foi nela, mas a bola foi bem no ângulo superior esquerdo de seu arco. Um golaço, fazendo 3x2 para o Kashima, aos 13 minutos do 2º tempo.

3 de outubro GOL 782

NAGOYA GRAMPUS EIGHT-JAP 1X7 KASHIMA ANTLERS

Em outro jogo, ainda pela Copa Nabisco e realizado no Paloma Mizhuo Stadium, em Nagoya, o time de Zico não perdoou seu anfitrião e enfiou 7x1. Zico fez o seu, em mais uma cobrança perfeita de falta, colocando 4x1 no marcador, na marca dos 27 minutos da segunda etapa.

11 de outubro GOLS 783 a 785

SANFRECCE HIROSHIMA-JAP 0X3 KASHIMA ANTLERS

Alguns resultados ruins, deixaram o Kashima com uma dura missão para se classificar ao quadrangular final da Copa Nabisco. Teria que golear o Sanfrecce (ex-Mazda), em Hiroshima, o mesmo adversário e local da derrota num amistoso, em 4 de julho. Mas o público presente ao West Hiroshima Stadium viu uma exibição de gala de Zico. Ele abriu a contagem aos 12 minutos do 1º tempo.

Ampliou para 2x0 aos 8 minutos da fase final, quando recebeu um passe de cabeça, pelo alto, já dentro da área. O brasileiro não deixou a bola cair e, num sem-pulo sensacional, marcou o gol, com um chute forte, que fez a bola passar entre as pernas do goleiro.

Por fim, aos 18 minutos, Zico fez o que seria o gol da classificação, após receber um passe pelo alto, enquanto penetrava na área pela meia-esquerda. O goleiro saiu desesperado em sua direção e Zico matou a bola com o pé direito, provocou um quique da mesma e, consertando o corpo, colocou a bola por sobre o arqueiro. O estádio aplaudiu... e muito!

Com seis gols marcados, Zico era o vice-artilheiro da competição e o Kashima Antlers passou de fase, na quarta colocação.

Zico com a mãe, dona Matilde Coimbra, na quadra do River em 1974.

6 de dezembro **GOL 786**

KASHIMA ANTLERS 2X1 YANMAR DIESEL-JAP

O último gol do ano foi em jogo válido pela Copa do Imperador, no Estádio Ningineer, na cidade de Matsuyama. Zico marcou uma vez, ajudando a vitória de sua equipe, ao fazer 2x0 com 12 minutos de bola rolando.

Assim, Zico marcou 23 gols em 1992, sendo 19 pelo Sumitomo/Kashima (total de 37 gols pela equipe japonesa), tendo atingido o recorde de gols em partidas seguidas no Campeonato Japonês 1991/2, com 11 gols em 10 jogos sequenciais!

CAPÍTULO 23

Zico comemorando gol pelo Kashima Antlers do Japão.

1993

No ano seguinte, o Fluminense, do Brasil, foi ao Japão para dois jogos contra o Kashima Antlers, valendo a Pepsi Cup. No primeiro jogo, aconteceu um empate em 1x1, em Tóquio. No jogo seguinte,...

4 de maio **GOL 787**

KASHIMA ANTLERS 2X0 FLUMINENSE-RJ/BR

Cerca de quinze mil pessoas compareceram ao jogo que marcava a inauguração do novo estádio da cidade, o Kashima Soccer Stadium. E o primeiro gol da nova praça de esportes foi dele, Zico. Foi um gol feito em um chute de voleio, já no 2º tempo, de fora da área, no goleiro Ricardo Pinto, o mesmo que havia levado o último gol do Galinho pelo Flamengo. A bola veio da esquerda, pelo alto. Zico não deixou a bola bater no chão e pegou de primeira, de perna esquerda! Alcindo, outro ex-jogador do rubro-negro carioca, marcou o segundo gol, definindo a vitória do Antlers e a conquista da Pepsi Cup.

"Eles queriam um time brasileiro para inauguração do estádio do Kashima. Fizeram contato com a Federação Carioca, que sugeriu o Fluminense. O meu gol foi bacana. O Honda meteu a bola para a área e nós tínhamos um atacante que subia muito, o Hasegawa. Depois do Rondinelli, foi o cara que vi melhor subi para a bola. Ele desviou a bola de cabeça e ela sobrou para mim na meia-lua. Peguei de perna esquerda, no alto, no canto, e tivemos muitas chances de ampliar, mas ficamos nos 2x0. Nosso domínio foi enorme e o placar não diz o que foi o jogo. Quando estava 0x0, eu dei uma bola para o Alcindo, que entrou livre e perdeu o gol. Nós tínhamos nossa fotógrafa oficial, a Yumi. Ela usava uma lente enorme! Aí, quando o Alcindo perdeu o gol, eu, chateado, dei um bico na bola de pé esquerdo, foi direto na "cara" dela! Ela desmaiou, coitada! Quando entramos no vestiário, ela estava com a cara toda roxa! Que situação! Fiquei louco com aquilo, fiquei mal. A Yumi é gente boa!"

16 de maio **GOLS 788 a 790**

KASHIMA ANTLERS 5X0 NAGOYA GRAMPUS EIGHT-JAP

A estreia no Campeonato Japonês foi no mesmo estádio, que tinha capacidade para 15.000 pessoas e estava lotado, doze dias depois, contra o time do inglês Gary Lineker. Zico e Alcindo acabaram com o adversário. A goleada começou aos 25 minutos do 1º tempo, com um gol de Zico, em chute de fora da área, após rebote da zaga.

Cinco minutos depois, em uma cobrança perfeita e indefensável de uma falta, ele mesmo ampliaria a vantagem: Kashima Antlers 2x0.

Alcindo ampliou aos 8 minutos da fase final e Zico, aos 15, com um gol de voleio, colocou 4x0 no marcador. Outro gol de Alcindo, aos 19 minutos, encerrou o placar do jogo.

Esse início arrasador mudou até a rotina de Zico no Japão, como ele nos conta:

"No começo, os torcedores me cumprimentavam respeitosamente, à distância. Um ou outro pedia autógrafo. A partir desse momento, foi uma loucura! Eram crianças, jovens e adultos que queriam autógrafos e, também, fotos ao meu lado."

7 de agosto **GOL 791**

YOKOHAMA MARINOS-JAP 1X1 KASHIMA ANTLERS (1X1)(0X0)(8X7)

No segundo jogo pelo Campeonato Japonês, Zico sofreu uma distensão na coxa direita, aos 18 minutos do jogo em que seu time venceu o AS Flügels por 3x2. Após a recuperação, voltou a jogar e marcou de novo nesse jogo, realizado no Nippatsu Mitsuzawa Stadium, em Yokohama, já no segundo semestre. O gol saiu aos 30 minutos da primeira etapa, quando Zico completou um cruzamento de Koga, que recebera passe de Alcindo, fazendo 1x0 para o Kashima Antlers. No 2° tempo, o Marinos empatou e não houve gols na prorrogação. Na disputa de pênaltis, o time da casa venceu por 8x7.

25 de agosto **GOL 792**
KASHIMA ANTLERS 4X3 SANFRECCE HIROSHIMA-JAP

De volta ao Kashima Soccer Stadium, uma vitória num jogo cheio de gols contra o Sanfrecce Hiroshima, também valendo pelo Campeonato Japonês. Zico, claro, deixou o dele, empatando o jogo em 1x1, aos 33 minutos do 1° tempo.

3 de setembro **GOL 793**
JEF UNITED-JAP 1X2 KASHIMA ANTLERS

Ainda pelo Campeonato Japonês, o estádio Ichihara Seaside presenciou mais um gol do Galinho de Quintino, colaborando para mais uma boa vitória fora de casa. Foi o gol da vitória, marcado já aos 49 minutos da etapa final.

16 de outubro **GOL 794**
KASHIMA ANTLERS 2X1 BELLMARE HIRATSUKA - JAP

Esse jogo, no Kashima Soccer Stadium, valeu pela Copa Nabisco. O jogo foi contra o Bellmare Hiratsuka, hoje Shonan Bellmare. A vitória foi difícil e Zico colaborou, com um belo gol! O Kashima perdia por 1x0, quando, aos 44 minutos, ainda na fase inicial, a bola veio pelo alto, da esquerda. O goleiro visitante saiu e deu um leve toque na bola, que caiu atrás de Zico. Ele, então, se virou e, de costas para o gol, deu uma bela puxeta. A bola entrou, apesar dos dois defensores que tentaram impedir o tento. Um belo gol: 1x1.

13 de novembro **GOL 795**
KASHIMA ANTLERS 3X2 YOKOHAMA MARINOS-JAP

Aqui, o local foi o mesmo, mas a competição, não. Era, novamente, o Campeonato Japonês em disputa. E Zico e companhia conseguiram mais uma boa vitória, com um tento marcado pelo brasileiro. O jogo estava empatado (2x2). Após um bate-rebate, a bola sobrou para Zico, desmarcado, na altura da marca do pênalti. Ele ajeitou o corpo e meteu de pé direito, sem perdão, decretando a vitória de sua equipe, aos 32 minutos do 2° tempo.

17 de novembro **GOL 796**
KASHIMA ANTLERS 3X2 YOKOHAMA FLÜGELS-JAP

O jogo seguinte, quatro dias depois, foi contra a outra equipe de Yokohama – hoje, as duas se juntaram no Yokohama F. Marinos –, mas o jogo foi realizado no Estádio Suizenji, na cidade de Kumamoto. O placar do jogo anterior se repetiu, e Zico também deixou sua marca, abrindo o marcador aos 39 minutos de jogo.

27 de novembro **GOL 797**
SANFRECCE HIROSHIMA-JAP 0X1 KASHIMA ANTLERS

Foi com um gol de Zico, em cobrança de falta, aos 22 minutos da etapa inicial, que o Kashima Antlers, mesmo jogando no Hiroshima Big Arch, na cidade de Hiroshima, venceu este jogo pelo Campeonato Japonês: 1x0.

11 de dezembro **GOLS 798 e 799**

KASHIMA ANTLERS 6X1 TOHOKU ELECTRIC POWER-JAP

Os últimos dois gols de Zico em 1993 saíram nesse jogo, válido pela Copa do Imperador e realizado no Kashima Soccer Stadium. O Tohoku abriu o marcador e o Kashima empatou, com o 1° tempo ficando no 1x1. O Antlers veio arrasador para a etapa final e, aos 9 e 17 minutos, ampliou para 3x1.

E vieram as obras-primas! Aos 27 minutos, Zico recebeu lançamento pelo alto, no bico esquerdo da grande área do Tohoku, deu um drible seco no seu marcador, cortando para a esquerda e, na saída do goleiro, deu um toque, com delicadeza e precisão, encobrindo-o e colocando a bola na rede: Kashima Antlers 4x1.

No seu segundo gol no jogo, o camisa 10 recebeu mais um passe pelo alto, na marca dos 32 minutos, deu um salto e, como a bola veio um pouco para trás de seu corpo, ainda no ar, chutou com a face externa do pé direito, encobrindo o goleiro e marcando um golaço! Foi uma autêntica e inédita bicicleta invertida, com a conclusão quase de calcanhar, num gol que ficou conhecido como o "gol escorpião"! Sem dúvidas, um dos gols mais belos da carreira de Zico. O placar do jogo foi a 5x1!

"Foi o jogo do gol escorpião, né?", pergunta Zico. "Assim como naquele Brasil x Iugoslávia de 1986, esse gol escorpião "matou" o outro golaço que eu fiz no jogo. No primeiro gol, eu recebi na entrada da área, pelo lado esquerdo, dei dois dribles desconcertantes no zagueiro e, na saída do goleiro, eu dei uma cavadinha muito alta e ela foi morrer no fundo do gol. Dei a cavadinha, porque eu já tinha percebido que o "japinha" saía toda hora (risos). Aí veio o chamado "gol escorpião". Eu abri o lance para o Alcindo na esquerda. Ele devolveu pra mim, eu abri as pernas e deixei a bola passar para o Carlos Alberto Santos. Ele tocou pelo alto, de primeira, por trás da zaga. Eu passei um pouco da bola e como eu sabia onde eu estava, pensei: "vou tentar puxar de calcanhar por cima do goleiro", que estava saindo de novo (risos). A bola foi por cima dele e morreu de novo dentro do gol. Foi o gol mais bonito da minha vida!"

E, portanto, foram mais 13 gols na carreira de Zico nessa temporada, totalizando 50 pelo Sumitomo/ Kashima Antlers.

Zico com fãs mirins em 1973.

O jovem Zico em 1973.

CAPÍTULO 24

O Galinho continua brilhando no Japão.

1994

Para o ano de 1994, o Kashima Antlers resolveu investir num técnico brasileiro: Edu Coimbra, irmão de Zico. Recuperando-se de um estiramento sofrido em fevereiro, em um treino, Zico só voltou a balançar as redes em junho.

1 de junho **GOL 800**

GAMBA OSAKA-JAP 1X3 KASHIMA ANTLERS

Foi o público presente ao Expo '70 Stadium, na cidade de Osaka, que viu o Galinho marcar um dos três gols da vitória dos Antlers, em jogo válido pelo Campeonato Japonês. Foi numa cobrança de falta de dentro da meia-lua. Zico cobrou por fora da barreira, com a bola entrando à esquerda do goleiro adversário, fazendo 2x1 para seu time, aos 8 minutos do 2º tempo.

Agora, contabilizando toda sua carreira, desde o amadorismo e incluindo os jogos na categoria máster, Zico atingira a fabulosa marca de 800 gols!

8 de junho **GOL 801**

URAWA RED DIAMONDS-JAP 1X4 KASHIMA ANTLERS

Sete dias depois, no Komaba Stadium, em Saitama, uma grande vitória, por goleada, que contou com mais um gol de Zico, pela mesma competição. Após ter seu chute de fora da área cortado por um zagueiro, Zico recebeu a bola de volta e, já na marca do pênalti, deslocou o goleiro com um toque, mandando a pelota, rasteirinha, para o seu canto baixo esquerdo, aos 33 minutos da segunda etapa, marcando o último gol do jogo.

11 de junho **GOLS 802 e 803**

KASHIMA ANTLERS 4X0 BELLMARE HIRATSUKA-JAP

No dia 11, o Kashima Soccer Stadium presenciou a última vez que Zico marcou dois gols em uma partida. Foram do Galinho o segundo (aos 31 minutos da 1ª etapa) e o quarto gols da partida (este aos 28 minutos do 2º tempo). Em um deles, Zico recebeu a bola, livre, dentro da área, frente ao goleiro Kojima. Com um toque rasteiro, à direita do arqueiro, que saía, encaminhou a redonda às redes.

15 de junho **GOL 804**

JUBILO IWATA-JAP 1X KASHIMA ANTLERS 2

Mas, o último gol de Zico como jogador profissional saiu no Yamaha Stadium, na cidade de Iwata, em 15 de junho de 1994. Ele fez o primeiro gol da vitória do Kashima em mais esse jogo pelo Campeonato Japonês. A bola veio centrada da esquerda. Zico pulou e, com os pés no ar, concluiu com a parte interna do pé direito para as redes. Um belo gol, marcado aos 21 minutos do 1º tempo! "Foi o meu último gol, o Edu já era o técnico.", lembra Zico. "Foi um golaço também. O nosso lateral, o Soma, cruzava de curva assim, igual ao Junior. Ele era muito bom. Cruzou pelo alto e eu saltei e bati de primeira, cruzado, lá no canto. Eu treinava muito esse tipo de conclusão. Tinha feito um parecido contra o Nissan."

Ao final, Zico declarou: "Estou orgulhoso de ter concluído minha carreira numa partida em que tive bom desempenho e, também, por ter contribuído, nos últimos três anos, para que os japoneses se interessassem pelo futebol".

TEXTO DE EDU COIMBRA, IRMÃO DE ZICO, E TÉCNICO DO GALINHO EM 1994, NO KASHIMA ANTLERS: ATÉ AS CEREJEIRAS CHORARAM...

Foi no ano de 1994 a despedida do mano como jogador de futebol profissional no Japão e o seu último gol com a camisa do Kashima.

Sob o meu comando, o Kashima Antlers venceu o Jubilo Iwata por 2 x 1, sendo um dos gols marcado pelo já cognominado "Kamisama do Futebol". Aos 30 minutos do segundo tempo, eu o substituí com a clara intenção de vê-lo receber as manifestações dos torcedores. Ledo engano.

Ao sair de campo, um silêncio profundo tomou conta de todo anel do estádio. O "mar azul" do time da casa se misturou ao céu cinzento da melancolia. Entretanto, a surpresa maior, o momento épico, aconteceu ao apito final do árbitro.

A torcida em massa, gritando: "Zico", "Zico", "Zico", "Zico". Ecoando freneticamente, obrigou o retorno do meu irmão ao gramado. A volta olímpica, triunfal, de âmbito heróico, foi a forma encontrada para o recebimento desta reverência somente concedida aos antigos Samurais, guerreiros e vencedores de grandes batalhas.

Um império de gratidão!

Já próximo do vestiário, eis que uma chuva torrencial se misturou ao sol dessa inesquecível quarta-feira, dando o epílogo desta despedida consagradora.

Por certo, lágrimas dos deuses compartilhando com a saudade que deixarão aqueles pés mágicos, que fizeram história no Japão.

No dia 21 de junho daquele ano, Zico fez uma nova e definitiva despedida, jogando pelo Kashima Antlers em um amistoso contra o Flamengo, seu clube de coração. Sávio abriu o placar para os brasileiros aos 23 minutos de jogo, mas, com um passe de Zico, Akita empatou aos 9 minutos da fase final. Novamente Sávio marcou, aos 25 minutos, dando a vitória ao Flamengo. No último lance do jogo, Zico bateu uma falta na trave e, depois, cedeu sua camisa ao então técnico do Flamengo, Carlinhos, em retribuição às chuteiras que recebeu dele, quando o antigo meia se aposentou do futebol e Zico ainda era um garoto iniciante. Cerca de 55.000 espectadores presenciaram esses momentos históricos.

No dia seguinte, o primeiro-ministro japonês, Tsutomu Hata, entregou a Zico um prêmio pelos serviços prestados ao futebol japonês, a primeira vez que essa honraria foi dada a um estrangeiro, desde 1966! E ele também recebeu o título de cidadão honorário de Kashima.

Com os cinco gols de 1994, Zico encerrou sua carreira no Japão pelo Sumitomo/Kashima Antlers com 55 gols marcados e totalizando 690 gols como jogador profissional e 804 gols em toda sua carreira no futebol!

RELAÇÃO DE GOLS DE ZICO:

1968

• GOLS NA ESCOLINHA:

Flamengo	4x3	Everest	2
Flamengo	1x1	Everest	1
Flamengo	3x1	Americano	1
Flamengo	4x1	São Cristóvão	1
Flamengo	10x0	Paquetá	6
Flamengo	8x 0	Juventus	2
Flamengo	1x0	São Cristóvão	1

1969

• GOLS NA ESCOLINHA:

Flamengo	4x0	Dois de Dezembro	1
Flamengo	3x0	América	1
Flamengo	2x2	Vasco	1

1970

• GOLS NA ESCOLINHA:

Flamengo	2x0	São Cristóvão	2
Flamengo	5x0	Campo Grande	3
Flamengo	1x0	Portuguesa	1
Flamengo	2x1	Olaria	2
Flamengo	2x0	Fluminense	1
Flamengo	2x0	Bangu	1
Flamengo	3x2	América	1
Flamengo	8x0	Campo Grande	6
Flamengo	2x0	Bangu	1
Flamengo	2x2	Fluminense	1
Flamengo	4x0	Vasco	2
Flamengo	2x1	América	1
Flamengo	4x0	Portuguesa	4
Flamengo	1x0	Comercial-ES	1

1971

• GOLS NO JUVENIL:

Flamengo	2x1	Caxambuense	1
Flamengo	2x1	Vasco	1
Flamengo	1x1	América	1
Flamengo	5x1	Madureira	2
Flamengo	1x1	Botafogo	1
Flamengo	3x1	Olaria	2
Flamengo	2x0	Bangu	2
Flamengo	2x0	São Cristóvão	1
Flamengo	1x0	Fluminense	1
Flamengo	2x1	Campo Grande	1
Flamengo	4x1	Portuguesa	2
Flamengo	1x1	Bangu	1
Flamengo	5x1	Campo Grande	2
Flamengo	1x0	Botafogo	1
Flamengo	2x0	Olaria	2
Flamengo	1x0	Madureira	1

• GOL NA SELEÇÃO CARIOCA:

Seleção Carioca	1x1	Vasco	1

*amistoso disputado no Maracanã, em 18 de julho.

• GOL NA SELEÇÃO OLÍMPICA

Brasil	1x0	Argentina	1

• **GOLS NO PROFISSIONAL:**

Bahia-BA	1x1	Flamengo	1
Santa Cruz-PE	1x1	Flamengo	1

1972

• **GOLS NO JUVENIL:**

Flamengo	2x0	Campo Grande	1
Flamengo	1x0	Bonsucesso	1
Flamengo	2x0	Portuguesa	1
Flamengo	2x1	Fluminense	2
Flamengo	3x2	Colatinense	3
Flamengo	2x1	Campo Grande	2
Flamengo	1x0	Madureira	1
Flamengo	1x1	São Cristóvão	1
Flamengo	5x0	Riachuelo	1
Flamengo	1x0	Corumbaense	1
Flamengo	2x0	Vasco	1

1973

• **PROFISSIONAL:**

Flamengo	3x2	Atlético-MG	2
Flamengo	1x1	Desportiva-ES	1
Flamengo	6x1	UACEC-ES	1
Flamengo	3x1	Sel Cachoeiro do Itapemirim-ES	1
Flamengo	2x2	Vasco-GB	1
Flamengo	1x1	Ceará-CE	1
Flamengo	4x1	Náutico-PE	1
Flamengo	1x2	Remo-PA	1
Flamengo	1x1	América-MG	1
Flamengo	1x0	Botafogo-GB	1
Flamengo	2x1	Olaria-GB	1
Flamengo	3x2	América-GB	1

1974

Flamengo	3x1	Zeljeznicar-IUG	2
Flamengo	1x1	Desportiva-ES	1
Flamengo	6x2	Goiatuba-GO	2
Flamengo	7x1	Icasa-CE	3
Flamengo	5x1	Corinthians-SP	2
Flamengo	4x4	Seleção do Zaire	2
Flamengo	3x3	Seleção do Zaire	1
Flamengo	2x2	Seleção da Arábia Saudita	2
Flamengo	3x2	Seleção do Kuwait	1
Flamengo	1x1	Vasco-GB	1
Flamengo	4x0	Tiradentes-PI	1
Flamengo	2x0	Bahia-BA	1
Flamengo	1x1	Internacional-RS	1
Flamengo	2x1	Atlético-PR	1
Flamengo	4x0	Desportiva-ES	1
Flamengo	1x0	Avaí-SC	1
Flamengo	2x2	CEUB-DF	1
Flamengo	1x0	Grêmio-RS	1
Flamengo	2x0	Botafogo-GB	1
Flamengo	3x0	Guarani-SP	1
Flamengo	6x0	Paysandu-PA	2
Flamengo	1x1	Bangu-GB	1
Flamengo	1x2	Madureira-GB	1
Flamengo	2x1	América-GB	1
Flamengo	1x0	Portuguesa-GB	1
Flamengo	1x2	Fluminense-GB	1
Flamengo	2x0	Olaria-GB	1
Flamengo	2x2	Bonsucesso-GB	1
Flamengo	2x2	Botafogo-GB	2
Flamengo	1x0	Vasco-GB	1
Flamengo	4x1	América-GB	2
Flamengo	1x1	Comercial-MT	1
Flamengo	5x1	Madureira-GB	2
Flamengo	1x1	Vasco-GB	1
Flamengo	1x0	Madureira-GB	1
Flamengo	3x1	Vasco-GB	1
Flamengo	1x2	Bonsucesso-GB	1
Flamengo	2x1	América-GB	1

1975

Flamengo	6x0	Seleção de Vassouras-RJ	1
Flamengo	4x2	Internacional-RS	2
Guanabara	1x1	São Paulo	1
Flamengo	2x2	Vasco-GB	1
Flamengo	3x0	Seleção de Goiás	1
Flamengo	2x3	São Cristóvão-RJ	2
Flamengo	5x1	Campo Grande-RJ	4
Flamengo	5x0	Bangu-RJ	3
Flamengo	5x0	Madureira-RJ	1
Flamengo	3x2	Portuguesa-RJ	1

Flamengo	2x1	Fluminense-RJ	1
Flamengo	2x0	São Cristóvão-RJ	1
Flamengo	2x1	Vasco-RJ	1
Flamengo	5x0	Bangu-RJ	3
Flamengo	2x1	América-RJ	1
Flamengo	1x2	Bahia-BA	1
Flamengo	2x1	Juventus-IT	1
Flamengo	3x0	Portuguesa-RJ	2
Flamengo	5x0	Bangu-RJ	3
Flamengo	4x0	Botafogo-RJ	3
Flamengo	3x1	Madureira-RJ	1
Flamengo	3x1	América-RJ	2
Flamengo	2x1	Treze-PB	2
Flamengo	3x0	Auto Esporte-PB	1
Flamengo	1x2	Sport-PE	1
Flamengo	2x4	Vasco-RJ	1
Flamengo	1x0	Combinado Olimpique/PSG-FR	1
Flamengo	2x0	América-RJ	1
Flamengo	3x0	Palmeiras-SP	1
Flamengo	1x2	Remo-PA	1
Flamengo	2x3	Tiradentes-PI	1
Flamengo	1x1	Atlético-MG	1
Flamengo	1x1	São Paulo-SP	1
Flamengo	3x0	Náutico-PE	1
Flamengo	1x3	Santa Cruz-PE	1
Flamengo	2x1	Grêmio-RS	1

1976

Flamengo	11x1	Central-RJ	3
Flamengo	2x0	Portela-RJ	1
Flamengo	5x0	Itabuna-BA	1
Flamengo	2x1	Brasília-DF	1
Flamengo	2x1	CEUB-DF	1
Flamengo	4x0	Figueirense-SC	4
Flamengo	3x1	Marcílio Dias-SC	2
Flamengo	1x1	Internacional-RS	1
Brasil	2x1	Uruguai	1
Brasil	2x1	Argentina	1
Flamengo	4x1	Fluminense-RJ	4
Flamengo	3x0	Desportiva-ES	1
Flamengo	3x0	Madureira-RJ	2
Flamengo	3x1	Campo Grande-RJ	2
Flamengo	3x1	Vasco-RJ	2
Flamengo	1x0	Mixto-MT	1
Flamengo	2x1	Seleção do Amazonas	1
Flamengo	3x0	Portuguesa-RJ	1
Brasil	2x1	Uruguai	1
Flamengo	1x0	Bonsucesso-RJ	1
Flamengo	3x0	Bangu-RJ	1
Brasil	4x1	Itália	1
Sel Brasil	4x3	Universidad de Mexico-MÉX	1
Brasil	3x1	Paraguai	1
Flamengo	1x1	Goytacaz-RJ	1
Flamengo	1x0	Volta Redonda-RJ	1
Flamengo	4x1	Vasco-RJ	1
Flamengo	1x0	América-RJ	1
Flamengo	3x0	Olaria-RJ	2
Flamengo	4x2	Goytacaz-RJ	2
Flamengo	6x1	Volta Redonda-RJ	1
Flamengo	2x0	Ceará-CE	1
Flamengo	2x0	ABC-RN	2
Flamengo	3x2	Flamengo-PI	2
Flamengo	8x1	Sampaio Corrêa-MA	3
Flamengo	3x0	Comb Itabaiana/ Sergipe-SE	2
Flamengo	4x0	Volta Redonda-RJ	2
Flamengo	3x0	Vitória-BA	1
Flamengo	2x1	São Paulo-SP	2
Flamengo	2x1	Atlético-MG	1
Flamengo	5x1	Grêmio-RS	1
Brasil	2x0	URSS	1

1977

Seleção do Brasil	2x0	Millonarios-COL 0	1
Sel Brasil	6x1	Comb Botafogo/ Vasco-RJ/BR	1
Brasil	6x0	Colômbia	1
Flamengo	1x1	Olaria-RJ	1
Flamengo	2x0	Bonsucesso-RJ	1
Flamengo	1x1	Internacional-RS	1
Flamengo	2x1	Bangu-RJ	1
Flamengo	4x0	Portuguesa-RJ	1
Flamengo	2x0	Madureira-RJ	2
Flamengo	3x0	Goytacaz-RJ	2
Flamengo	6x0	São Cristóvão-RJ	2

Flamengo	2x0	Fluminense-RJ	1
Flamengo	7x1	Volta Redonda-RJ	2
Flamengo	5x1	Campo Grande-RJ	3
Brasil	2x0	Escócia	1
Brasil	8x0	Bolívia	4
Flamengo	4x0	Portuguesa-RJ	1
Flamengo	5x0	Madureira-RJ	1
Flamengo	4x0	Olaria-RJ	2
Flamengo	2x0	Volta Redonda-RJ	1
Flamengo	3x1	Americano-RJ	1
Flamengo	4x0	Goytacaz-RJ	2
Flamengo	3x1	América-RJ	1
Flamengo	2x0	Botafogo-RJ	1
Flamengo	3x0	São Cristóvão-RJ	1
Seleção do Brasil	3x0	Milan-IT	1
Flamengo	4x1	New York Cosmos-EUA	2
Flamengo	5x0	Vitória-BA	2
Flamengo	2x0	Desportiva-ES	1
Flamengo	6x0	Fluminense-BA	2
Flamengo	1x2	Fluminense-RJ	1
Flamengo	3x0	Vitória-ES	1
Flamengo	3x1	Confiança-SE	1
Flamengo	1x0	ABC-RN	1

1978

Flamengo	2x1	Seleção do Vale do Paraíba-RJ	1
Flamengo	1x1	Caxias-RS	1
Sel Brasil	7x0	Sel Interior do R Janeiro-BR	5
Seleção do Brasil	3x1	Seleção de Goiás-BR	1
Brasil	3x0	Peru	1
Brasil	2x0	Tchecoslováquia	1
Brasil	3x0	Peru	1
Flamengo	6x0	São Cristóvão-RJ	2
Flamengo	5x0	Campo Grande-RJ	1
Flamengo	3x0	Bangu-RJ	2
Flamengo	3x0	Bonsucesso-RJ	1
Flamengo	2x1	América-RJ	1
Flamengo	3x0	Londrina-PR	1
Flamengo	5x2	Campo Grande-RJ	3
Flamengo	4x0	Fluminense-RJ	2
Flamengo	9x0	Portuguesa-RJ	2
Flamengo	2x0	Bonsucesso-RJ	1
Flamengo	1x0	Botafogo-RJ	1
Flamengo	2x0	São Cristóvão-RJ	2
Flamengo	2x0	Olaria-RJ	1
Flamengo	2x1	Fluminense-RJ	1
Flamengo	4x0	Seleção de Roraima	3

1979

Flamengo	4x0	Fluminense (de N Friburgo)-RJ	1
Flamengo	2x1	Itabuna-BA	1
Flamengo	4x0	América-RJ	2
Flamengo	1x0	Uberaba-MG	1
Flamengo	6x0	Santo Antônio-ES	1
Flamengo	5x1	Fluminense (de N Friburgo)-RJ	2
Flamengo	1x0	Goytacaz-RJ	1
Flamengo	1x1	Vasco-RJ	1
Flamengo	2x0	São Cristóvão-RJ	2
Flamengo	1x1	Fluminense-RJ	1
Flamengo	6x1	Americano-RJ	2
Flamengo	3x0	Botafogo-RJ	1
Flamengo	6x1	São Cristóvão-RJ	3
Flamengo	7x1	Goytacaz-RJ	6
Flamengo	5x1	Atlético-MG	3
Flamengo	2x1	Americano-RJ	1
Flamengo	2x1	Vasco-RJ	1
Flamengo	4x0	Fluminense (de N Friburgo)-RJ	1
Flamengo	2x2	Botafogo-RJ	2
Flamengo	3x1	Itabuna-BA	1
Flamengo	1x1	Vitória-BA	1
Flamengo	5x0	Bonsucesso-RJ	2
Brasil	6x0	Paraguai	3
Flamengo	1x0	Serrano-RJ	1
Flamengo	4x0	São Cristóvão-RJ	2
Flamengo	2x1	Campo Grande-RJ	1
Flamengo	3x1	Bangu-RJ	3
Flamengo	7x1	Niterói-RJ	6
Flamengo	3x0	Volta Redonda-RJ	1
Flamengo	5x2	Americano-RJ	2

Seleção do Brasil	5x0	Ajax-HOL	2
Flamengo	2x1	Fluminense-RJ	1
Seleção do Mundo	2x1	Seleção da Argen-tina	1
Flamengo	4x0	Madureira-RJ	1
Flamengo	2x1	América-RJ	1
Flamengo	4x3	Goytacaz-RJ	4
Flamengo	2x0	Portuguesa-RJ	2
Flamengo	3x0	Olaria-RJ	1
Flamengo	2x0	Vila Nova-GO	1
Flamengo	4x2	Vasco-RJ	1
Flamengo	3x0	Campo Grande-RJ	1
Brasil	2x1	Argentina	1
Flamengo	3x2	Desportiva-ES	1
Flamengo	5x1	Serrano-RJ	3
Brasil	2x0	Bolívia	1
Flamengo	2x1	Barcelona-ESP	1
Flamengo	2x0	Újpest Dózsa -HUNGR	2
Flamengo	1x1	Atlético de Madrid-ESP	1
Flamengo	1x3	Paris Saint-Ger-main-FR	1
Flamengo	2x4	Vasco-RJ	1
Flamengo	2x1	Gama-DF	1
Flamengo	4x0	São Bento (de Sorocaba)-SP	2
Flamengo	2x0	Comercial-SP	1
Flamengo	1x4	Palmeiras-SP	1

1980

Flamengo	6x0	Ferroviário-RO	2
Flamengo	7x1	Mixto-MT	4
Flamengo	1x0	Santos-SP	1
Flamengo	1x0	Internacional-RS	1
Flamengo	2x0	Mixto-MT	1
Flamengo	2x1	Ferroviário-CE	2
Flamengo	5x0	Itabaiana-SE 0	4
Flamengo	2x2	Ponte Preta-SP	1
Sel Brasil	7x1	Seleção de Novos do Brasil	2
Flamengo	6x2	Palmeiras-SP	2
Flamengo	2x1	Bangu-RJ	1
Flamengo	3x0	Desportiva-ES	3
Flamengo	2x0	Santos-SP	2
Flamengo	2x0	Coritiba-PR	2
Flamengo	3x2	Atlético-MG	1
Flamengo	3x1	Eintracht Frankfurt-AL OC	1
Brasil	2x1	Chile	1
Brasil	1x1	Polônia	1
Flamengo	1x0	América-RJ	1
Flamengo	2x0	Americano-RJ	1
Flamengo	2x0	Real Sociedad-ESP	1
Flamengo	2x1	Levski Spartak-BULG	2
Flamengo	2x1	Real Betis-ESP	2
Flamengo	7x1	Niterói-RJ	4
Flamengo	2x2	Americano-RJ	1
Flamengo	2x0	Olaria-RJ	1
Flamengo	4x2	Serrano-RJ	2
Flamengo	1x1	Botafogo-RJ	1
Flamengo	3x1	Campo Grande-RJ	1
Brasi	6x0	Paraguai	2
Flamengo	1x1	América-RJ	1
Flamengo	4x1	Americano-RJ	1
Seleção Juruna	2x1	Itália	1

1981

Brasil	1x0	Venezuela	1
Brasil	6x0	Equador	1
Brasil	2x1	Chile	1
Brasil	3x1	Bolívia	3
Brasil	5x0	Venezuela	1
Flamengo	2x1	Colorado-PR	2
Flamengo	1x3	Botafogo-RJ	1
Brasil	1x0	Inglaterra	1
Brasil	3x1	França	1
Flamengo	2x0	Serrano-RJ	1
Flamengo	1x0	Vasco-RJ	1
Flamengo	5x1	Avellino-IT	1
Flamengo	5x0	Napoli-IT	3
Flamengo	5x2	Campo Grande-RJ	2
Flamengo	2x1	Volta Redonda-RJ	1
Flamengo	1x2	Fluminense-RJ	1
Flamengo	3x0	Olaria-RJ	2
Flamengo	5x2	Cerro Porteño-PAR	2
Flamengo	2x0	Serrano-RJ	1

Flamengo	1x1	Volta Redonda-RJ	1
Flamengo	4x2	Cerro Porteño-PAR	3
Flamengo	3x1	América-RJ	1
Flamengo	4x0	Bangu-RJ	1
Flamengo	3x0	Campo Grande-RJ	2
Flamengo	2x0	Boca Juniors-ARG	2
Flamengo	1x1	Vasco-RJ	1
Brasil	6x0	Irlanda	4
Flamengo	4x0	Olaria-RJ	1
Flamengo	3x0	Madureira-RJ	2
Flamengo	3x0	Deportivo Cali-COL	2
Brasil	3x0	Bulgária	1
Flamengo	4x0	América-RJ	3
Flamengo	1x1	Serrano-RJ	1
Flamengo	6x0	Botafogo-RJ	2
Flamengo	2x1	Cobreloa-CHIL	2
Flamengo	2x0	Cobreloa-CHIL	2
Flamengo	5x1	Volta Redonda-RJ	1

1982

Flamengo	3x2	São Paulo-SP	2
Flamengo	4x3	Náutico-PE	2
Flamengo	5x0	Treze-PB	1
Flamengo	3x0	Ferroviário-CE	3
Flamengo	4x3	São Paulo-SP	1
Flamengo	2x4	Criciúma-SC	1
Flamengo	1x1	Corinthians-SP	1
Brasil	1x1	Tchecoslováquia	1
Flamengo	1x1	Internacional-RS	1
Flamengo	3x2	Internacional-RS	1
Flamengo	2x0	Corinthians-SP	1
Flamengo	2x0	Sport-PE	2
Flamengo	1x1	Santos-SP	1
Flamengo	2x1	Guarani-SP	1
Flamengo	3x2	Guarani-SP	3
Flamengo	1x1	Grêmio-RS	1
Brasil	3x1	Portugal	1
Brasil	1x1	Suíça	1
Brasil	7x0	Irlanda	1
Brasil	4x1	Escócia	1
Brasil	4x0	Nova Zelândia	2
Brasil	3x1	Argentina	1
Flamengo	5x2	Campo Grande-RJ	2
Flamengo	4x0	Portuguesa-RJ	2
Flamengo	3x1	ASL-TRTOB	1
Flamengo	8x0	Madureira-RJ	3
Mundo	2x3	Europa	1
Flamengo	3x0	Botafogo-RJ	2
Flamengo	3x1	Volta Redonda-RJ	2
Flamengo	3x2	Bonsucesso-RJ	1
Flamengo	3x2	América-RJ	1
Flamengo	3x3	New York Cosmos-EUA	1
Flamengo	3x1	Bonsucesso-RJ	2
Flamengo	1x0	Botafogo-RJ	1
Flamengo	3x0	River Plate-ARGE	1
Flamengo	2x3	Portuguesa-RJ	1
Flamengo	5x0	Madureira-RJ	2
Flamengo	4x2	River Plate-ARGE	1
Flamengo	3x0	Americano-RJ	1
Flamengo	2x1	Bangu-RJ	1
Rio de Janeiro	4x3	São Paulo	3

1983

Flamengo	2x0	Santos-SP	1
Flamengo	1x1	Moto Clube-MA	1
Flamengo	1x1	Rio Negro-AM	1
Flamengo	7x1	Rio Negro-AM	1
Flamengo	3x1	Tiradentes-PI	2
Flamengo	3x0	Americano-RJ	1
Flamengo	2x0	Tiradentes-PI	2
Flamengo	2x0	Goiás-GO	1
Flamengo	5x1	Corinthians-SP	2
Flamengo	1x1	Goiás-GO	1
Flamengo	7x1	Blooming-BOL	3
Flamengo	1x1	Vasco-RJ	1
Flamengo	3x0	Atlético-PR	2
Flamengo	3x0	Santos-SP	1
Distrito Federal	3x2	Santa Catarina	1
Udinese	3x1	Hajduk Split-IUG	1
Udinese	2x1	Real Madrid-ESP	1
Udinese	3x1	América-RJ/BR	1
Udinese	1x1	Bologna-IT	1
Udinese	2x1	Cosenza-IT	1
Udinese	2x2	Varese-IT	1
Udinese	5x0	Genoa-IT	2
Udinese	3x1	Catania-IT	2
Udinese	1x2	Avellino-IT	1

Udinese	1x1	Verona-IT	1
Udinese	6x1	Lugano-IT	5
Udinese	2x2	Internazionale-IT	1
Udinese	1x0	Roma-IT	1
Udinese	1x2	Guadalajara-MÉX	1
Udinese	4x1	Napoli-IT	1

1984

Udinese	3x3	Milan-IT	2
Udinese	2x0	Catania-IT	2
Udinese	2x1	Avellino-IT	2
Udinese	5x3	Lecce-IT	1
Udinese	1x2	Verona-IT	1
Udinese	3x1	Fiorentina-IT	1
Udinese	2x0	Triestina-IT	2
Udinese	2x3	Juventus-IT	1
Udinese	2x0	Lazio-IT	1
Udinese	3x2	Luzern-SUÍÇA	1
Udinese	4x1	Barcelona-ESP	1
Udinese	5x0	Rappresentativa Friuli-IT	1
Udinese	1x1	Koln-ALOC	1
Udinese	1x1	Milan-IT	1
Udinese	3x0	Cavese-IT	1
Udinese	2x1	Lecce-IT	2
Udinese	3x3	Sampdoria-IT	1
Udinese	5x0	Lazio-IT	1
Udinese	2x0	Seleção da Austrália	1

1985

Udinese	2x1	Internazionale-IT	1
Udinese	5x0	Basiliano-IT	3
Udinese	2x3	Juventus-IT	1
Udinese	4x1	Venezia-IT	1
Udinese	11x1	Maniago-IT	5
Seleção Top	6x1	Verona-IT	2
Brasil	3x1	Chile	2
Brasil	2x0	Paraguai	1
Flamengo	3x1	Seleção Amigos do Zico	1
Flamengo	3x0	Bahia-BA	1
Flamengo	4x0	CSA-AL	1
Flamengo	1x0	Seleção de Natal-RN	1
Flamengo	3x2	Baraúnas-RN	1
Flamengo	5x0	Bonsucesso-RJ	2

1986

Flamengo	2x0	Seleção do Iraque	1
Flamengo	4x1	Fluminense-RJ	3
Brasil	4x2	Iugoslávia	3

1987

Flamengo	1x1	Fluminense-RJ	1
Flamengo	2x1	Vasco-RJ	1
Flamengo	3x1	Santa Cruz-PE	3
Flamengo	3x2	Atlético-MG	1

1988

Flamengo	3x1	Seleção do Japão	1
Flamengo	1x0	Bayer Leverkusen-AL OC	1
Flamengo	5x1	Guarani-SP	1
Flamengo	3x0	Criciúma-SC	1
Flamengo	2x2	Coritiba-PR	1
Flamengo	1x3	Internacional-RS	1

1989

Flamengo	8x1	Nova Cidade-RJ	1
Flamengo	3x3	Botafogo-RJ	1
Flamengo	2x0	Toronto Blizzard-CAN	1
Flamengo	3x1	Blumenau-SC	1
Flamengo	2x0	Corinthians-SP	1
Flamengo	3x1	Hamburgo-ALOC	1
Flamengo	2x4	Corinthians-SP	1
América do Sul	3x1	Europa	1
Flamengo	2x0	Náutico-PE	1
Flamengo	5x0	Fluminense-RJ	1

1990

MÁSTERS:

Brasil	2x1	Polônia	1
Brasil	5x0	Holanda	1
América do Sul	4x2	Europa	2
Sel. Brasil	1x0	Sel. Brasília-DF/BR	1
Brasil	9x1	Itália	1

Mundo	4x4	Alemanha Ocidental	1
América do Sul	7x10	Europa	4
Madureira	4x2	Stuttgart-ALEM	
Sel. SAFERJ	4x1	Sel Rio de Janeiro	1
Sel. Brasil	6x1	Sel Amapá-BR	1

1991

MÁSTERS:

Brasil	2x1	Itália	1
Brasil	4x0	Uruguai	1
Brasil	2x1	Argentina	1
Sel. Brasil	6x1	Variétes-FR	1
Sel. Mundo	5x7	Amigos do Cabrini-IT	1
Comb. Brasileiro	4x3	Genoa-IT	1
Flamengo	1x1	Sel. SAFERJ	1

PROFISSIONAL:

Sumitomo	2x1	Yamaha-JAP	1
Sumitomo	4x4	Ana Zenic-JAP	2
Sumitomo	5x0	Seleção de Hokkaido-JAP	1
Sumitomo	4x2	Mitsubishi-JAP	2
Sumitomo	5x0	Otsuka-JAP	1
Sumitomo	1x0	Tokyo Gas-JAP	1
Sumitomo	2x3	Toho Titanium -JAP	1
Sumitomo	3x1	Chuo Bohan-JAP	1
Sumitomo	2x0	NTT-JAP	1
Sumitomo	1x2	Fujitsu-JAP	1
Sumitomo	4x1	Kosmo-JAP	1
Sumitomo	4x0	Kofu-JAP	2
Sumitomo	5x4	Nippon University-JAP	1
Sumitomo	1x0	Kyoto-JAP	1
Sumitomo	2x0	Yomiuri Junior-JAP	1

1992

Sel. América do Sul	2x2	Sel. Shizuoka-JAP	2
Sumitomo	4x2	Yomiuri Junior-JAP	2
Sumitomo	3x0	Tokyo Gas -JAP	2
Sumitomo	5x0	Toho Titanium -JAP	2
Sumitomo	2x1	NTT-JAP	2
Sumitomo	2x1	Kosmo-JAP	1
Sumitomo	3x0	Kofu-JAP	1
Másters: Mundo	6x3	Suíça	2
Kashima Antlers	1x2	Sanfrecce Hiroshima-JAP	1
Kashima Antlers	1x1	Gamba Panasonic-JAP	1
Kashima Antlers	4x3	Y. Verdy Kawasaki-JAP	1
Kashima Antlers	3x4	Yokohama Marinos-JAP	1
Kashima Antlers	7x1	Nagoya Grampus-JAP	1
Kashima Antlers	3x0	Sanfrecce Hiroshima-JAP	3
Kashima Antlers	2x1	Yanmar Diesel-JAP	1

1993

Kashima Antlers	2x0	Fluminense-RJ/BR	1
Kashima Antlers	5x0	Nagoya Grampus-JAP	3
Kashima Antlers	1x1	Yokohama Marinos-JAP	1
Kashima Antlers	4x3	Sanfrecce Hiroshima-JAP	1
Kashima Antlers	2x1	JEF United-JAP	1
Kashima Antlers	2x1	Bellmare Hiratsuka-JAP	1
Kashima Antlers	3x2	Yokohama Marinos-JAP	1
Kashima Antlers	3x2	Yokohama Flügels-JAP	1
Kashima Antlers	1x0	Sanfrecce Hiroshima-JAP	1 e
Kashima Antlers	6x1	Tohoku Electric-JAP	2

1994

Kashima Antlers	3x1	Gamba Osaka-JAP	1
Kashima Antlers	4x1	Urawa Red Diamonds-JAP	1
Kashima Antlers	4x0	Bellmare Hiratsuka-JAP	2
Kashima Antlers	2x1	Jubilo Iwata-JAP	1

ESTATÍSTICAS, RANKINGS, CURIOSIDADES E AFINS

(INCLUINDO CATEGORIAS DE BASE, MÁSTER E AMISTOSOS)*

* **NOTA DOS AUTORES:** as exclusões (jogos das categorias de base, do Sumitomo/Kashima e amistosos) se devem ao fato de não ter havido minuciosa cobertura de imprensa nessas etapas da carreira de Zico.

ZICO FEZ GOLS...

... EM 551 JOGOS;

- em 313 goleiros - excetuando escolinha e Sumitomo/Kashima (dois nomes do único clube pelo qual Zico jogou no Japão. O clube mudou de nome e de divisão - passou da segunda para a primeira - durante o período em que o Galinho lá jogou);
- em 252 times adversários - entre clubes, seleções e combinados;
- em 145 estádios - excetuando Sumitomo/Kashima;
- em 128 cidades no mundo - incluindo categorias de base e máster;
- em 92 minutos do jogo - incluindo os acréscimos, 91' e 94';
- em 35 competições - incluindo torneios de dois jogos e excetuando amistosos;
- em 27 anos diferentes - incluindo categorias de base e máster;
- em 24 estados brasileiros e DF - incluindo categorias de base e máster;
- em 22 países - incluindo categorias de base e máster.

E MAIS:

- em 169 jogos, foi o artilheiro do jogo, sozinho - incluindo categorias de base e máster;
- em 145 jogos, foi o único jogador de seu time a marcar - incluindo vitórias e empates e categorias de base e máster;
- um total de 88 jogadores deram assistências a Zico que resultaram em gols - excetuando escolinha e Sumitomo/Kashima;
- em 82 vitórias, foi o único jogador de seu time a marcar - incluindo categorias de base e máster;
- por 66 vezes, fez o gol da vitória em jogos ganhos por diferença de 1 gol, sendo de Zico o único ou o último gol da partida - excetuando escolinha e Sumitomo;
- em 62 jogos, foi o único jogador (dos dois times em campo) a fazer gols - incluindo categorias de base e máster;
- um total de 46 jogadores sofreram as penalidades máximas nos gols de pênalti de Zico - excetuando escolinha e Sumitomo/Kashima;
- um total de 35 técnicos comemoram seus gols - incluindo categorias de base e máster;
- foram 37 países dos times adversários - incluindo categorias de base e máster;
- um total de 32 jogadores proporcionaram rebotes nos gols de rebote de Zico - excetuando escolinha e Sumitomo/Kashima;
- um total de 31 jogadores sofreram as faltas nos gols de falta de Zico - excetuando escolinha e Sumitomo/Kashima;
- por 29 vezes, Zico fez o último gol do empate - excetuando escolinha e Sumitomo/Kashima;
- em 23 times Zico jogou - incluindo categorias de base e máster;
- por 15 vezes, Zico fez o gol da vitória nos últimos 10 minutos - excetuando escolinha e Sumitomo/Kashima;
- por sete vezes, fez o gol do empate nos últimos 10 minutos - excetuando escolinha e Sumitomo/Kashima;
- por 3 vezes, fez gol no dia de seu aniversário (03/03): 1974, 1977 e 1982

GOLS DE ZICO POR DÉCADAS

ENTRE PARÊNTESES, SÓ COMO PROFISSIONAL

- Anos 1960 - 1968 a 69 - 15 a 16 anos - 17 gols
- Anos 1970 - 1970 a 79 - 16 a 26 anos - 417 (351)
- Anos 1980 - 1980 a 89 - 26 a 36 anos - 290 (289)
- Anos 1990 - 1990 a 94 - 36 a 41 anos - 80 (58)

GOLS DE ZICO ANO A ANO

*ENTRE PARÊNTESES: SÓ COMO PROFISSIONAL **(EM PRETO)**, PELO TIME PROFISSIONAL DO FLAMENGO **(EM VERMELHO)**, NO MARACANÃ **(EM AZUL)**, PELA SELEÇÃO BRASILEIRA **(EM VERDE)**, DE FALTA **(EM ROXO)** E DE PÊNALTI **(EM LARANJA)**, **(EM ROSA)** NAS CATEGORIAS DE BASE E **(EM MARROM)** NA MÁSTER*

1968	14	(0)	(0)	(0)	(0)	(0)	(3)	(14)	(0)
1969	3	(0)	(0)	(0)	(0)	(0)	(0)	(3)	(0)
1970	27	(0)	(0)	(0)	(0)	(2)	(2)	(27)	(0)
1971	26	(2)	(2)	(3)	(0)	(1)	(3)	(24)	(0)
1972	15	(0)	(0)	(2)	(0)	(2)	(1)	(15)	(0)
1973	13	(13)	(13)	(6)	(0)	(0)	(4)	(0)	(0)
1974	49	(49)	(49)	(29)	(0)	(6)	(6)	(0)	(0)
1975	52	(52)	(51)	(39)	(0)	(5)	(19)	(0)	(0)
1976	63	(63)	(56)	(31)	(7)	(6)	(11)	(0)	(0)
1977	48	(48)	(39)	(27)	(9)	(9)	(8)	(0)	(0)
1978	35	(35)	(26)	(17)	(9)	(4)	(2)	(0)	(0)
1979	89	(89)	(81)	(53)	(7)	(4)	(12)	(0)	(0)
1980	54	(54)	(47)	(29)	(6)	(3)	(9)	(0)	(0)
1981	59	(59)	(45)	(28)	(14)	(6)	(12)	(0)	(0)
1982	59	(59)	(47)	(32)	(8)	(3)	(9)	(0)	(0)
1983	42	(42)	(20)	(16)	(0)	(7)	(6)	(0)	(0)
1984	24	(24)	(0)	(0)	(0)	(8)	(4)	(0)	(0)
1985	23	(23)	(7)	(2)	(3)	(5)	(2)	(0)	(0)
1986	7	(7)	(4)	(3)	(3)	(1)	(2)	(0)	(0)
1987	6	(6)	(6)	(4)	(0)	(1)	(3)	(0)	(0)
1988	6	(6)	(6)	(1)	(0)	(0)	(1)	(0)	(0)
1989	10	(9)	(9)	(3)	(0)	(2)	(0)	(0)	(1)
1990	14	(0)	(0)	(0)	(0)	(0)	(0)	(0)	(14)
1991	25	(19)	(0)	(0)	(0)	(6)	(5)	(0)	(6)
1992	23	(21)	(0)	(0)	(0)	(4)	(1)	(0)	(2)
1993	13	(13)	(0)	(0)	(0)	(2)	(0)	(0)	(0)
1994	5	(5)	(0)	(0)	(0)	(2)	(0)	(0)	(0)
TOTAL	804	(698)	(508)	(335)	(66)	(89)	(125)	(83)	(23)

ANOS EM QUE FEZ MAIS GOLS (as três primeiras colocações)

INCLUINDO CATEGORIAS DE BASE E MÁSTER

- 1979: 89 gols
- 1976: 63 gols
- 1981 e 1982: 59 gols

ANOS EM QUE FEZ MAIS GOLS PELO FLAMENGO (as três primeiras colocações)

SÓ PROFISSIONAL

- 1979: 81 gols
- 1976: 56 gols
- 1975: 51 gols

ANOS EM QUE FEZ MAIS GOLS PELA SELEÇÃO BRASILEIRA (as três primeiras colocações)

- 1981: 14 gols
- 1977 e 1978: 9 gols
- 1982: 8 gols

ANOS EM QUE FEZ MAIS GOLS NO MARACANÃ (as três primeiras colocações)

- 1979: 53 gols
- 1975: 39 gols
- 1982: 32 gols

ANOS EM QUE FEZ MAIS GOLS DE FALTA (as três primeiras colocações)

- 1984: 10 gols
- 1977: 9 gols
- 1983: 7 gols

Obs.: Em 1967/68/69, 1973, 1988 e 1990: nenhum gol de falta

ANOS EM QUE FEZ MAIS GOLS DE PÊNALTI (as três primeiras colocações)

- 1975: 19 gols
- 1979 e 1981: 12 gols
- 1976: 11 gols

Obs.: Em 1969/70, 1989/90 e 1993/94, nenhum gol de pênalti

GOLS POR SEMESTRE

EXCETUANDO ESCOLINHA

Entre parênteses, só profissional

- Primeiro: 397 gols (357)
- Segundo: 354 gols (341)

Obs.: há 9 gols cujos registros não indicam a data completa em que foram marcados, só o ano; portanto, não conseguimos identificar o semestre em que ocorreram.

GOLS POR ESTAÇÕES DO ANO

EXCETUANDO ESCOLINHA

Entre parênteses, só profissional

- Outono: 218 gols (194)
- Inverno: 182 gols (168)
- Primavera: 178 gols (173)
- Verão: 173 gols (162)

Obs.: há 9 gols cujos registros não indicam a data completa em que foram marcados, só o ano; portanto, não conseguimos identificar a estação do ano em que ocorreram.

GOLS POR MÊS (em ordem decrescente)

EXCETUANDO ESCOLINHA

Entre parênteses, só como profissional

- Março: 84 gols (74)
- Maio: 73 gols (67)
- Outubro: 72 gols (71)
- Abril e agosto: 71 gols (62) (71)
- Julho: 69 gols (59)
- Junho: 66 gols (60)
- Setembro: 65 gols (63)
- Fevereiro: 61 gols (59)
- Novembro: 50 gols (50)
- Janeiro: 40 gols (35)
- Dezembro: 29 gols (27)

Obs.: há 9 gols cujos registros não indicam a data completa em que foram marcados, só o ano; portanto, não conseguimos identificar o mês ou os meses em que ocorreram.

MÊS E ANO EM QUE FEZ MAIS GOLS (as três primeiras colocações)

EXCETUANDO ESCOLINHA

Entre parênteses, só como profissional

- Junho de 1979: 17 gols
- Março de 1979: 16 gols
- Julho de 1975: 12 gols

GOLS FEITOS EM CADA MÊS PELO FLAMENGO (em ordem decrescente)

SÓ PROFISSIONAL

- Março: 55 gols
- Agosto: 52 gols
- Abril: 50 gols
- Outubro: 49 gols
- Julho: 47 gols
- Setembro: 46 gols
- Fevereiro: 44 gols
- Maio: 42 gols
- Novembro: 41 gols
- Junho: 39 gols
- Janeiro: 25 gols
- Dezembro: 18 gols

MESES EM QUE FEZ MAIS GOLS PELA SELEÇÃO BRASILEIRA (as três primeiras colocações)

- Março e Junho: 14 gols
- Maio: 11 gols
- Abril: 6 gols

Obs.: em janeiro e novembro, nenhum gol foi feito por Zico na seleção.

MESES EM QUE FEZ MAIS GOLS NO MARACANÃ (as três primeiras colocações)

EXCETUANDO ESCOLINHA

Entre parênteses, só como profissional

- Março: 53 gols (50)
- Abril: 40 gols (35)
- Julho e Setembro: 36 gols (35), (35)

MESES EM QUE FEZ MAIS GOLS DE FALTA (as três primeiras colocações)

EXCETUANDO ESCOLINHA

Entre parênteses, só como profissional

- Fevereiro: 11 gols (11)
- Setembro: 11 gols (11)
- Outubro: 10 gols (10)

NÚMERO DE GOLS POR DIA DE SEMANA

EXCETUANDO ESCOLINHA

Entre parênteses, só como profissional

- Domingo: 267 gols (257)
- Quarta-feira: 168 gols (161)
- Sábado: 130 gols (108)
- Quinta-feira: 87 gols (81)
- Terça-feira: 40 gols (35)
- Sexta-feira: 39 gols (38)
- Segunda-feira: 20 gols (16)

Obs.: há 9 gols cujos registros não indicam a data completa em que foram marcados, só o ano; portanto, não conseguimos identificar o dia da semana em que ocorreram.

DIAS DO MÊS EM QUE FEZ MAIS GOLS (as três primeiras colocações)

EXCETUANDO ESCOLINHA

Entre parênteses, só como profissional

- Dia 11: 46 gols (45)
- Dia 16: 36 gols (36)
- Dia 14: 33 gols (32)

DIAS DO ANO EM QUE FEZ MAIS GOLS (as três primeiras colocações)

EXCETUANDO ESCOLINHA

Entre parênteses, só como profissional

- 29/03: 9 gols
- 12/03 e 16/05: 8 gols (8) (8)
- 10/02, 11/02, 15/04, 14/07, 11/08 e 23/09: 07 gols (07), (07), (07), (07), (07) (07)

DIAS EM QUE FEZ MAIS GOLS EM CADA MÊS

EXCETUANDO ESCOLINHA

Entre parênteses, só como profissional

- Janeiro: 5 gols – Dias 18 (5), 24 (03) e 31 (5)
- Fevereiro: 7 gols – Dias 10 (7) e 11 (7)
- Março: 9 gols – Dia 29 (9)
- Abril: 7 gols – Dia 15 (7)
- Maio: 8 gols – Dia 16 (8)
- Junho: 6 gols – Dias 7 (6), 10 (6) e 14 (6)
- Julho: 7 gols – Dia 14 (7)
- Agosto: 7 gols – Dia 11 (7)
- Setembro: 7 gols – Dia 23 (7)
- Outubro: 8 gols – Dia 16 (8)
- Novembro: 6 gols – Dia 22 (6)
- Dezembro: 4 gols – Dia 2 (4)

GOLS POR TEMPO DE PARTIDA

EXCETO ESCOLINHA

Entre parênteses, só como profissional

- Segundo tempo: 387 gols (361)
- Primeiro tempo: 328 gols (308)

Obs.: há 45 gols, 29 deles na categoria profissional, cujos registros não indicam o tempo da partida em que ocorreram.

PERÍODOS DO JOGO EM QUE FEZ MAIS GOLS (as três primeiras colocações)

EXCETUANDO ESCOLINHA

Entre parênteses, só como profissional

- 61 a 75 minutos: 137 gols (131)
- 46 a 60 minutos: 125 gols (113)
- 76 a 94 minutos: 124 gols (114)

Obs.: há 45 gols, 29 deles na categoria profissional, cujos registros não indicam o período do jogo em que ocorreram.

MINUTOS DO JOGO EM QUE FEZ MAIS GOLS (as três primeiras colocações)

EXCETUANDO ESCOLINHA

Entre parênteses, só como profissional

- 10': 16 gols (15)
- 55', 70', 71' e 72': 15 gols (15), (14), (14), (15)
- 20', 35', 50' e 89': 13 gols (12), (12), (12), (13)

O GOL MAIS PRECOCE

- Gol 423 de toda a carreira: aos **10 segundos do primeiro tempo** – 26 de agosto de 1979 – Flamengo 2x0 Újpesti (Hungria) – Final do Troféu Ramón de Carranza – Estádio Ramón de Carranza

O GOL MAIS TARDIO

- Gol 790 de toda a carreira: aos **94 minutos do segundo tempo** – 3 de setembro de 1993 – Kashima Antlers 2x1 JEF United – Campeonato Japonês – Estádio Ichihara

NÚMERO DE GOLS POR CATEGORIAS

- Profissional: 698 gols
- Escolinha: 45 gols
- Juvenil (hoje, Juniores/Sub 20): 38 gols
- Máster: 23 gols

NÚMERO DE GOLS QUE ZICO FEZ POR CADA TIME

- Flamengo: 508 gols
- Seleção brasileira: 66 gols
- Udinese: 56 gols
- Sumitomo/Kashima Antlers: 55 gols
- Flamengo escolinha: 45 gols
- Flamengo juvenil: 36 gols
- Seleção brasileira de máster: 8 gols
- Seleção máster da América do Sul: 7 gols
- Seleção carioca: 4 gols
- Seleção do Resto do Mundo Profissional e seleção de máster do Resto do Mundo: 3 gols
- Seleção da América do Sul Profissional e seleção do Campeonato Italiano: 2 gols
- Combinado brasileiro, seleção brasiliense, seleção brasileira olímpica, seleção carioca juvenil, seleção Juruna e seleção de 1982, Flamengo máster, Madureira máster e seleção da Saferj: 1 gol

NÚMERO DE GOLS, POR TIME, MARCADOS NO MARACANÃ

- Flamengo: 297 gols
- Seleção brasileira: 18 gols
- Flamengo juvenil: 15 gols
- Seleção carioca: 4 gols
- Seleção carioca juvenil: 1 gol

NÚMERO DE GOLS DE FALTA POR TIME

- Flamengo: 47 gols
- Udinese: 18 gols
- Sumitomo/Kashima Antlers: 14 gols
- Seleção brasileira: 7 gols
- Flamengo juvenil: 3 gols
- Flamengo escolinha: 2 gols

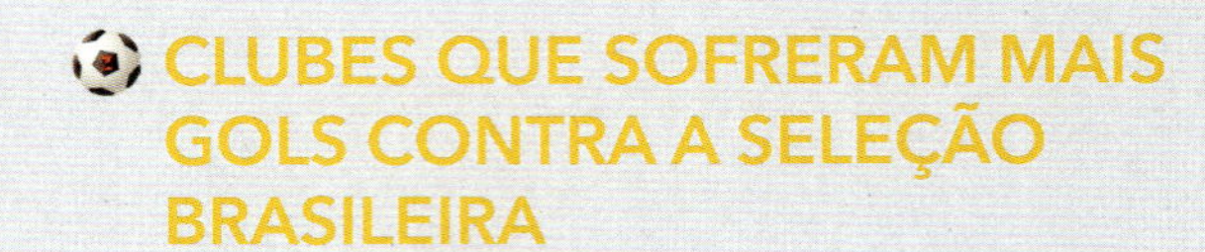

NÚMERO DE GOLS DE FALTA POR TIME, MARCADOS NO MARACANÃ

- Flamengo: 36 gols
- Seleção brasileira: 2 gols
- Flamengo juvenil: 1 gol

NÚMERO DE GOLS DE PÊNALTI POR TIME

- Flamengo: 85 gols
- Seleção brasileira: 16 gols
- Udinese: 7 gols
- Flamengo escolinha: 5 gols
- Flamengo juvenil e Sumitomo/Kashima Antlers: 4 gols
- Seleção carioca profissional: 2 gols
- Seleção brasileira de máster: 1 gol

NÚMERO DE GOLS DE PÊNALTI, POR TIME, NO MARACANÃ

- 60 gols: Flamengo
- 6 gols: Seleção brasileira:
- 2 gols: Flamengo juvenil e seleção carioca profissional:

ADVERSÁRIOS QUE SOFRERAM MAIS GOLS (as três primeiras colocações)

Entre parênteses, só profissional

- Campo Grande: 37 gols (22)
- América: 27 gols (23)
- Bangu, Fluminense e Vasco: 25 gols (20), (20) e (19)

ADVERSÁRIOS BRASILEIROS QUE SOFRERAM MAIS GOLS, COM EXCEÇÃO DE TIMES CARIOCAS

Entre parênteses, só profissional

- Atlético-MG, Desportiva-ES e Internacional: 9 gols (9), (9) e (9)
- Corinthians: 8 gols (8)

ADVERSÁRIOS ESTRANGEIROS (SÓ CLUBES) QUE SOFRERAM MAIS GOLS

Entre parênteses, só como profissional

- Sanfrecce Hiroshima/JAP: 6 gols (6)
- Cerro Porteño/PAR, Lugano/SUI e Maniago/ITA: 5 gols (5), (5) e (5)

SELEÇÕES ESTADUAIS QUE SOFRERAM MAIS GOLS (as três primeiras colocações)

- Seleção paulista: 4 gol
- Seleção roraimense: 3 gols
- Seleção goiana: 2 gols

ADVERSÁRIOS, NO GERAL, QUE SOFRERAM MAIS GOLS CONTRA A SELEÇÃO BRASILEIRA (as três primeiras colocações)

- Seleção da Bolívia: 8 gols
- Seleção do Paraguai: 7 gols
- Combinado do interior do Rio de Janeiro: 5 gols

CLUBES QUE SOFRERAM MAIS GOLS CONTRA A SELEÇÃO BRASILEIRA

- Ajax (HOL): 2 gols
- Milan (ITA), Millonarios (COL) e Pumas UNAM (MEX): 1 gol

ADVERSÁRIOS RIVAIS CARIOCAS QUE SOFRERAM MAIS GOLS CONTRA O FLAMENGO

SÓ PROFISSIONAL

- Botafogo: 20 gols
- Fluminense e Vasco: 19 gols

ADVERSÁRIOS, NO TOTAL, QUE SOFRERAM MAIS GOLS CONTRA O FLAMENGO (as três primeiras colocações)

SÓ PROFISSIONAL

- América e Campo Grande: 22 gols
- Bangu e Botafogo: 20 gols
- Fluminense, Madureira e Vasco: 19 gols

SELEÇÕES NACIONAIS QUE SOFRERAM GOLS CONTRA O FLAMENGO

SÓ PROFISSIONAL

- Zaire: 3 gols
- Arábia Saudita: 2 gols
- Iraque, Japão e Kuwait: 1 gol

ADVERSÁRIOS QUE SOFRERAM MAIS GOLS CONTRA A UDINESE (as três primeiras colocações)

- Lugano (SUI) e Maniago (ITA): 5 gols
- Catania (ITA): 4 gols
- Avellino (ITA), Basiliano (ITA), Lecce (ITA) e Milan (ITA): 3 gols

ADVERSÁRIOS QUE SOFRERAM MAIS GOLS CONTRA SUMITOMO/ KASHIMA ANTLERS

- Sanfrecce Hiroshima (JAP): 6 gols
- Nagoya Grampus Eight (JAP): 4 gols
- Kofu Club (JAP), NTT Kanto (JAP), Toho Titanium (JAP), Tokyo Gas (JAP), Yomiuri Juniors (JAP), Shonan Bellmare (JAP) e Yokohama Marinos (JAP): 3 gols

ADVERSÁRIOS QUE SOFRERAM MAIS GOLS NO MARACANÃ (as três primeiras colocações)

Entre parênteses, só profissional

- América e Botafogo: 22 gols (22) e (20)
- Fluminense: 20 gols(18)
- Vasco: 19 gols (18)

ADVERSÁRIOS QUE SOFRERAM MAIS GOLS NO ESTÁDIO FRIULI

- Avellino (ITA), Catania (ITA), Internazionale (ITA), Lazio (ITA), Lecce (ITA) e Triestina (ITA): 2 gols

ADVERSÁRIOS QUE SOFRERAM MAIS GOLS NO ESTÁDIO KASHIMA

- Nagoya Grampus Eight (JAP) e Shonan Bellmare (JAP): 3 gols
- Tohoku Electric (JAP): 2 gols

ADVERSÁRIOS QUE SOFRERAM MAIS GOLS DE FALTA CONTRA A SELEÇÃO BRASILEIRA

- Seleção da Bolívia e seleção da Escócia: 2 gols

ADVERSÁRIOS QUE SOFRERAM GOLS DE FALTA CONTRA A SELEÇÃO BRASILEIRA NO MARACANÃ

- Seleção da Bolívia e seleção da Escócia: 1 gol

ADVERSÁRIOS QUE SOFRERAM MAIS GOLS DE FALTA NO MARACANÃ

- América: 4 gols
- Fluminense: 3 gols
- Botafogo, Corinthians, Madureira, Portuguesa-RJ e Volta Redonda: 2 gols

ADVERSÁRIOS QUE SOFRERAM MAIS GOLS DE FALTA CONTRA O FLAMENGO NO MARACANÃ

- América: 4 gols
- Fluminense: 3 gols
- Botafogo, Corinthians, Madureira, Portuguesa-RJ e Volta Redonda: 2 gols

ADVERSÁRIOS QUE SOFRERAM MAIS GOLS DE FALTA CONTRA O FLAMENGO

- América e Fluminense: 4 gols
- Campo Grande: 3 gols
- Botafogo, Corinthians, Madureira, Portuguesa-RJ e Volta Redonda: 2 gols

ADVERSÁRIOS QUE SOFRERAM MAIS GOLS DE FALTA CONTRA A UDINESE

- Avellino, Catania e Lecce: 2 gols

ADVERSÁRIO QUE SOFREU MAIS GOLS DE FALTA CONTRA O KASHIMA ANTLERS

- Nagoya Grampus Eight: 2 gols

ADVERSÁRIOS, NO TOTAL, QUE SOFRERAM MAIS GOLS DE FALTA

Entre parênteses, só como profissional

- América e Fluminense: 4 gols (4) e (4)

- Campo Grande: 3 gols (3)
- Avellino-ITA, Botafogo, Catania-ITA, Corinthians, Lecce (ITA), Madureira, Nagoya Grampus Eight (JAP), Portuguesa-RJ, seleção da Bolívia, seleção da Escócia e Volta Redonda: 2 gols (2), (2), (2), (2 (2), (2), (2), (2), (2), (2) e (2)

ÚNICO ADVERSÁRIO/CLUBE EUROPEU QUE SOFREU GOL DE FALTA CONTRA O FLAMENGO

- Barcelona (ESP)

ADVERSÁRIOS QUE SOFRERAM MAIS GOLS DE PÊNALTI CONTRA A SELEÇÃO BRASILEIRA

- Seleção brasileira de novos, seleção da Bolívia e seleção da Venezuela: 2 gols

ADVERSÁRIOS QUE SOFRERAM GOLS DE PÊNALTI CONTRA A SELEÇÃO BRASILEIRA NO MARACANÃ

- Seleção brasileira de novos: 2 gols
- Combinado Botafogo/Vasco, seleção da Bolívia, seleção do Paraguai e seleção do Uruguai: 1 gol

ADVERSÁRIOS QUE SOFRERAM MAIS GOLS DE PÊNALTI NO MARACANÃ (as três primeiras colocações)

- Goytacaz: 7 gols
- América e Campo Grande: 5 gols
- Bangu, Botafogo, Madureira e Vasco: 4 gols

ADVERSÁRIOS QUE SOFRERAM MAIS GOLS DE PÊNALTI CONTRA O FLAMENGO NO MARACANÃ (as três primeiras colocações)

- Goytacaz: 7 gols
- América e Campo Grande: 5 gols
- Bangu, Botafogo, Madureira e Vasco: 4 gols

ADVERSÁRIOS QUE SOFRERAM MAIS GOLS DE PÊNALTI CONTRA O FLAMENGO (as três primeiras colocações)

- Bangu e Goytacaz: 7 gols
- Campo Grande: 6 gols
- América e Olaria: 5 gols

ADVERSÁRIOS QUE SOFRERAM GOLS DE PÊNALTI CONTRA A UDINESE

- Avellino, Basiliano-ITA, Internazionale, Lugano-SUI, Milan, Napoli e Verona: 1 gol

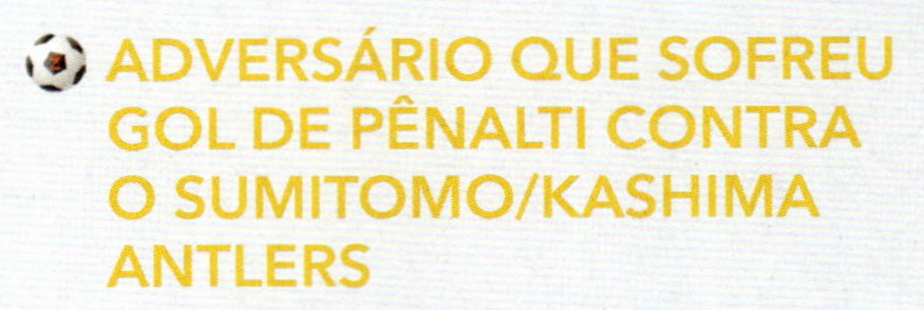

ADVERSÁRIO QUE SOFREU GOL DE PÊNALTI CONTRA O SUMITOMO/KASHIMA ANTLERS

- Sanfrecce Hiroshima: 1 gol

ADVERSÁRIOS, NO CÔMPUTO GERAL, QUE SOFRERAM MAIS GOLS DE PÊNALTI (as três primeiras colocações)

Entre parênteses, só como profissional

- Bangu e Goytacaz: 7 gols (7) e (7)
- Campo Grande: 6 gols (6)
- América e Olaria: 5 gols (5) e (4)

ADVERSÁRIOS, NO CÔMPUTO GERAL, QUE SOFRERAM MAIS GOLS NO PRIMEIRO TEMPO (as três primeiras colocações)

EXCETUANDO ESCOLINHA

Entre parênteses, só como profissional

- Botafogo, Campo Grande e Madureira: 13 gols (13), (11) e (11)
- Fluminense: 12 gols (10)
- América: 11 gols (11)

ADVERSÁRIOS, NO CÔMPUTO GERAL, QUE SOFRERAM MAIS GOLS NO SEGUNDO TEMPO (as três primeiras colocações)

EXCETUANDO ESCOLINHA

Entre parênteses, só profissional

- Campo Grande: 15 gols (11)

- Bangu: 14 gols (12)
- Vasco: 13 gols (12)

ADVERSÁRIOS QUE SOFRERAM MAIS GOLS PELO CAMPEONATO CARIOCA (as três primeiras colocações)

SÓ PROFISSIONAL

- Campo Grande: 22 gols
- América, Bangu e Madureira: 19 gols
- Goytacaz: 18 gols

ADVERSÁRIOS QUE SOFRERAM MAIS GOLS PELO CAMPEONATO BRASILEIRO

- Guarani, Santos, São Paulo e Tiradentes: 6 gols

ADVERSÁRIOS QUE SOFRERAM MAIS GOLS PELA COPA LIBERTADORES (as três primeiras colocações)

- Cerro Porteño (PAR): 5 gols
- Cobreloa (CHI): 4 gols
- Blooming (BOL): 3 gols

ADVERSÁRIOS QUE SOFRERAM MAIS GOLS PELA COPA DO BRASIL

- Corinthians: 2 gols
- Blumenau: 1 gol

ADVERSÁRIOS QUE SOFRERAM MAIS GOLS PELO CAMPEONATO ITALIANO (as três primeiras colocações)

- Catania 4 gols
- Avellino: 3 gols
- Genoa, Internazionale, Juventus, Lazio, Milan e Verona: 2 gols

ADVERSÁRIOS QUE SOFRERAM MAIS GOLS PELA COPA ITÁLIA

- Lecce e Triestina: 2 gols

ADVERSÁRIOS QUE SOFRERAM MAIS GOLS PELO CAMPEONATO JAPONÊS

- Nagoya Grampus: 3 gols
- Sanfrecce Hiroshima, Shonan Bellmare e Yokohama Marinos: 2 gols

ADVERSÁRIO QUE SOFREU MAIS GOLS PELA COPA DO IMPERADOR

- Tohoku Electric: 02 gols

ADVERSÁRIO QUE SOFREU MAIS GOLS PELA COPA NABISCO

- Sanfrecce Hiroshima: 3 gols

ADVERSÁRIOS QUE SOFRERAM GOLS EM COPAS DO MUNDO

- Nova Zelândia: 2 gols
- Argentina, Escócia e Peru: 1 gol

ADVERSÁRIOS QUE SOFRERAM GOLS EM COPAS AMÉRICAS

- Argentina e Bolívia: 1 gol

ADVERSÁRIOS QUE SOFRERAM GOLS EM ELIMINATÓRIAS DE COPA DO MUNDO

- Bolívia: 7 gols
- Venezuela: 2 gols
- Colômbia e Paraguai: 1 gol

ADVERSÁRIOS QUE SOFRERAM MAIS GOLS EM UM ANO

- Goytacaz (1979 em 3 jogos): 11 gols
- Bangu (1975 em 3 jogos) e Campo Grande escolinha (1970 em 2 jogos): 9 gols

ADVERSÁRIOS QUE SOFRERAM O MAIOR NÚMERO DE GOLS EM UM JOGO

- Niterói (Fla 7x1) e Goytacaz (Fla 7x1) em 1979, Campo Grande escolinha (Fla 8x0) em 1970 e Paquetá escolinha (Fla 10x0) em 1968: 6 gols

ADVERSÁRIOS QUE SOFRERAM GOLS EM MAIS ANOS

Entre parênteses, só profissional

- América e Fluminense: 11 gols cada em 14 anos
- Em 12 anos, Vasco: 8 gols

ADVERSÁRIOS QUE SOFRERAM GOLS EM MAIS JOGOS (as três primeiras colocações)

Entre parênteses, só profissional

- Vasco: 18 gols (18) em 23 jogos
- América: 18 gols (18) em 22 jogos
- Fluminense: 14 gols (14) em 18 jogos

ADVERSÁRIOS QUE SOFRERAM MAIS GOLS NOS ANOS 1960 (as três primeiras colocações)

SÓ ESCOLINHA

- Paquetá: 6 gols
- Everest: 3 gols
- São Cristóvão e Juventus: 2 gols

ADVERSÁRIOS QUE SOFRERAM MAIS GOLS NOS ANOS 1970 (as três primeiras colocações)

Entre parênteses, só profissional

- Campo Grande: 30 gols (15)
- Bangu: 22 gols (17)
- São Cristóvão: 21 gols (17)

ADVERSÁRIOS QUE SOFRERAM MAIS GOLS NOS ANOS 1980 (as três primeiras colocações)

SÓ PROFISSIONAL

- América e Botafogo: 8 gols
- Campo Grande e Madureira: 7 gols
- Corinthians, Fluminense e Santos: 6 gols

ADVERSÁRIOS QUE SOFRERAM MAIS GOLS NOS ANOS 1990

Entre parênteses, só profissional

- Sanfrecce Hiroshima/JAP e seleção de máster da Europa: 6 gols (6)
- Nagoya Grampus Eight/JAP: 4 gols (4)

ADVERSÁRIOS QUE SOFRERAM GOLS CONTRA O FLAMENGO E UDINESE

- América (RJ)
- Avellino (ITA)
- Barcelona (ESP)
- Juventus (ITA)
- Napoli (ITA)

ADVERSÁRIO QUE SOFREU GOLS CONTRA O FLAMENGO E KASHIMA ANTLERS

- Fluminense

ADVERSÁRIOS QUE SOFRERAM GOLS NO PROFISSIONAL, NO JUVENIL E NA ESCOLINHA

- América
- Bangu
- Campo Grande
- Fluminense
- Olaria
- Portuguesa-RJ
- São Cristóvão
- Vasco

ADVERSÁRIOS QUE SOFRERAM MAIS GOLS NAS CATEGORIAS DE BASE (as três primeiras colocações

- Campo Grande: 15 gols
- Portuguesa-RJ: 8 gols
- Olaria, Paquetá, São Cristóvão e Vasco: 6 gols

687 GOLS CONTRA CLUBES

(604 como profissional)

117 CONTRA SELEÇÕES OU COMBINADOS

(94 como profissional)

ESTADOS DOS ADVERSÁRIOS BRASILEIROS QUE SOFRERAM MAIS GOLS (as três primeiras colocações)

Entre parênteses, só profissional

- Rio de Janeiro: 355 gols (267)
- São Paulo: 34 gols (34)
- Espírito Santo: 16 gols(12)

ESTADOS DOS ADVERSÁRIOS BRASILEIROS DO FLAMENGO QUE SOFRERAM MAIS GOLS

SÓ PROFISSIONAL

- Rio de Janeiro: 259 gols
- São Paulo: 30 gols
- Rio Grande do Sul: 14 gols

ESTADOS DOS ADVERSÁRIOS BRASILEIROS DA SELEÇÃO BRASILEIRA QUE SOFRERAM GOLS

- Rio de Janeiro: 6 gols
- Goiás: 1 gol

ESTADOS DOS ADVERSÁRIOS BRASILEIROS QUE SOFRERAM MAIS GOLS NO MARACANÃ (as três primeiras colocações)

- Rio de Janeiro: 213 gols (197)
- São Paulo: 26 gols (26)
- Pernambuco: 10 gols (10)

ESTADOS DOS ADVERSÁRIOS BRASILEIROS QUE SOFRERAM MAIS GOLS DE FALTA

Entre parênteses, só profissional

- Rio de Janeiro: 32 gols (28)
- São Paulo: 4 gols (4)
- Bahia, Goiás, Pernambuco e Rio Grande do Sul: 2 gols (2), (2), (2) e (2)

PAÍSES DOS ADVERSÁRIOS QUE SOFRERAM MAIS GOLS (as três primeiras colocações)

Entre parênteses, só profissional

- Brasil: 558 gols (472)
- Itália e Japão: 57 gols (53) e (57)
- Paraguai: 12 gols (12)

PAÍSES DOS ADVERSÁRIOS DO FLAMENGO QUE SOFRERAM MAIS GOLS (as três primeiras colocações)

SÓ PROFISSIONAL

- Brasil: 456 gols
- Espanha, Itália e Paraguai: 5 gols

PAÍSES DOS ADVERSÁRIOS DA SELEÇÃO BRASILEIRA QUE SOFRERAM MAIS GOLS (as três primeiras colocações)

- Brasil (combinado e seleções estaduais e nacional): 9 gols
- Bolívia: 8 gols
- Paraguai: 7 gols

PAÍSES DOS ADVERSÁRIOS QUE SOFRERAM MAIS GOLS NO MARACANÃ (as três primeiras colocações)

Entre parênteses, só profissional

- Brasil: 303 gols (288)
- Bolívia e Paraguai: 6 gols (6) e (6)
- Argentina: 4 gols (4)

PAÍSES DOS ADVERSÁRIOS QUE SOFRERAM MAIS GOLS DE FALTA (as três primeiras colocações)

Entre parênteses, só profissional

- Brasil: 49 gols (44)
- Itália: 16 gols (16)
- Japão: 14 gols (14)

558 GOLS FORAM MARCADOS CONTRA TIMES BRASILEIROS

(472 como profissional)

246 CONTRA TIMES DE OUTROS PAÍSES

(226 como profissional)

616 GOLS FORAM NO BRASIL

(526 como profissional)

188 EM OUTROS PAÍSES

(172 como profissional)

PAÍSES ONDE FEZ MAIS GOLS (as três primeiras colocações)

Entre parênteses, só como profissional

- Brasil: 616 gols(526)
- Itália: 63 gols (56)
- Japão: 62 gols(59)

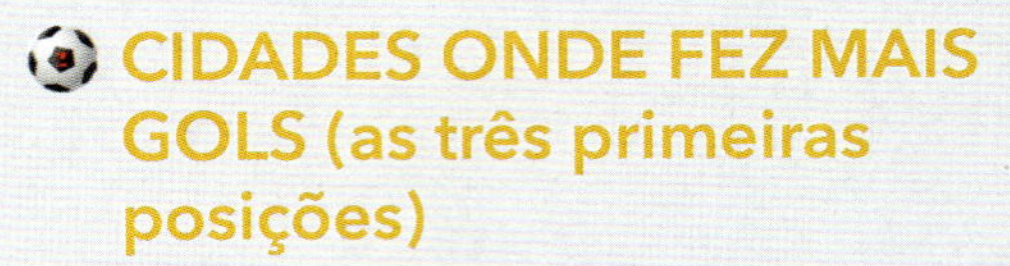

PAÍSES ONDE FEZ MAIS GOLS PELO FLAMENGO (as três primeiras colocações)

SÓ PROFISSIONAL

- Brasil: 474 gols
- Espanha: 9 gols
- Itália: 4 gols

PAÍSES ONDE FEZ GOLS PELA SELEÇÃO BRASILEIRA

- Brasil: 47 gols
- Colômbia: 5 gols
- Espanha: 4 gols
- Argentina e Estados Unidos: 2 gols

PAÍSES ONDE FEZ GOLS DE FALTA

Entre parênteses, Só profissional

- Brasil: 52 gols (47)
- Itália: 18 gols (18)
- Japão: 15 gols (15)
- Espanha e Uruguai: 2 gols (2) e (2)
- Argentina e Colômbia: 1 gol (1) (1)

ESTADOS ONDE FEZ MAIS GOLS (as três primeiras colocações)

Entre parênteses, só como profissional

- Rio de Janeiro: 476 gols (399)
- São Paulo: 21 gols (19)
- Espírito Santo: 14 gols (10)

ESTADOS ONDE FEZ MAIS GOLS PELO FLAMENGO (as três primeiras colocações)

SÓ PROFISSIONAL

- Rio de Janeiro: 372 gols
- São Paulo: 13 gols
- Bahia: 10 gols

ESTADOS ONDE FEZ MAIS GOLS PELA SELEÇÃO BRASILEIRA(as três primeiras colocações)

- Rio de Janeiro: 23 gols
- São Paulo: 6 gols
- Alagoas, Goiás e Pernambuco: 4 gols

ESTADOS ONDE FEZ GOLS DE FALTA

Entre parênteses, só profissional

- Rio de Janeiro: 45 gols (41)
- Goiás: gols(2)
- Espírito Santo, Mato Grosso, Minas Gerais, Pernambuco e Piauí: 1 gol (1), (0), (1), (1) e (1)

ESTADOS ONDE FEZ GOLS DE PÊNALTI

Entre parênteses, só profissional

- Rio de Janeiro: 88 gols (80)
- Goiás: 3 gols (3)
- Pernambuco e Rio Grande do Sul: 2 gols (2) (2)

CIDADES ONDE FEZ MAIS GOLS (as três primeiras posições)

Entre parênteses, só como profissional

- Rio de Janeiro-BRA: 431 gols (356)
- Udine-ITA: 26 gols (26)
- Kashima-JAP: 25 gols (25)

CIDADES ONDE FEZ MAIS GOLS PELO FLAMENGO (as três primeiras posições)

SÓ PROFISSIONAL

- Rio de Janeiro-RJ: 334 gols
- Niterói-RJ: 13 gols
- Campos dos Goytacazes-RJ: 9 gols

CIDADES ONDE FEZ MAIS GOLS PELA SELEÇÃO BRASILEIRA

- Rio de Janeiro-RJ: 8 gols
- Niterói-RJ e São Paulo-SP: 5 gols
- Cáli-COL, Goiânia-GO, Maceió-AL e Recife-PE: 4 gols

CIDADES ONDE FEZ GOLS DE FALTA (as três primeiras colocações)

EXCETUANDO ESCOLINHA

Entre parênteses, só como profissional

- Rio de Janeiro-RJ: 44 gols (40)
- Udine-ITA 9 gols (9)
- Kashima-JAP: 3 gols (3)

ESTÁDIOS ONDE FEZ MAIS GOLS (as três primeiras colocações)

Entre parênteses, só como profissional

- Maracanã/Rio de Janeiro-RJ: 336 gols (320)
- Gávea/Rio de Janeiro-RJ: 42 gols (2)
- Friuli/Udine-ITA: 26 gols (26)

ESTÁDIOS ONDE FEZ MAIS GOLS PELO FLAMENGO

SÓ PROFISSIONAL

- Maracanã (Rio de Janeiro-RJ): 298 gols
- Caio Martins (Niterói-RJ) e Moça Bonita (Rio de Janeiro-RJ): 12 gols
- Ítalo del Cima (Rio de Janeiro-RJ): 8 gols

ESTÁDIOS ONDE FEZ MAIS GOLS PELA SELEÇÃO BRASILEIRA (as três primerias colocações)

- Maracanã (Rio de Janeiro-RJ): 18 gols
- Caio Martins (Niterói-RJ) e Morumbi (São Paulo-SP): 5 gols
- Arruda (Recife-PE), Pascual Guerrero (Cáli-COL), Rei Pelé (Maceió-AL) e Serra Dourada (Goiânia-GO): 4 gols

ESTÁDIOS ONDE FEZ MAIS GOLS DE FALTA

Entre parênteses, só como profissional

- Maracanã/Rio de Janeiro gols-RJ: 39 gols (38)
- Friuli/Udine-ITA: 9 gols (9)
- Centenario/Montevidéu-URU e Estádio Kashima /Kashima-JAP: 2 gols (2) e (2)

ESTÁDIOS ONDE FEZ MAIS GOLS DE PÊNALTI

Entre parênteses, só como profissional

- Maracanã/Rio de Janeiro-RJ: 70 gols (68)
- Friuli/Udine-ITA e Gávea / Rio de Janeiro-RJ: 4 gols (4) e (1)
- Caio Martins/Niterói-RJ, Moça Bonita/Rio de Janeiro-RJ, São Januário/Rio de Janeiro-RJ e Serra Dourada/Goiânia-GO: 3 gols (10), (3), (3)

ESTÁDIOS ONDE FEZ MAIS GOLS NOS ANOS 1970 (as três primeiras colocações)

EXCETUANDO ESCOLINHA E MÁSTER

Entre parênteses, só como profissional

- Maracanã/Rio de Janeiro-RJ: 217 gols (202)
- Gávea/Rio de Janeiro-RJ: 22 gols (0)
- Caio Martins/Niterói-RJ: 11 gols (11)

ESTÁDIOS ONDE FEZ MAIS GOLS NOS ANOS 1980 (as três primeiras colocações)

- Maracanã/Rio de Janeiro-RJ: 118 gols
- Friuli/Udine-ITA: 26 gols
- Caio Martins/Niterói-RJ: 7 gols

ESTÁDIOS ONDE FEZ MAIS GOLS NOS ANOS 1990

Entre parênteses, só como profissional

- Estádio Kashima/Kashima-JAP: 11 gols (11)
- Nacional/Tóquio-JAP, West Hiroshima/Hiroshima-JAP, Flaminio/Roma-ITA: 4 gols (2), (4) e (0)
- Joe Robbie Stadium/Miami-EUA: 3 gols (0)/

550 GOLS EM JOGOS DE COMPETIÇÕES OFICIAIS

(487 como profissional)

254 EM JOGOS NÃO OFICIAIS (AMISTOSOS E TORNEIOS)

(211 como profissional)

COMPETIÇÕES EM QUE FEZ MAIS GOLS (as três primeiras colocações)

- Campeonato Carioca: 239 gols
- Campeonato Brasileiro: 135 gols

- Campeonato Carioca Juvenil: 29 gols

COMPETIÇÕES EM QUE FEZ MAIS GOLS PELO FLAMENGO (as três primeiras colocações)

SÓ PROFISSIONAL

- Campeonato Carioca: 239 gols
- Campeonato Brasileiro: 135 gols
- Copa Libertadores: 16 gols

COMPETIÇÕES EM QUE FEZ MAIS GOLS PELA SELEÇÃO BRASILEIRA (as três primeiras colocações)

- Eliminatórias da Copa do Mundo: 11 gols
- Copa do Mundo: 5 gols
- Taça do Atlântico: 4 gols

COMPETIÇÕES EM QUE FEZ MAIS GOLS NO MARACANÃ (as três primeiras colocações)

EXCETUANDO ESCOLINHA

- Campeonato Carioca: 175 gols
- Campeonato Brasileiro: 90 gols
- Campeonato Carioca Juvenil: 14 gols

COMPETIÇÕES EM QUE FEZ MAIS GOLS DE FALTA (as três primeiras colocações)

- Campeonato Carioca: 23 gols
- Campeonato Brasileiro: 14 gols
- Campeonato Italiano: 8 gols

COMPETIÇÕES EM QUE FEZ MAIS GOLS DE PÊNALTI (as três primeiras colocações)

- Campeonato Carioca: 53 gols
- Campeonato Brasileiro: 18 gols
- Campeonato Italiano e Eliminatórias da Copa do Mundo: 4 gols

PLACARES PARCIAIS APÓS OS GOLS DE ZICO

INCLUINDO JUVENIL E MÁSTER

Entre parênteses, só como profissional

1x0: 217 gols (201)
2x0: 138 gols (128)
1 x 1: 78 gols (72)
3 x 0: 59 gols (58)
2 x 1: 49 gols(44)
4 x 0: 37 gols (36)
3 x 1: 26 gols (24)
4 x 1: 19 gols (19)
5 x 0: 17 gols (17)
6 x 0: 10 gols(10)

124 GOLS DE PÊNALTI

115 COMO PROFISSIONAL

(3 nos anos 1960, 68 nos anos 1970, 47 nos anos 1980 e 6 nos anos 1990)

Sócrates, Telê Santana e Zico na preparação para a Copa de 1982.

91 GOLS DE FALTA

86 COMO PROFISSIONAL

(39 nos anos 1970, 38 nos anos 1980 e 14 nos anos 1990)

NÚMERO DE GOLS DE ZICO POR JOGO

- 1 gol em 378 jogos
- 2 gols em 122 jogos
- 3 gols em 33 jogos
- 4 gols em 11 jogos
- 5 gols em 3 jogos
- 6 gols em 4 jogos

TÉCNICOS QUE COMEMORARAM GOLS DE ZICO

Entre parênteses, só como profissional

- Cláudio Coutinho: 216 gols (216)
- Joubert: 119 gols (97)
- Carpegiani: 83 gols (83)
- Carlos Froner: 54 gols (54)
- Telê Santana: 47 gols (46)
- Enzo Ferrari 36 gols: (36)
- Zé Nogueira: 30 gols (0)
- Suzuki Man: 28 gols (28)
- Miyamoto: 22 gols (22)
- Luis Vinicio: 20 gols (20)
- Modesto Bria: 17 gols (2)
- Dino Sani: 16 gols (16)
- Célio de Souza: 14 gols (0)
- Jayme Valente: 13 gols (13)
- Zagallo e Carlos Alberto Torres: 10 gols (10) e (10)
- Osvaldo Brandão, Edu Coimbra e Luciano do Valle: 8 gols (8), (8) e (0)
- Sebastião Lazaroni: 7 gols (7)
- Carlinhos: 6 gols (7)
- César Menotti: 4 gols (0)
- Carlos Bilardo, Fleitas Solich, Giovanni Fabbri, João Carlos e Valdir Espinosa: 2 gols (0), (2), (2), (2) e (2)
- Antoninho, Antônio Lopes, Enzo Bearzot, Félix, Giovanni Trapattoni, Mário Travaglini, Neca e Pedro Pradera: 1 gol (0), (1), (1), (1), (0), (1), (0) e (1)

Obs.: há 10 gols, cujos registros não indicam sob o comando de que técnico foram feitos.

TÉCNICOS QUE COMEMORARAM MAIS GOLS PELO FLAMENGO (as três primeiras colocações)

SÓ PROFISSIONAL

- Cláudio Coutinho: 192 gols
- Joubert: 97 gols
- Carpegiani: 83 gols

TÉCNICOS QUE COMEMORARAM MAIS GOLS PELA SELEÇÃO BRASILEIRA (as três primeiras colocações)

- Telê Santana: 34 gols
- Cláudio Coutinho: 24 gols
- Osvaldo Brandão 8 gols

TÉCNICOS QUE COMEMORARAM MAIS GOLS NO MARACANÃ (as três primeiras colocações)

Entre parênteses, só como profissional

- Cláudio Coutinho: 121 gols (121)
- Joubert: 75 gols (63)
- Carpegiani: 51 gols (51)

TÉCNICOS QUE COMEMORARAM MAIS GOLS DE FALTA (as três primeiras colocações)

Entre parênteses, só como profissional

- Cláudio Coutinho: 20 gols (20)
- Joubert: 11 gols (10)
- Enzo Ferrari: 10 gols (10)

TÉCNICOS QUE COMEMORARAM MAIS GOLS DE PÊNALTI (as três primeiras colocações)

Entre parênteses, só como profissional

- Cláudio Coutinho: 29 gols (29)
- Joubert: 24 gols (21)
- Carlos Froner: 14 gols (14)

JOGADORES QUE DERAM MAIS ASSISTÊNCIAS EM GOLS DE ZICO (as três primeiras colocações)

Entre parênteses, só como profissional

- Junior: 29 gols (29)
- Adílio: 28 gols (28)
- Tita: 18 gols (18)

JOGADORES QUE DERAM MAIS ASSISTÊNCIAS EM GOLS DE ZICO PELA SELEÇÃO BRASILEIRA

- Leandro: 3 gols
- Junior, Sócrates, Toninho e Zé Sérgio: 2 gols

JOGADORES QUE DERAM MAIS ASSISTÊNCIAS EM GOLS DE ZICO PELO FLAMENGO

SÓ PROFISSIONAL

- Adílio: 28 gols
- Junior: 26 gols
- Tita: 18 gols

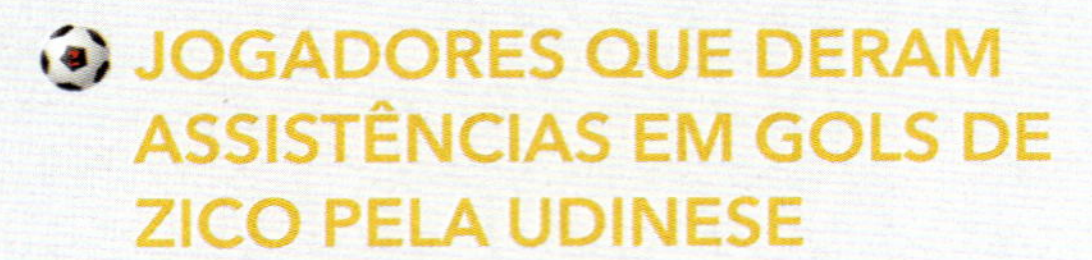

JOGADORES QUE DERAM ASSISTÊNCIAS EM GOLS DE ZICO PELA UDINESE

- Causio e Mauro: 6 gols
- Virdis: 2 gols
- Edinho, Marchetti e Montesano: 1 gol

JOGADORES QUE DERAM MAIS ASSISTÊNCIAS EM GOLS DE ZICO NO MARACANÃ (as três primeiras colocações)

Entre parênteses, só como profissional

- Junior: 18 gols (18)
- Adílio: 16 gols (16)
- Tita: 12 gols (12)

ÚNICO JOGADOR QUE DEU ASSISTÊNCIAS EM GOLS DE ZICO EM COPAS DO MUNDO

- Leandro: 2 gols

JOGADORES QUE DERAM ASSISTÊNCIAS EM GOLS DE ZICO EM ELIMINATÓRIAS DA COPAS DO MUNDO

- Leandro e Rivelino: 1 gol

JOGADORES QUE DERAM ASSISTÊNCIAS EM GOLS DE ZICO EM COPA AMÉRICA

- Toninho e Zé Sérgio: 1 gol

JOGADORES QUE DERAM MAIS ASSISTÊNCIAS EM GOLS DE ZICO PELA COPA LIBERTADORES

- Adílio e Robertinho: 2 gols

JOGADORES QUE DERAM MAIS ASSISTÊNCIAS EM GOLS DE ZICO PELO CAMPEONATO CARIOCA

SÓ PROFISSIONAL

- Adílio: 19 gols
- Cláudio Adão e Junior: 10 gols
- Tita: 9 gols

JOGADORES QUE DERAM MAIS ASSISTÊNCIAS EM GOLS DE ZICO PELO CAMPEONATO BRASILEIRO

- Junior: 9 gols
- Adílio e Nune: 6 gols
- Toninho: 5 gols

JOGADORES QUE DERAM ASSISTÊNCIAS EM GOLS DE ZICO PELA COPA DO BRASIL

- Leandro Silva e Leonardo: 1 gol

JOGADORES QUE DERAM ASSISTÊNCIAS EM GOLS DE ZICO PELO CAMPEONATO ITALIANO

- Causio e Mauro: 3 gols
- Marchetti e Virdis: 1 gol

JOGADORES QUE DERAM MAIS ASSISTÊNCIAS EM GOLS DE ZICO PELA COPA ITÁLIA

- Causio: 2 gols
- Virdis: 1 gol

JOGADORES QUE SOFRERAM MAIS FALTAS NOS GOLS DE FALTA DE ZICO

Entre parênteses, só como profissional

- O próprio Zico: 11 gols (11)
- Luisinho Lemos: 5 gols (5)
- Junior: 4 gols (4)

JOGADORES QUE SOFRERAM MAIS PÊNALTIS EM GOLS DE PÊNALTIS DE ZICO

Entre parênteses, só como profissional

- O próprio Zico: 20 gols (20)
- Luisinho Lemos: 10 gols (10)
- Adílio e Paulinho Carioca: 5 gols (5) e (5)

JOGADORES QUE PROPORCIONARAM MAIS REBOTES EM GOLS DE ZICO

Entre parênteses, só como profissional

- O próprio Zico e Cláudio Adão: 5 gols (5) e (5)
- Junior: 4 gols (4)

GOLEIROS QUE MAIS COMEMORARAM GOLS DE ZICO (as três primeiras colocações)

Entre parênteses, só como profissional

- Cantarele: 306 gols
- Raul: 123 gols
- Renato: 58 gols

GOLEIROS QUE SOFRERAM MAIS GOLS (as três primeiras colocações)

Entre parênteses, só como profissional

- Augusto (Combinado do Interior do RJ e Goytacaz), Luiz Alberto/ Bangu, Paulo Sérgio/Volta Redonda, Combinado do Interior do RJ, Americano e Botafogo e Wendell/ Botafogo, Combinado Botafogo/ Vasco, Fluminense e Guarani: 14 gols (14), (14), (14) e (14)
- Ernâni/Madureira, juvenil, Olaria, Mixto e América: 13 gols (12)
- Ronaldo/Olaria, profissional e juvenil, e São Cristóvão: 12 gols (8)

GOLEIROS ESTRANGEIROS QUE SOFRERAM MAIS GOLS (as três primeiras colocações)

Entre parênteses, só como profissional

- Fernández-PAR (seleção do Paraguai e Cerro Porteño): 11 gols (11)
- Castellini-ITA (Napoli e seleção de máster da Europa): 8 gols (04)
- Andrada-ARG (Vasco e Vitória) e Jiménez-BOL (seleção da Bolívia): 6 gols (6) e (6)

GOLEIROS QUE SOFRERAM MAIS GOLS DE ZICO CONTRA A SELEÇÃO BRASILEIRA (as três primeiras colocações)

- Fernández (seleção do Paraguai) e Jiménez (seleção da Bolívia): 6 gols
- Blackmore (combinado do Eire): 4 gols
- Augusto (combinado do Interior do RJ): 3 gols

GOLEIROS QUE SOFRERAM MAIS GOLS DE ZICO EM PARTIDAS CONTRA O FLAMENGO (as três primeiras colocações)

SÓ PROFISSIONAL

- Luiz Alberto (Bangu): 14 gols
- Wendell (Botafogo, Fluminense e Guarani): 13 gols
- Ernâni (Olaria, Mixto e América) e Paulo Sérgio (Volta Redonda, Americano e Botafogo): 12 gols

GOLEIROS QUE SOFRERAM MAIS GOLS DE ZICO EM PARTIDAS CONTRA A UDINESE

- Piccoli (Maniago): 5 gols
- Sorrentino (Catania): 4 gols
- Garella (Verona) e Sacchetti (Lugano-SUI): 3 gols

GOLEIROS QUE SOFRERAM MAIS GOLS DE ZICO EM PARTIDAS CONTRA O SUMITOMO/KASHIMA ANTLERS

- Maekawa (Sanfreece Hiroshima): 4 gols
- Ito (Nagoya Grampus Eight) e Matsunaga (Yokohama Marinos): 3 gols

GOLEIROS QUE SOFRERAM MAIS GOLS DE ZICO NO MARACANÃ (as três primeiras colocações)

Entre parênteses, só como profissional

- Wendell (Botafogo, Combinado Botafogo/Vasco, Fluminense e Guarani): 11 gols (11)
- Augusto (Goytacaz): 10 gols (10)
- Luiz Alberto (Bangu) e Leão (seleção paulista, Palmeiras, Vasco, Grêmio e Corinthians): 9 gols (9) e (9)

GOLEIROS QUE SOFRERAM MAIS GOLS DE ZICO NO ESTÁDIO FRIULI

- Orsi (Lazio), Paradisi (Avellino), Pionetti (Lecce), Sorrentino (Catania) e Zinetti (Triestina): 2 gols

GOLEIROS QUE SOFRERAM MAIS GOLS DE ZICO NO ESTÁDIO KASHIMA

- Ito (Nagoya Grampus Eight): 3 gols
- Kono (Sanfrecce Hiroshima) e Matsunaga (Yokohama Marinos): 2 gols

GOLEIROS QUE SOFRERAM MAIS GOLS DE ZICO, DE FALTA, EM PARTIDAS CONTRA A SELEÇÃO BRASILEIRA

- Jiménez (seleção da Bolívia) e Rough (seleção da Escócia): 2 gols

GOLEIROS QUE SOFRERAM GOLS DE ZICO, DE FALTA, EM PARTIDAS CONTRA A SELEÇÃO BRASILEIRA NO MARACANÃ

- Jiménez (seleção da Bolívia) e Rough (seleção da Escócia): 1 gol

GOLEIROS QUE SOFRERAM MAIS GOLS DE ZICO, DE FALTA, NO MARACANÃ

- País (América): 3 gols
- Gilmar (Palmeiras e seleção Amigos do Zico): 2 gols

GOLEIROS QUE SOFRERAM MAIS GOLS DE ZICO, DE FALTA, EM PARTIDAS CONTRA O FLAMENGO

SÓ PROFISSIONAL

- País (América): 3 gols
- Gilmar (Palmeiras e seleção Amigos do Zico): 2 gols

GOLEIROS QUE SOFRERAM MAIS GOLS DE ZICO, DE FALTA, EM PARTIDAS CONTRA O FLAMENGO NO MARACANÃ

SÓ PROFISSIONAL

- País (América): 3 gols
- Gilmar (Palmeiras e seleção Amigos do Zico): 2 gols

GOLEIROS QUE SOFRERAM MAIS GOLS DE ZICO, DE FALTA, EM PARTIDAS CONTRA A UDINESE

- Pionetti (Lecce) e Sorrentino (Catania): 2 gols

GOLEIROS QUE SOFRERAM GOLS DE ZICO, DE FALTA, CONTRA O KASHIMA ANTLERS

- Havenaar (Nagoya Grampus Eight), Honnami (Gamba Osaka), Ito (Nagoya Grampus Eight), Kojima (Shonan Belmare), Kono (Sanfreccce Hiroshima) e Matsunaga (Yokohama Marinos): 1 gol

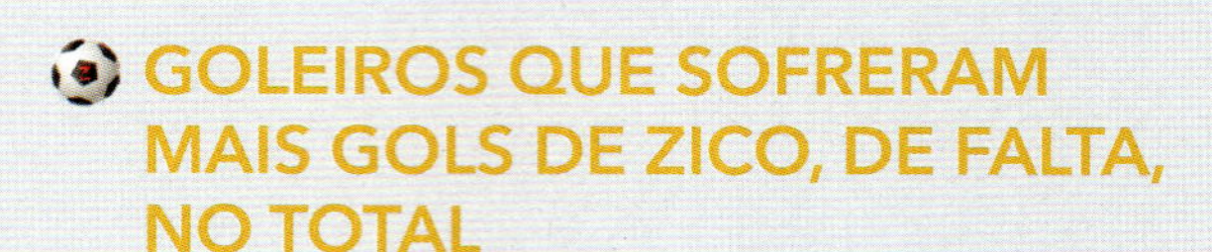

GOLEIROS QUE SOFRERAM MAIS GOLS DE ZICO, DE FALTA, NO TOTAL

Entre parênteses, só como profissional

- País (América): 3 gols (3)
- Gilmar (Palmeiras e seleção Amigos do Zico), Jiménez (seleção da Bolívia), Pionetti (Lecce), Rough (seleção da Escócia) e Sorrentino (Catania): 2 gols (2), (2), (2) e (2)

GOLEIRO QUE SOFREU MAIS GOLS DE ZICO, DE PÊNALTI, CONTRA A SELEÇÃO BRASILEIRA

- Vega (seleção da Venezuela): 2 gols

GOLEIROS QUE SOFRERAM GOLS DE ZICO, PÊNALTI CONTRA A SELEÇÃO BRASILEIRA NO MARACANÃ

- Corbo (seleção do Uruguai), Fernández (seleção do Paraguai), Gilmar Rinaldi (seleção brasileira de novos), Jiménez (seleção da Bolívia), Marolla (seleção brasileira de novos) e Wendell (Combinado Botafogo/Vasco): 1 gol.

GOLEIROS QUE SOFRERAM MAIS GOLS DE ZICO, DE PÊNALTI, NO MARACANÃ

- Augusto (Goytacaz): 5 gols
- Moacir (Campo Grande): 4 gols
- Dorival (Madureira) e Ernâni (Olaria e América): 3 gols

GOLEIROS QUE SOFRERAM MAIS GOLS DE ZICO, DE PÊNALTI, CONTRA O FLAMENGO NO MARACANÃ

- Augusto (Goytacaz): 5 gols
- Dorival (Madureira), Ernâni (Olaria e América) e Moacir (Campo Grande): 3 gols

GOLEIROS QUE SOFRERAM MAIS GOLS DE ZICO, DE PÊNALTI, CONTRA O FLAMENGO

SÓ PROFISSIONAL

- Augusto (Goytacaz) e Luiz Alberto (Bangu): 5 gols
- Moacir (Campo Grande): 4 gols
- Dorival (Madureira) e Ernâni (Olaria e América): 3 gols

GOLEIROS QUE SOFRERAM GOLS DE ZICO, DE PÊNALTI, CONTRA A UDINESE

- Bernasconi (Lugano-SUI), Castellini (Napoli), Garella (Verona), Paradisi (Avellino), Terraneo (Milan), Tuttino (Basiliano-ITA) e Zenga (Internazionale): 1 gol

GOLEIRO QUE SOFREU GOL DE ZICO, DE PÊNALTI CONTRA O KASHIMA ANTLERS

- Maekawa (Sanfreece Hiroshima)

GOLEIROS QUE SOFRERAM MAIS GOLS DE PÊNALTIS NO TOTAL

Entre parênteses, só como profissional

- Augusto (Goytacaz) e Luiz Alberto (Bangu): 5 gols (5) e (5)
- Moacir (Campo Grande): 4 gols (4)
- Dorival (Madureira), Ernâni (Olaria e América), Ronaldo (Olaria, profissional e juvenil) e Wendell (Botafogo, Combinado Botafogo/Vasco e Guarani): 3 gols (3), (3), (2) e (3)

GOLEIROS QUE SOFRERAM MAIS GOLS DE ZICO NO PRIMEIRO TEMPO

- Paulo Sérgio (Volta Redonda, Combinado do Interior do RJ, Americano e Botafogo): 9 gols
- Ernâni (Olaria, Mixto e América), Luiz Alberto (Bangu), Ubirajara Alcântara (Olaria, Botafogo e Itabaiana–SE) e Wendell (Fluminense e Guarani): 6 gols

GOLEIROS QUE SOFRERAM MAIS GOLS DE ZICO NO SEGUNDO TEMPO

- Augusto (Combinado do Interior do RJ e Goytacaz): 12 gols
- Fernández (seleção do Paraguai e Cerro Porteño), Luiz Alberto (Bangu), Ronaldo (Olaria, profissional e juvenil, e São Cristóvão) e Wendell (Botafogo, Combinado Botafogo/Vasco, Fluminense e Guarani): 8 gols

GOLEIROS QUE SOFRERAM MAIS GOLS DE ZICO PELO CAMPEONATO CARIOCA (as três primeiras colocações)

SÓ PROFISSIONAL

- Luiz Alberto (Bangu): 14 gols
- Augusto (Goytacaz) e Paulo Sérgio (Volta Redonda, Americano e Botafogo): 11 gols
- Ernâni (Olaria e América), Moacir (Campo Grande) e Ronaldo (Olaria e São Cristóvão): 8 gols

GOLEIROS QUE SOFRERAM MAIS GOLS DE ZICO PELO CAMPEONATO BRASILEIRO

- Waldir Peres (São Paulo): 6 gols
- Marolla (Santos), Ubirajara Alcântara (Olaria e Itabaiana–SE) e Wendell (Fluminense e Guarani): 5 gols

GOLEIROS QUE SOFRERAM MAIS GOLS DE ZICO PELA COPA LIBERTADORES (as três primeiras colocações)

- Fernández (Cerro Porteño-PAR): 5 gols
- Wirth (Cobreloa-CHI): 4 gols
- Terrazas (Blooming-BOL): 3 gols

GOLEIROS QUE SOFRERAM GOLS DE ZICO PELA COPA DO BRASIL

- Ronaldo (Corinthians): 2 gols
- Leandro Leal (Blumenau-SC): 1 gol

GOLEIROS QUE SOFRERAM MAIS GOLS PELO CAMPEONATO ITALIANO

- Sorrentino (Catania): 4 gols
- Garella (Verona), Martina (Genoa), Orsi (Lazio), Paradisi (Avellino) e Piotti (Milan): 2 gols

GOLEIROS QUE SOFRERAM MAIS GOLS DE ZICO PELA COPA ITÁLIA

- Zinetti (Triestina) e Pionetti (Lecce): 2 gols

GOLEIROS QUE SOFRERAM MAIS GOLS DE ZICO PELO CAMPEONATO JAPONÊS:

- Ito (Nagoya Grampus Eight): 3 gols
- Kojima (Shonan Bellmare) e Matsunaga (Yokohama Marinos): 2 gols

GOLEIRO QUE SOFREU MAIS GOLS PELA COPA NABISCO

- Maekawa (Sanfrecce Hiroshima): 3 gols

GOLEIROS QUE SOFRERAM GOLS DE ZICO EM COPA DO MUNDO

- Van Hattum (Nova Zelândia): 2 gols
- Fillol (Argentina), Quiroga (Peru) e Rough (Escócia): 1 gol

GOLEIROS QUE SOFRERAM MAIS GOLS DE ZICO EM ELIMINATÓRIAS DA COPA DO MUNDO

- Jiménez (Bolívia): 5 gols
- Peinado (Bolívia) e Vega (Venezuela): 2 gols

GOLEIROS QUE SOFRERAM MAIS GOLS DE ZICO EM UM ANO

EXCETUANDO ESCOLINHA

- Augusto/Goytacaz (1979 em 3 jogos): 11 gols
- Luiz Alberto/Bangu (1975 em 3 jogos): 9 gols

GOLEIROS QUE SOFRERAM MAIS GOLS DE ZICO EM UM JOGO

EXCETUANDO A ESCOLINHA

- Augusto/Goytacaz (Fla 7x1) em 1979: 6 gols
- Piccoli/Maniago (Udinese 11x1) em 1985: 5 gols – Piccoli/Maniago (Udinese 11x1) em 1985

GOLEIROS QUE SOFRERAM GOLS DE ZICO EM MAIS ANOS

EXCETUANDO ESCOLINHA

- Ernâni (Madureira, juvenil, Olaria, Mixto e América), Paulo Sérgio (Volta Redonda, combinado do Interior do RJ, Americano e Botafogo): 6 anos
- Alberto (Bangu), Mazarópi (Vasco, profissional e juvenil), País (América e Sport) e Wendell (Botafogo, combinado Botafogo/Vasco, Fluminense e Guarani): 5 anos

GOLEIROS QUE SOFRERAM GOLS EM MAIS JOGOS (as três primeiras colocações)

EXCETUANDO ESCOLINHA

- Wendell (Botafogo, combinado Botafogo/Vasco, Fluminense e Guarani): 10 jogos

- Paulo Sérgio (Volta Redonda, Combinado do Interior do RJ, Americano e Botafogo): 9 jogos
- Leão (seleção Paulista, Palmeiras, Vasco, Grêmio e Corinthians): 8 jogos

GOLEIROS QUE SOFRERAM MAIS GOLS NOS ANOS 1970 (as três primeiras colocações)

EXCETUANDO ESCOLINHA

- Augusto (Combinado do Interior do RJ e Goytacaz) e Luiz Alberto (Bangu): 14 gols
- Ronaldo (Olaria, profissional e juvenil, e São Cristóvão): 12 gols
- Wendell (Botafogo, combinado Botafogo/Vasco, Fluminense): 10 gols

GOLEIROS QUE SOFRERAM MAIS GOLS NOS ANOS 1980 (as três primeiras colocações)

SÓ PROFISSIONAL

- Ernâni (Mixto e América): 8 gols
- Fernández (seleção do Paraguai e Cerro Porteño), Jorge (Campo Grande) e Jurandir (América e Bonsucesso): 7 gols
- Acácio (Serrano e Vasco), Marolla (seleção brasileira de novos e Santos) e Paulo Sérgio (Botafogo): 6 gols

Goleiro Leão no Vasco da Gama em 1979.

Goleiro Leão no Palmeiras em 1974.

GOLEIROS QUE SOFRERAM MAIS GOLS NOS ANOS 1990

- Castellini (seleção de máster da Europa) e Maekawa (Sanfreece Hiroshima): 4 gols
- Ito (Nagoya Grampus Eight) e Matsunaga (Yokohama Marinos): 3 gols

GOLEIROS QUE SOFRERAM GOLS CONTRA O FLAMENGO E SELEÇÃO BRASILEIRA

- Augusto (Combinado do Interior do RJ e Goytacaz)
- Fernández (seleção do Paraguai e Cerro Porteño)
- Gilmar Rinaldi (seleção brasileira de novos e Internacional)
- Marolla (seleção brasileira de novos e Santos)
- Paulo Sérgio (Volta Redonda, combinado do Interior do RJ, Americano e Botafogo)
- Wendell (Botafogo, Combinado Botafogo/Vasco, Fluminense e Guarani)
- Wirth (seleção do Chile e Cobreloa)
- Zoff (Juventus e seleção da Itália)

GOLEIROS QUE SOFRERAM GOLS CONTRA O FLAMENGO E UDINESE

- Castellini (Napoli),

- Gasperín (Internacional/América e América)
- Tacconi (Avellino e Juventus)

GOLEIRO QUE SOFREU GOLS CONTRA O FLAMENGO E KASHIMA ANTLERS

- Ricardo Pinto (Fluminense)

GOLEIROS QUE SOFRERAM GOLS DE ZICO NO PROFISSIONAL E NO JUVENIL

- Ernâni (Madureira, juvenil, Olaria, Mixto e América)
- Mazarópi (Vasco, profissional e juvenil)
- Niélsen (Fluminense, juvenil e seleção do Vale do Paraíba/RJ)
- Ronaldo (Olaria, profissional e juvenil e São Cristóvão)
- Sérgio (São Cristóvão, profissional e juvenil)

GOLEIROS QUE SOFRERAM GOLS DE ZICO NO PROFISSIONAL E NO MÁSTER

- Bocaiúva (São Cristóvão e seleção máster de Brasília)
- Castellini (Napoli e seleção de máster da Europa)
- Galli (Fiorentina e seleção Italiana de 1982)
- Gatti (Boca Juniors e seleção de máster da Argentina)
- Schumacher (Colonia/ALE e seleção de máster da Europa)
- Tacconi (Avellino, Juventus e seleção Amigos do Cabrini)

GOLEIROS QUE SOFRERAM MAIS GOLS DE ZICO NOS DOMINGOS

EXCETUANDO ESCOLINHA

- Paulo Sérgio (Volta Redonda, combinado do Interior do RJ, Americano e Botafogo) e Wendell (Botafogo, Fluminense e Guarani): 9 gols
- Leão (seleção Paulista, Vasco, Grêmio e Corinthians): 8 gols

GOLEIROS QUE SOFRERAM MAIS GOLS PELO BOTAFOGO

EXCETUANDO ESCOLINHA

- Paulo Sérgio: 6 gols
- Luís Carlos, Ubirajara Alcântara e Zé Carlos: 3 gols

GOLEIROS QUE SOFRERAM MAIS GOLS PELO FLUMINENSE (as três primeiras colocações)

EXCETUANDO ESCOLINHA

- Wendell: 7 gols
- Paulo Vítor: 5 gols
- Renato: 4 gols

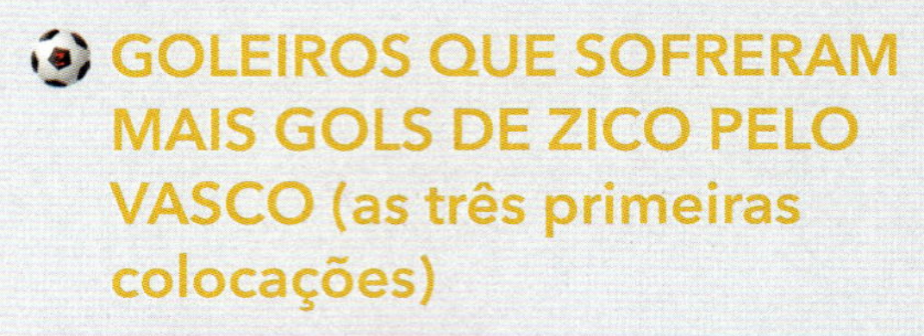

GOLEIROS QUE SOFRERAM MAIS GOLS DE ZICO PELO VASCO (as três primeiras colocações)

EXCETUANDO ESCOLINHA

- Mazarópi (profissional e juvenil): 8 gols
- Andrada: 5 gols
- Leão: 4 gols

GOLEIROS QUE SOFRERAM MAIS GOLS EM CLÁSSICOS (as três primeiras colocações)

EXCETUANDO ESCOLINHA

- Wendell (Botafogo e Fluminense): 9 gols
- Mazarópi (Vasco, profissional e juvenil): 8 gols
- Paulo Sérgio (Botafogo): 6 gols

GOLEIROS QUE SOFRERAM GOLS EM CLÁSSICOS POR TIMES RIVAIS

INCLUINDO JUVENIL

- Leão (Palmeiras e Corinthians) e Wendell (Botafogo e Fluminense)

GOLEIRO QUE SOFREU GOL EM CLÁSSICOS NO PROFISSIONAL E NO JUVENIL

- Mazarópi (Vasco)

GOLEIROS QUE SOFRERAM GOLS POR MAIS TIMES

INCLUINDO CATEGORIAS DE BASE E MÁSTER

- Leão (seleção Paulista, Palmeiras, Vasco, Grêmio e Corinthians)
- Ernâni (Madureira, juvenil, Olaria, Mixto e América), Paulo Sérgio (Volta Redonda, Combinado do Interior do RJ, Americano e Botafogo) e Wendell (Botafogo, Combinado Botafogo/Vasco, Fluminense e Guarani)
- Hélio Show (Ceará, ABC-RN e Treze-PB), Jair Bragança (Botafogo, Bangu e Americano), Renato (Bahia, Treze-PB e Volta Redonda), Ronaldo (Olaria, profissional e juvenil e São Cristóvão), Tacconi (Avellino, Juventus e seleção Amigos do Cabrini), Tobias (Guarani, Bangu e Rio Negro-AM), Ubirajara Alcântara (Olaria, Botafogo e Itabaiana-SE) e Zoff (Juventus, seleção da Itália e seleção da Europa)

ÁRBITROS

ÁRBITROS QUE APITARAM MAIS GOLS (as três primeiras colocações)

- Valquir Pimentel: 47 gols
- Luís Carlos Félix: 41 gols
- José Roberto Wright: 38 gols

RECORDES

- Principal artilheiro do mundo no ano de 1979, com 89 gols.
- Maior artilheiro da história do Flamengo, com 589 gols, incluídos aí os feitos nas categorias de base – escolinha e juvenil –, além dos marcados no profissional.
- Maior artilheiro da história do Flamengo pela categoria profissional, com 508 gols.
- Maior artilheiro da história do Maracanã, com 335 gols, incluindo 15 pelo juvenil.
- Maior artilheiro da história dos Fla-Flus, com 19 gols, além de 5 pelas categorias de base.
- Maior artilheiro da seleção brasileira em jogos pelas Eliminatórias da Copa do Mundo, com 11 gols, ao lado de Romário.
- Jogador que fez mais gols em um jogo pela seleção brasileira. Foram 5 na goleada por 7x0 sobre um Combinado do Interior do Rio de Janeiro, em 1978. Zico está empatado com Evaristo de Macedo, que também marcou 5 vezes, em um jogo contra a Colômbia, em 1957.
- Jogador que fez mais gols em um jogo no Maracanã. Foram 6 na goleada por 7x1 sobre o Goytacaz, em 1979.
- Maior artilheiro do Flamengo em jogos pelo Campeonato Brasileiro, com 135 gols.
- Maior artilheiro do Flamengo em jogos pelo Campeonato Carioca, com 239 gols.
- Maior artilheiro do Flamengo em jogos pela Copa Libertadores, com 16 gols.
- Jogador que fez mais gols pelo Flamengo em um ano: 81 marcados em 1979, superando seu próprio recorde de 1976, quando fez 56.
- Jogador que fez mais gols em uma competição estadual, na Era Maracanã – desde 1950. Foram 34 gols marcados no Campeonato Carioca Estadual de 1979 – o segundo campeonato daquele ano.
- Recordista de gols em partidas seguidas, de competições oficiais do futebol japonês, quando marcou 11 vezes em 10 jogos consecutivos pelo Sumitomo, entre setembro e novembro de 1991.

ARTILHEIRO

Jogador brasileiro que fez mais gols nos anos de...

... 1976: 63 gols;
1977: 48 gols;
1979: 89 gols;
1980: 54 gols;
1982: 59 gols.

Artilheiro da seleção brasileira em...

... 1977: 9 gols – empatado com Roberto Dinamite;
1978: 9 gols;
1979: 7 gols – empatado com Sócrates;
1980: 6 gols;
1981: 14 gols;
1982: 8 gols.

Artilheiro do Flamengo em...

... 1974: 49 gols;
1975: 51 gols;
1976: 56 gols;
1977: 39 gols;
1978: 26 gols;
1979: 81 gols;
1980: 47 gols;
1982: 47 gols.

Artilheiro da Udinese em...

... 1983: 21 gols;
1984: 24 gols.

Artilheiro do Flamengo pelo juvenil em...

... 1971: 22 gols;
1972: 15 gols.

Artilheiro do Flamengo pela escolinha em...

... 1968: 14 gols;
1970: 27 gols.

PRINCIPAL ARTIHEIRO DAS SEGUINTES COMPETIÇÕES

Pela seleção brasileira:

- Eliminatórias pra Copa do Mundo –1977: 5 gols; 1981: 5 gols
- Copa Rio Branco –1976: 2 gols

Edinho, Toninho Cerezo, Zico e Falcão antes da partida entre Udinese 1 x 0 Roma pelo Campeonato Italiano em 6 de novembro de 1983. Foi a primeira vitória da Udinese contra a Roma na história.

Pelo Flamengo

- Copa Libertadores – 1981: 11 gols
- Campeonato Brasileiro – 1980: 21 gols; 1982: 21 gols
- Campeonato Carioca – 1975: 30 gols; 1977: 27 gols; 1978: 19 gols; 1979/Especial: 26 gols, 1979/Estadual: 34 gols; 1982: 21 gols

Obs.: empatado em 1978 com Cláudio Adão, do Flamengo, e Roberto Dinamite, do Vasco.

- Taça Guanabara – 1974: 10 gols; 1977: 16 gols; 1979: 29 gols; 1982: 13 gols

Obs.: empatado em 1974 com Luisinho Lemos (Tombo), do América, e Roberto Dinamite, do Vasco.

- Troféu Ramón de Carranza (Cádiz/ESP) – 1979: 3 gols; 1980: 2 gols.

Obs.: empatado em 1979 com Fazekas, do Újpesti/HUN, e em 1980 com Morán, do Bétis/ESP.

- Torneio Cidade de Santander (Santander/ESP) – 1980: 3 gols
- Torneio Quadrangular de Nápoles (ITA) – 1981: 4 gols

Pela Udinese

- Torneio Cidade de Udine – 1984: 2 gols

Obs.: empatado com Littbarski, do Colonia/ALE

Sumitomo

- Campeonato Japonês da Segunda Divisão – 1991/92: 21 gols

Pela seleção brasileira de máster:

- Copa do Craque – 1991 (3 gols)

Obs.: empatado com o argentino Bulleri

Pelo Flamengo juvenil

- Campeonato Carioca – 1971 (19 gols)

Pelo Flamengo escolinha

- Campeonato Carioca – 1970: 26 gols

ARTILHEIRO DE SEU TIME NAS SEGUINTES COMPETIÇÕES

Pela seleção brasileira

- Copa do Mundo – 1982: 4 gols
- Taça do Atlântico – 1976: 4 gols

Pelo Flamengo

- Copa Libertadores – 1982: 2 gols; 1983: 3 gols

Obs.: Empatado em 1983 com Baltazar, Élder e Robertinho

- Campeonato Brasileiro – 1973: 8 gols; 1974: 12 gols; 1976: 14 gols; 1977: 10 gols; 1983: 17 gols

- Campeonato Carioca – 1974 (19 gols), 1976 (18 gols), 1980 (12 gols) e 1981 (25 gols)

Obs.: empatado em 1976 com Luisinho Lemos (Tombo), e em 1980 com Adílio

- Taça Guanabara – 1980: 2 gols
- Copa Kirin (Tóquio/JAP) – 1988: 2 gols
- Torneio do Povo – 1973: 2 gols

Pela Udinese

- Campeonato Italiano – 1983/84: 19 gols
- Copa Itália – 1983/84: 5 gols

Pelo Flamengo juvenil

- Campeonato Carioca –1972: 10 gols

CURIOSIDADES

Em toda a carreira

- 100° gol: 18/01/1974 – Flamengo 3x1 Željezničar-IUG – Amistoso – 2° gol do Flamengo
- 200° gol – 18/01/1976 – Central-RJ 1x11 Flamengo – Amistoso – 2° gol do Flamengo
- 300° gol – 14/10/1977 – Flamengo 4x1 Cosmos-EUA – Amistoso – 2° gol do Flamengo
- 400° gol – 17/06/1979 – Americano 2x5 Flamengo – Campeonato Carioca Estadual – 3° gol do Flamengo
- 500° gol – 15/05/1981 – França 1x3 Brasil – Amistoso – 1° gol do Brasil
- 600° gol – 28/10/1982 – Flamengo 5x0 Madureira – Campeonato Carioca – 4° gol do Flamengo
- 700° gol – 30/04/1986 – Brasil 4x2 Iugoslávia – Amistoso – 1° gol do Brasil
- 800° gol – 01/06/1994 – Kashima Antlers 3x1 Shonan Bellmare – Campeonato Japonês – gol do Sunitomo/Kashima

Como profissional

- 100° gol – 26/07/1975 – Flamengo 3x1 América – Campeonato Carioca – 1° gol do Flamengo
- 200° gol – 23/06/1977 – Brasil 2x0 Escócia – Amistoso – 1° gol do Brasil
- 300° gol – 17/05/1979 – Brasil 6x0 Paraguai – Amistoso – 2° gol do Brasil
- 400° gol – 26/10/1980 – Campo Grande 1x3 Flamengo – Campeonato Carioca – 1° gol do Flamengo
- 500° gol – 04/08/1982 – Flamengo 8x0 Madureira – Campeonato Carioca – 3° gol do Flamengo

- 600° gol – 16/05/1985 – Maniago-ITA 1x11 Udinese – Amistoso – 9° gol da Udinese

No Brasil

- 100° gol – 24/01/1974 – Desportiva-ES 1x1 Flamengo – Amistoso
- 200° gol – 11/02/1976 – Figueirense 0x4 Flamengo – Amistoso – 2° gol do Flamengo
- 300° gol – 12/03/1978 – Brasil 7x0 Combinado do Interior do RJ – Amistoso – 6° gol do Brasil
- 400° gol – 09/08/1979 – Desportiva-ES 2x3 Flamengo – Amistoso – 2° gol do Flamengo
- 500° gol – 08/11/1981 – Flamengo 6x0 Botafogo – Campeonato Carioca – 5° gol do Flamengo
- 600° gol – 09/11/1988 – Coritiba 2x2 Flamengo – Campeonato Brasileiro – 1° gol do Flamengo

Pelo Flamengo, como profissional

- 100° gol – 26/07/1975 – Flamengo 3x1 América – Campeonato Carioca – 3° gol do Flamengo
- 200° gol – 14/10/1977 – Flamengo 4x1 Cosmos-EUA – Amistoso – 2° gol do Flamengo
- 300° gol – 19/07/1979 – Vila Nova-GO 0x2 Flamengo – Amistoso – 1° gol do Flamengo
- 400° gol – 02/11/1981 – Flamengo 4x0 América – Campeonato Carioca – 3° gol do Flamengo
- 500° gol – 16/04/1989 – Flamengo 8x1 Nova Cidade – Campeonato Carioca – 7° gol do Flamengo

No estado do Rio de Janeiro

- 100° gol – 15/09/1974 – Flamengo 2x2 Botafogo – Campeonato Carioca – 1° gol do Flamengo
- 200° gol – 27/04/1977 – Flamengo 2x0 Madureira – Campeonato Carioca – 1° gol do Flamengo
- 300° gol – 07/06/1979 – Flamengo 3x1 Bangu – Campeonato Carioca Estadual – 1° gol do Flamengo
- 400° gol – 08/11/1981 – Flamengo 6x0 Botafogo – Campeonato Carioca – 5° gol do Flamengo

No Maracanã

- 100° gol – 28/04/1976 – Brasil 2x1 Uruguai – Taça do Atlântico – 2° gol do Brasil
- 200° gol – 24/06/1979 – Flamengo 2x1 Fluminense – Campeonato Carioca Estadual – 1° gol do Flamengo
- 300° gol – 02/10/1982 – Flamengo 3x1 Bonsucesso – Campeonato Carioca – 2° gol do Flamengo

Pelo Campeonato Carioca, como profissional

- 100° gol – 11/10/1978 – Flamengo 3x0 Bonsucesso – 2° gol do Flamengo
- 200° gol – 20/09/1981 – Flamengo 1x1 Vasco

Pelo Campeonato Brasileiro

- 100° gol – 28/03/1982 – Flamengo 2x0 Sport – 2° gol do Flamengo

No exterior

- 100° gol – 05/04/1985 – Basiliano-ITA 0x5 Udinese – Amistoso – 5° gol da Udinese

De pênalti

- 100° gol – 13/11/1982 – Flamengo 2x1 Bangu – Campeonato Carioca – 1° gol do Fla

Primeiro gol...

... na carreira // ... no Brasil // ... no estado do Rio de Janeiro // ... na cidade do Rio de Janeiro

- 10/02/1968 – Flamengo (escolinha) 4x3 Everest-RJ – Amistoso – na Gávea

... de pênalti

- 10/02/1968 – Flamengo (escolinha) 4x3 Everest-RJ – Amistoso – 2° dos 2 gols de Zico no jogo

... de falta

- 1970 – Flamengo 3x2 América – Campeonato Carioca (escolinha)

... no Maracanã

- 14/03/1971 – Flamengo 1x1 Botafogo – Campeonato Carioca Juvenil

... como profissional // ... pelo Flamengo // ... pelo Campeonato Brasileiro

- 11/08/1971 – Bahia 1x1 Flamengo – em Salvador (BA)

... no exterior

- 09/12/1971 – Brasil 1x0 Argentina – Pré-Olímpico – na Colômbia

... pelo Campeonato Carioca

- 03/08/1974 – Flamengo 1x1 Bangu – Maracanã

... pela seleção brasileira

- 28/04/1976 – Uruguai 1x2 Brasil – Taça do Atlântico – em Montevidéu – 2° gol do Brasil

... na Itália

- 08/12/1980 – Combinado Italiano 1x2 seleção Juruna – Amistoso – em Udine – 1° gol da Seleção

... pela Udinese

- 01/08/1983 – Udinese 3x1 Hajduk Split-IUG – Amistoso – em Udine – 2° gol da Udinese

... no Japão

- 29/05/1988 – Japão 1x3 Flamengo – Copa Kirin – em Tóquio – 1° gol do Fla

... pelo Kashima Antlers

- 04/07/1992 – Sanfrecce Hiroshima 2x1 Kashima Antlers – Amistoso – em Hiroshima

Último gol...

... pela Udinese

- 16/05/1985 – Maniago 1x11 Udinese – Amistoso – em Maniago-ITA – 9° gol da Udinese

... pela seleção brasileira

- 30/04/1986 – Brasil 4x2 Iugoslávia – Amistoso – em Recife (PE) – 3° gol do Brasil

... pelo Campeonato Carioca

- 07/05/1989 – Flamengo 3x3 Botafogo – no Maracanã – 1° gol do Fla

... no Maracanã // ... no estado do Rio de Janeiro // ... na cidade do Rio de Janeiro

- 14/10/1989 – Flamengo 2x0 Náutico – Campeonato Brasileiro – 2° gol do Fla

... pelo Flamengo, como profissional // ... pelo Campeonato Brasileiro

- 02/12/1989 – Flamengo 5x0 Fluminense – em Juiz de Fora (MG) – 1° gol do Fla

... no Maracanã

- 30/09/1990 – Madureira Máster 4x2 Stuttgart Máster – Amistoso - 1° gol do Madureira

... no Brasil // ... no estado do Rio de Janeiro // ... na cidade do Rio de Janeiro

- 15/06/1991 – Flamengo Máster 1x1 Seleção da Saferj de Máster – Amistoso – Estádio da Gávea

... na Itália

01/06/1991 – Genoa 3x4 Combinado brasileiro – Amistoso – em Gênova – 4° gol do Combinado

...de pênalti

04/07/1992 - Sanfrecce Hiroshima 2x1 Kashima Antlers - Amistoso - em Hiroshima

...de falta

11/06/1994 - Kashima Antlers 4x0 Shonan Bellmare - Campeonato Japonês - em Kashima - 4° gol do Kashima

...na carreira // ...como profissional // ...no exterior // ...no Japão // ... pelo Kashima Antlers

15/06/1994 - Júbilo Iwata 1x2 Kashima Antlers - Campeonato Japonês - em Iwata - 2° gol do Kashima

ZICO NA ARTILHARIA...

... do Flamengo

COLOCAÇÃO - GOLS DE ZICO - JOGADOR QUE ZICO ULTRAPASSOU - DATA - JOGO - GOL DE ZICO NO JOGO

- 10° lugar, com 114 gols - Nonô - 04/12/1975 - Flamengo 1 x 3 Santa Cruz
- 9° lugar, com 116 gols - Joel - 18/01/1976 - Central-RJ 1 x 11 Flamengo - 2° gol do Fla
- 8° lugar, com 120 gols - Durval - 25/01/1976 - Itabuna-BA 0 x 5 Flamengo - 2° gol do Fla
- 7° lugar, com 142 gols - Zizinho - 13/04/1976 - Seleção de Manaus 1 x 2 Flamengo - 1° gol do Fla
- 6° lugar, com 148 gols - Índio - 27/06/1976 - Flamengo 4 x 1 Vasco - 2° gol do Fla
- 5° lugar, com 152 gols - Leônidas - 27/07/1976 - Flamengo 4 x 2 Goytacaz - 2° gol do Fla
- 4° lugar, com 153 gols - Jarbas - 27/07/1976 - Flamengo 4 x 2 Goytacaz - 4° gol do Fla
- 3° lugar, com 208 gols - Pirillo - 24/11/1977 - Flamengo 3 x 0 Vitória-ES - 1° gol do Fla
- 2° lugar, com 214 gols - Henrique - 06/09/1978 - Flamengo 6 x 0 São Cristóvão - 5° gol do Fla
- 1° lugar, com 251 gols - Dida - 24/03/1979 - Flamengo 6 x 1 São Cristóvão - 2° gol do Fla

... da seleção brasileira

COLOCAÇÃO - JOGADOR QUE ZICO PASSOU - DATA - JOGO - GOL DE ZICO NO JOGO

- 8° lugar, com 22 gols - Didi e Jair Rosa Pinto (empatados) - 19/03/1978 - Brasil 3x1 Seleção Goiana - 2° gol do Brasil
- 7° lugar, com 23 gols - Pepe - 01/05/1978 - Brasil 3 x 0 Peru - 1° gol do Brasil
- 6° lugar, com 31 gols - Zizinho -02/08/1979 - Brasil 2 x 1 Argentina - 1° gol do Brasil
- 5° lugar, com 33 gols - Ademir Menezes - 02/04/1980 - Brasil 7x1 Seleção Brasileira de Novos - 1° gol do Brasil
- 4° lugar, com 36 gols - Tostão - 29/06/1980 - Brasil 1x1 Polônia
- 3° lugar, com 40 gols - Leônidas - 14/02/1981 - Equador 0x6 Brasil - 5° gol do Brasil
- 2° lugar, com 44 gols - Jairzinho e Rivelino (empatados) - 22/03/1981 - Brasil 3x1 Bolívia - 3° gol do Brasil

Obs.: Zico, com a marca de 66 gols pela seleção brasileira ao fim de sua carreira, não atingiu o primeiro lugar, que, até hoje, continua sendo de Pelé, com 95 gols.

Os gols mais decisivos, na opinião do próprio Zico

- 09/12/1971 - Brasil 1x0 Argentina - Penúltima rodada do Pré-Olímpico
- 16/12/1972 - Flamengo 2x0 Vasco - Final do Campeonato Carioca Juvenil - 2° gol do Flamengo
- 08/12/1974 - Flamengo 2x1 América - Última rodada do 3° turno do Campeonato Carioca - 2° gol do Flamengo
- 01/06/1980 - Flamengo 3x2 Atlético-MG - Final do Campeonato Brasileiro - 2° gol do Flamengo

- 23/11/1981 – Flamengo 2x0 Cobreloa-CHI – Final da Copa Libertadores – 1º gol do Flamengo
- 23/11/1981 – Flamengo 2x0 Cobreloa-CHI – Final da Copa Libertadores – 2º gol do Flamengo
- 06/04/1982 – Flamengo 1x1 Santos – Jogo de volta das quartas de finais do Campeonato Brasileiro
- 18/04/1982 – Flamengo 1x1 Grêmio – 1º dos 3 jogos das finais do Campeonato Brasileiro
- 29/05/1983 – Flamengo 3x0 Santos – Final do Campeonato Brasileiro – 1º gol do Flamengo
- 22/11/1987 – Flamengo 3x1 Santa Cruz – Última rodada da Primeira Fase do Campeonato Brasileiro – 3º gol do Flamengo
- 02/12/1987 – Flamengo 3x2 Atlético-MG – Jogo de volta das Semifinais do Campeonato Brasileiro – 1º gol do Flamengo

Os gols mais bonitos, na opinião do próprio Zico

- 17/02/1974 – Flamengo 5x1 Corinthians – Amistoso – 3º gol do Flamengo
- 11/05/1974 – Flamengo 1x0 Grêmio – Campeonato Brasileiro
- 09/06/1974 – Flamengo 2x0 Botafogo – Campeonato Brasileiro – 2º gol do Flamengo

- 02/03/1975 – Flamengo 2x2 Vasco – Campeonato Carioca – 2º gol do Flamengo
- 01/12/1976 – Brasil 2x0 União Soviética – Amistoso – 2º do Brasil
- 26/03/1977 – Flamengo 1x1 Olaria – Campeonato Carioca
- 10/06/1979 – Flamengo 7x1 Niterói – Campeonato Carioca – 6º gol do Flamengo
- 30/10/1980 – Brasil 6x0 Paraguai – Amistoso – 6º gol do Brasil
- 23/11/1981 – Flamengo 2x0 Cobreloa-CHI – Final da Copa Libertadores – 2º gol do Flamengo
- 18/04/1982 – Flamengo 1x1 Grêmio – 1º dos 3 jogos das finais do Campeonato Brasileiro
- 21/05/1985 – Seleção do Campeonato Italiano 6x1 Verona – Amistoso – 1º gol da Seleção
- 21/05/1985 – Seleção do Campeonato Italiano 6x1 Verona – Amistoso – 4º gol da Seleção
- 16/06/1985 – Brasil 2x0 Paraguai – Eliminatórias da Copa do Mundo – 2º gol do Brasil
- 30/04/1986 – Brasil 4x2 Iugoslávia – Amistoso – 1º gol do Brasil
- 30/04/1986 – Brasil 4x2 Iugoslávia – Amistoso – 3º gol do Brasil
- 11/12/1993 – Kashima Antlers 6x1 Tohoku Electric – Copa do Imperador – 5º gol do Kashima

GOLS DE ZICO CONTRA O BOTAFOGO – COMO PROFISSIONAL

- 09/12/1973 – Flamengo 1x0 Botafogo – Campeonato Brasileiro
- 09/06/1974 – Flamengo 2x0 Botafogo – Campeonato Brasileiro
- 15/09/1974 – Flamengo 2x2 Botafogo – Campeonato Carioca
- 15/09/1974 – Flamengo 2x2 Botafogo – Campeonato Carioca
- 19/07/1975 – Flamengo 4x0 Botafogo – Campeonato Carioca
- 19/07/1975 – Flamengo 4x0 Botafogo – Campeonato Carioca
- 19/07/1975 – Flamengo 4x0 Botafogo – Campeonato Carioca
- 18/09/1977 – Flamengo 2x0 Botafogo – Campeonato Carioca
- 19/11/1978 – Flamengo 1x0 Botafogo – Campeonato Carioca
- 18/03/1979 – Flamengo 3 x 0 Botafogo – Campeonato Carioca
- 29/04/1979 – Flamengo 2x2 Botafogo – Campeonato Carioca
- 29/04/1979 – Flamengo 2x2 Botafogo – Campeonato Carioca
- 12/10/1980 – Flamengo 1x1 Botafogo – Campeonato Carioca
- 19/04/1981 – Flamengo 1x3 Botafogo – Campeonato Brasileiro
- 08/11/1981 – Flamengo 6x0 Botafogo – Campeonato Carioca

- 08/11/1981 – Flamengo 6x0 Botafogo – Campeonato Carioca
- 14/08/1982 – Flamengo 3x0 Botafogo – Campeonato Carioca
- 14/08/1982 – Flamengo 3x0 Botafogo – Campeonato Carioca
- 10/10/1982 – Flamengo 1x0 Botafogo – Campeonato Carioca
- 07/05/1989 – Flamengo 3x3 Botafogo – Campeonato Carioca

GOLS DE ZICO CONTRA O FLUMINENSE – COMO PROFISSIONAL

- 01/09/1974 – Flamengo 1x2 Fluminense – Campeonato Carioca
- 18/05/1975 – Flamengo 2x1 Fluminense – Campeonato Carioca
- 07/03/1976 – Flamengo 4x1 Fluminense – Amistoso
- 07/03/1976 – Flamengo 4x1 Fluminense – Amistoso
- 07/03/1976 – Flamengo 4x1 Fluminense – Amistoso
- 07/03/1976 – Flamengo 4x1 Fluminense – Amistoso
- 22/05/1977 – Flamengo 2x0 Fluminense – Campeonato Carioca
- 15/11/1977 – Flamengo 1x2 Fluminense – Campeonato Brasileiro
- 05/11/1978 – Flamengo 4x0 Fluminense – Campeonato Carioca
- 05/11/1978 – Flamengo 4x0 Fluminense – Campeonato Carioca
- 10/12/1978 – Flamengo 2x1 Fluminense – Amistoso
- 11/03/1979 – Flamengo 1x1 Fluminense – Campeonato Carioca
- 24/06/1979 – Flamengo 2x1 Fluminense – Campeonato Carioca
- 28/06/1981 – Flamengo 1x2 Fluminense – Campeonato Carioca
- 16/02/1986 – Flamengo 4x1 Fluminense – Campeonato Carioca
- 16/02/1986 – Flamengo 4x1 Fluminense – Campeonato Carioca
- 16/02/1986 – Flamengo 4x1 Fluminense – Campeonato Carioca
- 21/06/1987 – Flamengo 1x1 Fluminense – Campeonato Carioca
- 02/12/1989 – Flamengo 5x0 Fluminense – Campeonato Brasileiro
- 04/05/1993 – Kashima Antlers 2x0 Fluminense – Pepsi Cup

GOLS DE ZICO CONTRA O VASCO – COMO PROFISSIONAL

- 23/09/1973 – Flamengo 2x2 Vasco – Campeonato Brasileiro
- 17/03/1974 – Flamengo 1x 1Vasco – Campeonato Brasileiro
- 21/09/1974 – Flamengo 1x0 Vasco – Campeonato Carioca
- 20/10/1974 – Flamengo 1x1 Vasco – Campeonato Carioca
- 24/11/1974 – Flamengo 3x1 Vasco – Campeonato Carioca
- 6 – 02/03/1975 – Flamengo 2x2 Vasco – Campeonato Carioca
- 7 – 08/06/1975 – Flamengo 2 x 1 Vasco – Campeonato Carioca
- 07/09/1975 – Flamengo 2x4 Vasco – Campeonato Brasileiro
- 04/04/1976 – Flamengo 3x1 Vasco – Campeonato Carioca
- 04/04/1976 – Flamengo 3x1 Vasco – Campeonato Carioca
- 27/06/1976 – Flamengo 4x1 Vasco – Campeonato Carioca
- 04/03/1979 – Flamengo 1x1 Vasco – Campeonato Carioca
- 15/04/1979 – Flamengo 2x1 Vasco – Campeonato Carioca
- 22/07/1979 – Flamengo 4x2 Vasco – Campeonato Carioca
- 09/09/1979 – Flamengo 2x4 Vasco – Campeonato Carioca
- 07/06/1981 – Flamengo 1x0 Vasco – Campeonato Carioca
- 20/09/1981 – Flamengo 1x1 Vasco – Campeonato Carioca
- 08/05/1983 – Flamengo 1x1 Vasco – Campeonato Brasileiro
- 20/09/1987 – Flamengo 2x1 Vasco – Campeonato Brasileiro

FEZ GOLS EM 13 COBRANÇAS POR PÊNALTIS**

- 27/01/1974 – Flamengo 0x0 Fluminense – 4x5 nos pênaltis – Taça Presidente Médici

** Os gols nas cobranças por pênaltis não são contabilizados nas estatísticas.

- 16/02/1975 – Seleção carioca 1x1 Seleção paulista – 4x1 nos pênaltis – Amistoso
- 23/02/1975 – Flamengo 0x0 Fluminense – 5x4 nos pênaltis – Taça João Havelange
- 13/12/1975 – Flamengo 0x0 seleção paulista – 7x6 nos pênaltis – Torneio Quadrangular de Jundiaí
- 30/01/1976 – Flamengo 1x1 São Paulo – 4x5 nos pênaltis – Taça Cidade de São Paulo
- 01/02/1976 – Flamengo 1x1 Corinthians – 6x5 nos pênaltis – Taça Cidade de São Paulo
- 28/09/1977 – Flamengo 0x0 Vasco – 4x5 nos pênaltis – Campeonato Carioca
- 30/08/1980 – Flamengo 2x2 Dinamo Tblisi/URSS – 4x3 nos pênaltis – Troféu Ramón de Carranza
- 14/08/1984 – Udinese 1x1 Milan – 9x8 nos pênaltis – Torneio Cidade de Udine***
- 21/06/1986 – Brasil 1x1 França – 3x4 nos pênaltis – Copa do Mundo
- 06/11/1988 – Flamengo 0x0 Cruzeiro – 4x2 nos pênaltis – Campeonato Brasileiro
- 17/11/1988 – Flamengo 1x1 Palmeiras – 2x4 nos pênaltis – Campeonato Brasileiro
- 25/07/1992 – Kashima Antlers 1x1 Gamba Panasonic – 3x2 nos pênaltis – Copa Meiers
- 11/09/1993 – Kashima Antlers 1x1 Verdy Kawasaki – 4x2 nos pênaltis – Copa Nabisco

*** Nesse jogo, foram cobrados 26 pênaltis para decidir o terceiro lugar, e Zico marcou duas vezes.

TÍTULOS

– PELA SELEÇÃO BRASILEIRA:

- Torneio Bicentenário da Independência dos Estados Unidos – 1976
- Taça do Atlântico – 1976
- Copa Roca – Brasil x Argentina – 1976
- Copa Rio Branco – Brasil x Uruguai – 1976
- Taça Oswaldo Cruz – Brasil x Paraguai – 1976
- Mundialito de Cáli – 1977 (Triangular Decisivo das Eliminatórias pra Copa do Mundo

– PELO FLAMENGO

- Mundial Interclubes – 1981
- Copa Libertadores – 1981
- Campeonato Brasileiro – 1980, 1982, 1983 e 1987
- Campeonato Carioca – 1972, 1974, 1978, 1979/Especial, 1979/Estadual, 1981 e 1986
- Em 1979, a Federação do Rio de Janeiro organizou dois Campeonatos Cariocas.
- Taça Guanabara – 1972, 1973, 1978, 1979, 1980, 1981, 1982, 1988 e 1989
- Taça Rio – 1978, 1985 e 1986
- Primeiro turno do Campeonato Carioca – 1979/Especial
- Segundo turno do Campeonato Carioca – 1979/Especial e Estadual
- Terceiro turno do Campeonato Carioca – 1974, 1979, 1981 e 1987
- Troféu Ramón de Carranza/ESP – 1979 e 1980
- Torneio Cidade de Santander/ESP – 1980
- Torneio Quadrangular de Nápoles/ITA – 1981
- Torneio Colombino/ESP – 1988
- Copa Kirin/JAP – 1988
- Torneio Internacional de Hamburgo/ALE – 1989
- Torneio Quadrangular de Goiás/GO – 1975
- Torneio Quadrangular de Jundiaí/SP – 1975

- Torneio Quadrangular de Brasília/ DF - 1976
- Torneio Quadrangular de Cuiabá/ MT - 1976

– PELA UDINESE

- Torneio Cidade de Udine/ITA - 1983

– PELO SUMITOMO/ KASHIMA ANTLERS

- Copa Muroran - 1992 - em Muroran/JAP
- Copa Suntory - 1993 - Primeiro turno da primeira fase do Campeonato Japonês
- Copa Pepsi - 1993 - torneio em Kashima/JAP
- Copa Meiers - 1993 - torneio em Fukuoka/JAP

– PELA SELEÇÃO BRASILEIRA DE MÁSTER

- Copa do Craque - 1990 e 1991

– PELA SELEÇÃO BRASILEIRA OLÍMPICA

- Torneio Pré-Olímpico - 1971

– PELO FLAMENGO JUVENIL

- Campeonato Carioca - 1972

– PELO FLAMENGO ESCOLINHA

- Campeonato Carioca - 1969
- Torneio Quadrangular de Cocotá-RJ - 1969

PRÊMIOS INDIVIDUAIS

- Melhor jogador do mundo em 1981, eleito pela *Placar* e *Guerin Sportivo*, e, em 1983, eleito pela *Placar* e *World Soccer*
- Melhor jogador sul-americano em 1977, eleito pelo *El País*; em1981, pelo *El País* ; em1982 pelo *El País* e pela *El Gráfico*
- Um dos nomes escolhidos para a seleção da Copa do Mundo de 1982 (os 11 melhores por posição), segundo a FIFA
- Chuteira de Bronze da Copa do Mundo de 1982 – prêmio da FIFA ao 3° artilheiro da Copa
- Um dos nomes escolhidos para a Seleção ideal do mundo (os 11 melhores por posição) no século XX: em 1996 (*Planète Foot*) e em1997 (*100 Magnifici*)
- Seleção ideal do mundo de 1981 (os 11 melhores por posição),segundo a *Guerin Sportivo*
- Terceiro melhor jogador do mundo em 1984,eleito pela *World Soccer*
- Quarto melhor jogador do mundo em 1982, eleito pela *World Soccer*
- Quinto melhor jogador do mundo em 1980 - eleito pea *Guerin Sportivo*
- Sétimo melhor jogador sul-americano do século XX, eleito pela IFFHS 11 (International Federation of Football History & Statistics), em 1999
- Oitavo melhor jogador do mundo no século XX, eleito pela FIFA, em2000
- Nono melhor jogador do mundo no século XX, eleito pela *France Football*, em 1999
- Nono maior artilheiro da história do futebol mundial, eleito pela IFFHS, em 2010
- Décimo melhor jogador do mundo, eleito pelo *Daily mail* (Críticos),em 2009
- Décimo primeiro melhor jogador do mundo, eleito pelo *Daily mail* (Leitores), em 2009
- Décimo quarto melhor jogador do mundo no século XX, eleito pela IFFHS, em 1999
- Um dos 100 craques do mundo no século XX, segundo a *World Soccer*, em 1999
- Um dos 100 craques do mundo no século XX, segundo a *Placar*, em 1999
- Um dos 100 melhores jogadores das Copas do Mundo, segundo a CNN Sports, em 2002

- Um dos 125 jogadores selecionados por Pelé para marcar o 100º aniversário da FIFA, em 2004
- Escolhido como integrante do Hall da Fama da FIFA, em 2000
- Escolhido como integrante do Hall da Fama do futebol mundial - prêmio do site inglês England Football Online, em 1997
- Eleito uma das Lendas do futebol mundial, segundo o site inglês Golden Foot.com em 2006
- Melhor jogador do Mundial Interclubes de 1981 - segundo a Toyota, patrocinadora da competição
- Melhor jogador da Copa Libertadores de 1981 - segundo a Conmebol (Federação Sul-Americana de Futebol)
- Segundo melhor jogador sul-americano em 1976 e 1980, eleito pelo - *El País*
- Melhor jogador da partida Argentina x Resto do Mundo (1979) e Europa x Resto do Mundo eleito pela FIFA XI em 1982
- Terceiro melhor jogador brasileiro do século XX, eleito pela IFFHS,1999
- Terceiro melhor jogador brasileiro do século XX, eleito pela *Placar*, em 2001

- Maior craque do Brasil na década de 1970, eleito pela *Placar* e pela Associação Brasileira dos Cronistas Esportivos em 1979
- Maior craque do Brasil na década de 1980, eleito pela - *Placar*no ano 2000
- Bola de Ouro - Melhor jogador do Campeonato Brasileiro em 1974 e 1982, eleito pela *Placar*
- Bola de Prata - Melhor meia-esquerda do Campeonato Brasileiro em 1974, 1975, 1977, 1982 e 1987, eleito pela *Placar*
- Bola de Prata -artilheiro do Campeonato Brasileiro () em 1980 e 1982, eleito pela *Placar*
- Prêmio Bravo - Melhor jogador do Campeonato Italiano de 1983/84m eleito pela *Guerin Sportivo*
- Guerin d'Oro - artilheiro por média de gols do Campeonato Italiano de 1983/84
- Craque do ano de 1981 - prêmio da *Placar*, (eleito pelo júri e pelos leitores)
- Atleta do ano de 1981 - prêmio da Associação Brasileira dos Cronistas Esportivos
- Craque do ano de 1989 - *Placar* (eleito pelos leitores)
- Eleito um dos jogadores da Seleção brasileira de todos os tempos pela*Placar* em 2012
- Eleito um dos jogadores da Seleção brasileira de todos os tempos pelo*O Estado de S. Paulo* em 1997/98
- Melhor cobrador de faltas do futebol brasileiro no século XX, eleito pela - *Placar* em 2001
- Maior ídolo da história do futebol carioca, eleito pelo Globo.com em 2012
- Melhor jogador brasileiro dos últimos 35 anos, eleito pela - *Placar* em 2005
- Melhor jogador brasileiro dos últimos 30 anos - Rede Globo/*Esporte Espetacular*, em 2003
- Craque dos Campeonatos Brasileiros de 1980, 1982 e 1983, segundo o site Globo.com, em 2012
- Revelação do Campeonato Brasileiro de 1974, segundo o site Globo.com, em 2012
- Melhor jogador do Torneio Cidade de Santander de 1980, na cidade de Santander (ESP)
- Chuteira de Prata como artilheiro do ano no Brasil, em 1980 e 1982, prêmio da Adidas

- Melhor jogador do ano de 1974, - prêmio da Federação Carioca de Futebol
- Troféu dos 500 gols. - promoção da Rádio Tupi e revista *Placar* em 1981
- Gol do mês - Prêmio concedido pela emissora de televisão alemã Das Erste, ao gol mais bonito do mês de junho de 1982, no jogo Brasil 4 x 0 Nova Zelândia, pela Copa do Mundo
- Prêmio Inspiração - Prêmio brasileiro da ONG Instituto Superar, recebido em 2012, que homenageia atletas olímpicos e paraolímpicos, que se destacam em um determinado ano

50 GRANDES CURIOSIDADES

1 - Os gols 301 e 401, como profissional, aconteceram em maio de 1979 (no Maracanã) e em outubro de 1980 (no Serra Dourada, em Goiânia), ambos em amistosos pela seleção brasileira, contra a seleção do Paraguai, em goleadas por 6 x 0, numa quinta-feira. Os gols foram marcados aos 14 minutos do segundo tempo. Ah! O goleiro que sofreu os gols também era o mesmo: Gato Fernández (pai do atual goleiro do Botafogo, Gatito Fernández). Já o 100° e o 200° da carreira toda, contando desde a escolinha em 1968, aconteceram os dois no dia 18 de janeiro. O primeiro em 1974, na vitória por 3x1 sobre o Željezničar, da ex-Iugoslávia; o segundo em 1976, na goleada por 11x1 sobre o Central, de Miguel Pereira-RJ; ambos em amistosos.

2 - Aos 21 minutos do primeiro tempo, Zico marcou seu último gol pelo Flamengo, na goleada por 5x0 sobre o Fluminense, em dezembro de 1989. Já o último gol do Galinho pelo Kashima Antlers aconteceu em junho de 1994, na vitória por 2x1 contra o Júbilo Iwata, também aos 21 minutos do primeiro tempo.

3 - Dos 90 minutos de uma partida, Zico fez gols em todos, inclusive aos 10 segundos de jogo e nos acréscimos: aos 46′ e 49′ do segundo tempo.

4 - Entre todos os primeiros e segundos tempos com Zico em campo, aquele em que o Galinho fez mais gols foi no segundo tempo da goleada do Flamengo por 7x1 sobre o Niterói, pelo segundo Campeonato Carioca disputado em 1979, quando marcou cinco vezes.

5 - Dez e onze: 10 é o minuto em que Zico fez mais gols (16). E 11 é o dia do mês em que o Galinho marcou mais vezes (46 gols).

6 - Dia 6 é o dia do mês em que Zico fez menos gols na carreira. Talvez, se soubesse disso, não teria marcado sua despedida pelo Flamengo, no Maracanã, para o dia 6 de fevereiro de 1990, quando acabou não marcando nenhum gol. O último gol do Galinho em um dia 6 tinha sido em 1983, quando fez o gol da vitória por 1x0 da Udinese sobre a Roma, pelo Campeonato Italiano.

7 - Zico fez gols em três de seus aniversários, no dia 3 de março: em 1974, na vitória do Flamengo por 3 x 2 sobre a seleção do Kuwait; em 1977, na goleada da seleção brasileira por 6x1 sobre um combinado de jogadores do Botafogo e do Vasco e, em 1982, novamente pela seleção, desta vez em um empate em 1x1 contra a extinta Tchecoslováquia. Três jogos que dificilmente voltarão a acontecer, pois, além da Tchecoslováquia ter se dividido em dois novos países

– República Tcheca e Eslováquia –, seleções não jogam mais contra clubes.

8 - Em 1975, o Campeonato Carioca teve três turnos. Nos três, Flamengo e Bangu se enfrentaram. Em todos, o rubro-negro goleou por 5x0 com 3 gols de Zico; o goleiro banguense era Luiz Alberto. Além disso, os três jogos foram no meio da semana: o primeiro em uma terça e os outros dois em quartas-feiras.

9 - Em 1979, Zico chegou a fazer 34 gols no segundo Campeonato Carioca disputado naquele ano, e este é o recorde, até hoje, de gols em um só Campeonato Carioca, na Era Maracanã, desde 1950. O recorde de todos os tempos é do centroavante Pirillo, também do Flamengo, que marcou 39 vezes no Carioca de 1941. No ano inteiro, incluindo outras competições e amistosos, pelo Flamengo e pela seleção brasileira, e até um por uma seleção do Resto do Mundo, o Galinho marcou incríveis 89 gols. Se não fosse por uma contusão, que afastou Zico dos gramados por dois meses, entre setembro e novembro, com certeza o Camisa 10 teria batido o recorde de Pirillo e teria feito mais de 100 gols no ano. Se tivesse mantido a média, chegaria a 106 ou 107 gols.

10 - Nos anos de 1981 e 1982, importantíssimos na carreira de Zico, o Galinho fez o mesmo número total de gols, incluindo Flamengo e seleção brasileira: 59!

11 - Já nos anos de 1980 e 1982, as coincidências são em maior quantidade. Não só o número total de gols, dessa vez só pelo Flamengo, foi o mesmo (47), como também pelo Campeonato Brasileiro (21). A propósito, o clube da Gávea conquistou esses dois Campeonatos Brasileiros, e Zico foi o artilheiro de ambos. Além dessas coincidências, ainda houve uma terceira: o número de gols de pênalti: 9.

12 - Apesar de ter jogado apenas dois anos na Udinese, Zico marcou por esse time 47% dos gols de falta (18 de um total de 38) que fez nos anos 1980. Ou seja, pelo clube italiano, Zico marcou quase a metade dos gols de falta que fez nessa década, quando, nos outros oito anos, atuando pelo Flamengo e seleção brasileira, marcou 20 vezes.

13 - As estreias do Galinho nos campeonatos italiano e japonês da primeira divisão tiveram o mesmo placar: 5x0 para a Udinese e para o Kashima Antlers. Na Itália, em 1983, fez dois gols na goleada sobre o Genoa, no estádio do adversário. Já no Japão, em 1993, fez 3 contra o Nagoya Grampus, no recém-inaugurado Estádio Kashima. Nos dois jogos, o segundo gol de Zico foi de falta. Outra estreia inesquecível foi no Campeonato Carioca de 1986, quando o Flamengo goleou o Fluminense por 4x1, no Maracanã. Zico fez 3 gols (o segundo foi numa cobrança de falta).

14 - O primeiro gol de Zico pelo Sumitomo/Kashima Antlers, em julho de 1992, foi também o último de pênalti na carreira.

15 - O primeiro gol no Estádio Kashima, em 4 de maio de 1993, foi também o último sobre o Fluminense.

16 - O Fluminense foi o único clube brasileiro que sofreu gol de Zico pelo Kashima Antlers, assim como

o América-RJ foi o único a sofrer contra a Udinese, da Itália.

17 - Zico fez gols no América, do RJ e de MG, Atlético, MG e PR, Comercial, MT e SP, Ferroviário, CE e RO, Fluminense, RJ, BA e de Nova Friburgo/RJ, Vitória, BA e ES, e até no Flamengo do Piauí.

18 - O segundo e o penúltimo gol de Zico como profissional do Flamengo, marcados em 1971 e 1989, foram contra clubes pernambucanos: Santa Cruz e Náutico, respectivamente.

19 - Zico x Grêmio! Na opinião do Galinho, seu gol mais difícil aconteceu no Maracanã, pelo Campeonato Brasileiro de 1974, quando pegou de primeira um cruzamento vindo da esquerda, do então lateral Vanderlei Luxemburgo, e deu a vitória ao Flamengo por 1x0 sobre o Grêmio. Já seu gol mais decisivo foi no primeiro jogo das finais do Brasileirão de 1982, após receber um cruzamento, também vindo do lateral-esquerdo, no caso Junior, e garantiu o empate de 1x1, também contra o Grêmio e no Maracanã.

20 - Dos grandes clubes brasileiros, o Cruzeiro é o único em que Zico não fez gols. O Galinho enfrentou o clube mineiro sete vezes, sendo 5 entre 1972 e 1977.

21 - O Barcelona é um dos cinco clubes em que Zico fez gols pelo Flamengo e pela Udinese. O clube espanhol é também o único europeu que sofreu gol de falta do Galinho pelo rubro-negro.

22 - Apenas um time, entre clubes e seleções, sofreu gols de Zico nas categorias profissional, juvenil e máster: a seleção da Argentina, que sofreu 4 gols como profissional (incluindo um pela seleção do Resto do Mundo em 1979), um como juvenil, no Pré-Olímpico de 1971, em Cáli, na Colômbia, e um como máster, na final da Copa do Craque de 1991, em Miami, nos Estados Unidos. Os gols de 1971 e 1991 garantiram ao Brasil o título das respectivas competições.

23 - Zico fez gols em todas as seleções filiadas à Conmebol (Federação Sul-Americana de Futebol): Argentina (4 gols), Bolívia (8), Chile (4), Colômbia (1), Equador (1), Paraguai (7), Peru (2), Uruguai (2) e Venezuela (2).

24 - Jogando pelo Flamengo, Zico fez gols em duas seleções que se preparavam para disputar a Copa do Mundo: em 1974, três meses e meio antes do Mundial, fez 3 gols em dois empates (4x4 e 3x3) contra a seleção do Zaire, em Kinshasa, e, em 1986, quatro meses antes da Copa, marcou uma vez na vitória por 2x0 sobre a seleção do Iraque, em Bagdá.

25 - Na segunda metade dos anos 1980, o Galinho fez gols nas seleções do Iraque (1986) e do Japão (1988), em Bagdá e em Tóquio, respectivamente. Três anos depois do jogo contra a seleção japonesa, em 1991, Zico foi jogar na Terra do Sol Nascente, onde atuou até 1994, se consagrando como o maior ídolo do esporte no país. Entre 2002 e 2006, foi o técnico da seleção japonesa, enfrentando inclusive o Brasil na Copa do Mundo da Alemanha. Já em 2011 foi a vez de os iraquianos convidarem Zico para ser técnico da seleção daquele país. O Galinho aceitou o desafio e permaneceu no cargo por um ano e três meses, até novembro de 2012.

26 - O único gol de Zico na Inglaterra (e contra um time inglês), em maio de 1981, foi o que garantiu à seleção brasileira sua primeira vitória (por 1x0) sobre a seleção inglesa, naquele país.

27 - Os únicos 2 gols de Zico contra times mexicanos aconteceram nos Estados Unidos. O primeiro foi pela seleção brasileira, na vitória por 4x3, sobre o Pumas UNAM, em junho de 1976, em São Francisco. Já o segundo, foi marcado em novembro de 1983, na derrota da Udinese por 2 x 1 contra o Chivas, em Los Angeles, também no estado da Califórnia.

28 - Os 7 primeiros gols como profissional não foram no estado do Rio de Janeiro. Os 2 primeiros foram na Bahia e em Pernambuco, em 1971. Já os outros 5 aconteceram em 1973, sendo 2 em Minas Gerais e 3 no Espírito Santo. Só o oitavo gol foi no Rio de Janeiro, em um empate em 2x2 contra o Vasco, no Maracanã, pelo Campeonato Brasileiro.

29 - O primeiro gol de Zico no estado de São Paulo não foi contra nenhum time paulista, mas sobre o Grêmio, na cidade de Jundiaí, em novembro de 1975.

30 - O primeiro gol em Udine não foi pela Udinese! Zico marcou pela primeira vez naquela cidade em dezembro de 1980, em um amistoso beneficente entre um combinado brasileiro e um italiano. Na ocasião, o time sul-americano derrotou os europeus por 2x1, sendo de Zico o gol da vitória, marcado aos 40 minutos do segundo tempo. Por sinal, segundo os jornais da época, foi um golaço inesquecível!

31 - O único estádio em que Zico fez gols pelo Flamengo e pelo Kashima Antlers foi o Nacional de Tóquio. Pelo rubro-negro carioca, marcou duas vezes, ambas pela Copa Kirin de 1988: nas vitórias do Flamengo por 3x1 sobre a seleção do Japão e por 1x0 sobre o Bayer Leverkusen, da então Alemanha Ocidental, na final do torneio. Já pelo Kashima, ele também marcou 2 gols em dois jogos, ambos em setembro de 1992, pela Copa Nabisco, e com o mesmo resultado final de 4x3 (uma vitória e uma derrota). A vitória foi sobre o Verdy Kawasaki e a derrota para o Yokohama Marinos.

32 - Zico fez gols no estádio Parc des Princes, em Paris, contra a seleção francesa e contra o Paris Saint-Germain. Em agosto de 1979, fez o gol do Flamengo em uma derrota por 3x1 para o PSG, e, em maio de 1981, marcou na vitória da seleção brasileira, também por 3x1, contra a França. Da mesma forma, o Galinho marcou no Monumental de Nuñez, em Buenos Aires, contra a seleção da Argentina e contra o River Plate (proprietário do estádio). Contra a seleção, fez dois gols em vitórias por 2x1: em fevereiro de 1976, pela seleção brasileira, na Taça do Atlântico, e em junho de 1979, quando fez o gol da vitória, por uma seleção do Resto do Mundo. Já contra o River Plate, marcou o segundo gol do Flamengo na goleada por 3 x 0, pela Copa Libertadores de 1982.

33 - Zico fez 3 gols em três estádios chamados "Olímpico", sendo os três pela seleção brasileira e no ano de 1981. Em fevereiro, foram 2: em Caracas, quando fez o gol da vitória por 1x0 sobre a seleção da Venezuela, pelas Eliminatórias da Copa do Mundo, e em Quito, na goleada por 6x0 sobre a seleção do Equador, em jogo amistoso. Já em novembro, no Olímpico de Porto Alegre, no estádio do Grêmio, fez 1 na vitória por 3x0 sobre a Bulgária, em novo amistoso.

34 - O Galinho fez gols no Milan e na Juventus, ambos da Itália, no Maracanã. Contra a Juve, fez 1 na vitória do Flamengo por 2x1, em julho de 1975. Já contra o Milan, marcou uma vez na goleada da seleção brasileira por 3x0, em outubro de 1977.

35 - O estádio da Gávea foi palco de 41 gols de Zico em sua carreira, mas na categoria de profissionais foram apenas 2. O primeiro em novembro de 1982, na vitória do Flamengo por 3x0 sobre o Americano, pela Taça Rio. Já o segundo aconteceu em abril de 1989, no massacre por 8x1 sobre o Nova Cidade, pela Taça Guanabara.

36 - Em 1970, pelo Campeonato Carioca de Escolinhas, Zico marcou seu primeiro gol de falta na carreira. O fato histórico aconteceu na vitória do Flamengo por 3x2 sobre o América, no extinto estádio Wolnney Braune, no bairro do Andaraí. Demolido em 1996, o estádio deu lugar ao antigo Shopping Iguatemi, hoje Shopping Boulevard.

37 - O primeiro dos 2 gols marcados por Zico na goleada por 4x1 sobre o Cosmos, dos Estados Unidos, em um amistoso no Maracanã em 1977, foi o 200° gol do Galinho pelo Flamengo (como profissional) e também o 300° na carreira toda, contando desde o primeiro pela escolinha, em 1968. Assim como, o segundo do Camisa 10 no massacre por 6 x 0 sobre o Botafogo em 1981, foi o 400° no estado do Rio de Janeiro e o 500° marcado no Brasil.

38 - Muitos torcedores lembram do jogo entre Flamengo e Palmeiras, no Maracanã, pelo Campeonato Brasileiro de 1988, quando o centroavante palmeirense, Gaúcho (posteriormente campeão brasileiro pelo Fla em 1992) teve que jogar como goleiro, após a contusão de Zetti. Como o time paulista já havia feito todas as substituições, o atacante se aventurou debaixo das traves. O jogo terminou empatado em 1x1 e, conforme previa o regulamento daquele Brasileirão, as partidas que terminassem empatadas eram decididas nas disputas por pênaltis. Nas penalidades, Gaúcho defendeu duas cobranças, de Aldair e Zinho, mas Zico fez a sua parte, marcando um dos pênaltis para o rubro-negro, na vitória palmeirense por 4x2.

39 - Por coincidência, o jogador que sofreu mais pênaltis, entre as penalidades convertidas por Zico, é o mesmo que sofreu mais faltas nos gols do Galinho em cobranças de falta: o centroavante Luisinho Lemos. Foram dez pênaltis e cinco faltas. Luisinho jogou no Flamengo entre 1975 e 1977.

40 - Leandro, companheiro de Zico no Flamengo de 1978 a 1989, foi o único jogador que deu uma assistência que resultou em gol do Galinho, em uma Copa do Mundo. E foram logo duas e no mesmo jogo: Brasil 4 x 0 Nova Zelândia, pelo Mundial de 1982. Os outros três gols do craque em Copas foram de pênalti (Brasil 3x0 Peru em 1978), de falta (Brasil 4x1 Escócia em 1982) e de rebote (Brasil 3x1 Argentina em 1982).

41 - Leão – goleiro titular da seleção brasileira nas Copas do Mundo de 1974 e 1978 e convocado para as Copas no México, em 1970 e 1986 – foi o goleiro que sofreu gols de Zico por um número maior de times diferentes (cinco): seleção paulista (1975), Palmeiras

(1975), Vasco (4 gols em 4 jogos de 1979), Grêmio (1982) e Corinthians (2 gols em 1983). Além disso, Leão é um dos dois goleiros que sofreram gols do Galinho com camisas de clubes rivais: Palmeiras e Corinthians, ao lado de Wendell (Botafogo e Fluminense).

42 - Paulo Sérgio, Paulo Vítor e Acácio, goleiros que se destacaram nos anos 1980 pelos clubes Botafogo, Fluminense e Vasco, e que foram convocados para as Copas do Mundo de 1982, 1986 e 1990, respectivamente, todos com a camisa 12, além de sofrerem gols de Zico por esses clubes rivais do Flamengo, também sofreram por seus clubes anteriores. Paulo Sérgio, por exemplo, antes de jogar no Botafogo e sofrer 6 gols do Galinho entre 1980 e 1982, já tinha sofrido 8 do craque, sendo 6 por seus ex-clubes, Volta Redonda (1 gol em 1977) e Americano (5 em 1979). Já Paulo Vítor, antes de defender o Fluminense e sofrer 5 gols do Camisa 10 entre 1981 e 1987, já havia sido vítima de Zico em 1976, pelo CEUB, de Brasília, quando levou 1 gol. Enquanto Acácio, que sofreu 1 gol do Galinho em 1987, pelo Vasco, já tinha sofrido outros 5 de Zico, entre 1980 e 1981, pelo Serrano, de Petrópolis.

43 - Paulo Sérgio e Augusto são dois dos quatro goleiros que sofreram mais gols de Zico no decorrer da carreira do craque; cada um levou 14 gols. Por coincidência, nos anos de 1978 e 1979, eles eram os titulares dos dois times da cidade de Campos dos Goytacazes, Americano e Goytacaz, e jogaram por um Combinado do Interior do RJ, em março de 1978, quando Zico fez 5 gols, igualando o recorde de Evaristo de Macedo/1957 como um dos jogadores que fizeram mais gols em uma partida da seleção brasileira. Na ocasião, Paulo Sérgio era o titular, mas depois de sofrer dois gols do Galinho, se machucou e teve que sair. Augusto entrou em seu lugar e sofreu os outros três de Zico. No final, a seleção brasileira goleou o Combinado por 7 x 0.

44 - Morishita foi o goleiro que sofreu o primeiro e o último gol de Zico no Japão. Em maio de 1988, o Galinho marcou na vitória do Flamengo por 3x1 sobre a seleção do Japão, pela Copa Kirin. Já o último gol (no Japão e da carreira profissional) aconteceu em junho de 1994, na vitória do Kashima Antlers por 2 x 1 sobre o Júbilo Iwata, pelo Campeonato Japonês.

45 - Zico fez gols em onze goleiros brasileiros que foram convocados para Copas do Mundo: Manga (1966), Félix (1970), Leão (1970/74/78/86), Renato (1974), Waldir Peres (1974/78/82), Carlos (1978/82/86), Paulo Sérgio (1982), Paulo Vítor (1986), Acácio (1990), Taffarel (1990/94/98) e Gilmar Rinaldi (1994). Já goleiros campeões de Copas do Mundo foram quatro, sendo dois brasileiros: Félix (1970) e Taffarel (1994). Os outros dois foram o argentino Fillol (1978) e o italiano Zoff (1982). Dois vice-campeões de Copas do Mundo também sofreram gols do Galinho: o italiano Albertosi (1970) e o alemão ocidental Schumacher (1982 e 1986). Vale lembrar também dois goleiros que foram eleitos pela FIFA como melhores do ano: o belga Pfaff (melhor do mundo em 1987) e o italiano Zenga (1990 e 1991). Todos sofreram gols de Zico!

46 - Quatro técnicos campeões de Copas do Mundo comemoraram gols de Zico como seus treinadores: o brasileiro Zagallo (campeão do mundo em 1970) treinou o Galinho no Flamengo em 1972, 1973 e 1985, mas Zico só fez gols nos jogos de 1973 e 1985; o italiano Enzo Bearzot, campeão da Copa de 1982, treinou o Camisa 10 por uma seleção do Resto do Mundo, no dia 25 de junho de 1979, e os argentinos César Menotti (campeão em 1978) e Carlos Bilardo (1986), que foram técnicos do craque brasileiro em 1990, ambos pela seleção de máster da América do Sul. Bilardo foi seu técnico no dia 22/02, poucos dias depois da despedida de Zico no Maracanã, e Menotti, em 02/07, durante a Copa do Mundo na Itália.

47 - Edu, um dos irmãos de Zico e considerado o melhor jogador da história do América-RJ, foi adversário do Galinho, como jogador (pelo América e pelo Vasco) e como técnico (também pelo América, mas contra a Udinese, e pela seleção do Iraque em 1986, contra o Fla). Mas esteve ao lado do irmão, em mesmo time, como jogador, quando Edu atuou pelo Flamengo em 1975/76, e também como técnico: de uma seleção carioca que disputou um jogo em 1982 e do Kashima Antlers, em 1994. Em fevereiro de 1976, o Flamengo chegou a ser campeão de um torneio em Brasília, vencendo o CEUB na final, por 2x1, com gols de Zico e Edu. O goleiro do CEUB nesse jogo era Paulo Vítor, que se destacou no Fluminense nos anos 1980.

48 - Com 508 gols, Zico é o maior artilheiro da história do Flamengo com mais que o dobro de gols em relação ao segundo colocado, Dida (ídolo de infância do Galinho), que marcou 251 vezes.

49 - Zico e Pelé dividiram a artilharia da 12ª rodada do Campeonato Brasileiro de 1974; ambos com 8 gols e empatados com o argentino Fischer, então no Vitória. O Galinho, com 21 anos de idade, disputava seu terceiro Brasileirão. Já o craque da Copa de 1970 estava com 33 anos e disputava sua última temporada pelo Santos.

50 - Zico e Maradona se enfrentaram seis vezes, sendo cinco vitórias do Galinho (com 6 gols do craque brasileiro e 1 do argentino) e um empate (com 2 gols de Maradona). O primeiro jogo foi em Buenos Aires, em junho de 1979, pelo aniversário de um ano do título de campeã do mundo que a Argentina havia conquistado no ano anterior. Uma seleção do Resto do Mundo derrotou por 2x1 os argentinos, com Zico marcando o gol da vitória. O segundo foi no mesmo ano, em agosto, quando a seleção brasileira derrotou a Argentina por 2 x 1 no Maracanã, pela Copa América. Em setembro de 1981, aconteceu o terceiro jogo, também no maior estádio do mundo, com o Galinho marcando os dois gols da vitória do Flamengo por 2 x 0 sobre o Boca Juniors, em jogo amistoso. O quarto (e mais importante) foi válido pela Copa do Mundo de 1982, na Espanha, com Zico marcando uma vez na vitória brasileira por 3x1 sobre o time argentino. Em 1985, aconteceram os outros dois jogos: em maio, pela penúltima rodada do Campeonato Italiano, em Udine, o único empate; Udinese 2x2 Napoli. Nessa partida Maradona fez os dois gols napolitanos. Dois meses depois, na festa do retorno do Camisa 10 da Gávea para o Flamengo, no Maracanã, Zico marcou uma vez, de falta, na vitória rubro-negra por 3x1 sobre um combinado de amigos do Galinho.

Zico e Pelé atuando juntos em Flamengo 5 x 1 Atlético-MG, amistoso no Maracanã para arrecadar fundos para as vítimas das enchentes em Minas Gerais, disputado em 6 de abril de 1979.

Zico e Edinho na Udinese temporada 1983/1984.

O zagueiro Edinho, do Fluminense, na marcação de Zico, pelo Campeonato Carioca de 1979.

Zico e Bebeto em 1988.

UMA MERECIDA HOMENAGEM, UMA GRANDE SAUDADE. AGRADECIMENTOS

Autores do livro *A História De Todos Os Gols De Zico:* Marcelo Abinader, Bruno Lucena (*in memoriam*) e Mário Helvécio.

BRUNO LUCENA praticamente vivia para as estatísticas do Flamengo. Detalhista ao extremo, foi responsável pela valorização e reconhecimento de ex-atletas rubro-negros, principalmente no futebol, trazendo-os de volta à Gávea e ao clube. Ex-jogadores, como o Campeão Mundial Junior, costumavam dizer que BRUNO sabia mais sobre a carreira deles do que eles mesmos. E isso não era exagero!

Por conta desse vasto conhecimento acumulado, BRUNO e seu parceiro Pedro Caruso disputaram e venceram o programa "Fanáticos", da TV Esporte Interativo, enfrentando pesquisadores de clubes de todo o país em uma competição sobre dados das histórias dos clubes. A taça recebida foi por eles, doada ao Clube de Regatas do Flamengo, encontra-se em exposição na galeria de troféus do Flamengo, junto com todas as conquistas esportivas do clube. Um orgulho para ele e para nós.

E foi da mente perscrutadora de BRUNO LUCENA que surgiu a ideia para este livro. Em fevereiro de 2011, ele era funcionário do Patrimônio Histórico e conheceu Mário Helvécio, então funcionário do Conselho Fiscal do Flamengo. A paixão comum por fatos históricos referentes ao Flamengo criou uma empatia imediata, logo virando "melhores amigos". Na sequência, BRUNO apresentou Marcelo Abinader, um outro amigo rubro-negro, mestre em pesquisas estatísticas de todos os jogos da história do Flamengo e autor de um importante livro sobre o tema, e os três ficaram bem ligados. BRUNO veio, então, com uma proposta de escrever um livro sobre Zico, prontamente aceita por Marinho, que sugeriu algo único, diferente de tudo já escrito: A HISTÓRIA DE TODOS OS GOLS DE ZICO. A princípio, um desafio muito grande, uma vez que para saber os detalhes de cada um dos mais de 800 gols marcados por Zico em sua carreira, um verdadeiro trabalho arqueológico teria que ser feito. BRUNO sugeriu que Marcelo fosse convidado para ajudar nas pesquisas e pra "romancear" o texto do livro.

Como nós, torcedores apaixonados do Flamengo e fãs incondicionais desse grande jogador e ser humano que é o Zico, poderíamos recusar tal oferta? A química estava feita. O desafio apenas começava. Nem todos os jogos tiveram cobertura da imprensa brasileira. Alguns não mergulhavam na narração dos lances de gol e outros jogos, em amistosos pelo interior do Brasil ou no exterior, requereram muita paciência investigativa. E, não sem muitos percalços, aqui está a conclusão, a realização daquele sonho que começou na cabeça do BRUNO LUCENA e invadiu também as nossas, quase que diariamente. Um documento como nenhum outro jamais feito.

Evidentemente, é com muita dor que não temos sua presença conosco para dividir os sorrisos, comentários e histórias que vivemos ao longo desses anos juntos. Você se foi muito cedo desta vida, BRUNO LUCENA. Mas temos muito a agradecer a você por cada momento que tivemos juntos.

Marcelo Abinader e
Mário Helvécio

Realizar um projeto como esse livro foi uma história de lutas e reuniões e pesquisas, que contou com a ajuda, direta e indireta, de muita gente. Mas não há como não começar agradecendo a estes parceiros que a vida me deu: Bruno Lucena (*in memoriam*) e Mário Helvécio, o Marinho. O primeiro, autor da ideia, dividiu seu sonho com Marinho e comigo, convidando-nos para tornar isso real. Não havia como dizer um não.

Paralelo a isso, e em tudo na minha vida, tive o apoio compreensivo de minha esposa Karla Cristina, aceitando as horas e horas em dias e dias de pesquisa e dedicação à observação de vídeos, assim como o tempo gasto na escrita de textos.

Agradeço, também, o apoio de parentes e amigos, ansiosos por ver a concretização deste trabalho coletivo.

Não posso me esquecer dos profissionais da Biblioteca Nacional, sempre solícitos, e da Hemeroteca Digital, fundamental nas leituras de periódicos das épocas de Zico como jogador.

E, acima de tudo, agradecer ao homenageado, Arthur Antunes Coimbra, o Zico. Tive a sorte de ser quase exatamente dez anos mais novo que ele, o que me fez assistir à sua ascensão aos profissionais do Flamengo e seguir sua carreira até seus últimos jogos. E que prazer foi conviver com Zico, que nos proporcionou ótimas e divertidas entrevistas, incluídas nesta obra!

A feitura deste livro é uma oportunidade de agradecermos um pouco ao Galinho de Quintino pelas inesquecíveis alegrias que nos proporcionou na juventude.

Marcelo Abinader

Primeiramente agradeço a DEUS e a minha família nas figuras do meu pai, o Sr. Mário Helcio, de minha mãe, a Dona Virgínia da Conceição, da minha irmã Gabriela Silva Costa (in memoriam), do meu sobrinho/filho/irmão Caio Costa, e aos meus avós, todos "in memorian", Sr. Helvécio Alexandrino, Dona Arlete Costa, Sr Manuel Barbosa e Dona Deolinda Faria que me deram o suporte necessário ao longo da minha vida pra eu desenvolver esta minha atividade. Aos meus tios Antonio Carlos, o Tonho e Arlindo Costa e Silva. Agradeço ao meu "PADRINHO" Paulo César Ferreira por toda ajuda nos últimos anos e especialmente neste projeto. Aos meus irmãos de coração, William "Seta" Mesquita e Hugo "Tuco" Pereira que juntamente com meus pais, moldaram meu caráter e contribuíram para o homem que sou hoje. Agradeço a outro "irmão", Vinícius Fiocchi que sempre me incentiva em tudo o que eu faço, além de outros amigos de Curicica, Jorge Fiocchi e Carlos "Nonô" Magno além de Bruno "Poca" do Alvorada que sempre se mostraram interessados com o andamento das pesquisas para a realização deste livro. Agradeço também, é claro, à torcida do Flamengo, que faz parte da minha vida desde sempre. Agradeço a Renato "Russo" Manfredini Junior (in memoriam), que na minha adolescência, através de sua obra, despertou meu interesse pela leitura. Agradeço muito a Raul, Leandro, Marinho, Mozer, Junior, Andrade, Tita, Lico, Rondinelli que junto com alguns outros craques, são os responsáveis por tudo isso, especialmente a Adílio e Júlio Cesar Uri Geller, irmãos que me acompanham desde antes desta empreitada. Pra finalizar, agradeço aos meus companheiros neste projeto, Bruno Lucena (in memoriam), Marcelo Abinader, Marcos Eduardo Neves e a todo pessoal da Editora Zit, por todo o suporte que nos foi dado e é claro agradeço do fundo do coração a Arthur Antunes Coimbra, o nosso ZICO, por todas as emoções que nos proporcionou em seu período de jogador do Flamengo, como na colaboração total e irrestrita para este livro. Obrigado pela paciência com intermináveis reuniões.

Obrigado a todos vocês.

Mário Helvécio

Zico e Roberto Dinamite antes de Flamengo 2 x 1 Vasco, pelo Campeonato Brasileiro, em 5 de maio de 1983.

Zico e Leandro conversando na Gávea em 1999.

Zico e Ronaldo em 1999.

Zico atuando como árbitro em jogo de másters em 1995.

Zico e Falcão antes de Udinese 1 x 0 Roma pelo Campeonato Italiano em 6 de novembro de 1983.

Rivelino e Zico pela Seleção Brasileira em 1978.

BIBLIOGRAFIA

DVDs

Copa União - Flamengo: Fla Filmes
Zico na Rede - A carreira do maior artilheiro do Maracanã: Paulo Roscio
Zico - O Galinho de Ouro do Brasil - Coleção Grandes Craques: Revista *Placar*

JORNAIS

Jornal dos Sports
No intervalo de fevereiro de 1968 a junho de 1994, foram pesquisadas todas as edições do *Jornal dos Sports*.

La Gazzetta Dello Sport / ITÁLIA
Corriere Dello Sport / ITÁLIA
"IL Messaggero" Veneto / ITÁLIA
No intervalo de agosto de 1983 a maio de 1985 foram pesquisadas todas as edições dos jornais italianos acima.

LIVROS

AMBRÓSIO FILHO, Paschoal. *6x Mengão*. Maquinária, 2010.
AMBRÓSIO FILHO, Paschoal. *Pentatri - A história dos tricampeonatos cariocas do Flamengo*. Maquinária, 2009.
ASSAF, Roberto e GARCIA, Roger. *Grandes jogos do Flamengo*. Panini, 2010.
ASSAF, Roberto e MARTINS, Clóvis. *Almanaque do Flamengo*. São Paulo: Abril, 2001.
ASSAF, Roberto e MARTINS, Clóvis. *Campeonato Carioca - 96 anos de história - 1902-1997*. Irradiação Cultural, 1997.
ASSAF, Roberto e MARTINS, Clóvis. *Flamengo X Vasco - O clássico dos milhões*. Rio de Janeiro: Relume Dumará, 1999.
ASSAF, Roberto e MARTINS, Clóvis. *História dos Campeonatos Cariocas de futebol - 1906-2010*. Maquinária, 2010.
Azevedo, Guilherme et ali. *85 anos de glórias - 1895 a 1980*. Rio de Janeiro: Lidador, 1981.
COIMBRA, Arthur Antunes. *Zico conta sua história*. Rio de Janeiro: FTD, 1996.
FILHO, Mário e RODRIGUES, Nélson. *Fla-Flu... E as multidões despertaram*. São Paulo: Europa, 1987.
JESUS, Maurício Neves de. *1981 - O primeiro ano do resto de nossas vidas*. Rio de Janeiro: Livros de Futebol, 2011.
LANCELLOTTI, Sílvio. *Almanaque da Copa do Mundo*. Porto Alegre: L&PM Editores, 1998.
MÁXIMO, João. *Maracanã - Meio século de paixão*. São Paulo: DBA, 2000.
MENINÉA, Antônio Carlos. *1981 - O ano mais feliz de nossa vida rubro-negra*. Virtual Books. 2011.
MONSANTO, Eduardo. *1981 - O ano rubro-negro*. São Paulo: Panda Books, 2011.
NAPOLEÃO, Antonio Carlos e ASSAF, Roberto. *Seleção brasileira 1914-2006*. Rio de Janeiro: Mauad X, 2006.
NASSAR, Luciano Ubirajara. *Os melhores jogadores de futebol do Brasil*. São Paulo: Expressão e Arte, 2010.
NEVES, Marcos Eduardo. *20 jogos eternos do Flamengo*. Maquinária, 2013.
NUNES, Marcus Vinícius Bucar. *Zico - Uma lição de vida*. Brasília: Thesaurus, 2006.
RIBEIRO, Ricardo e TORRAGA, Talles. *Sempre Flamengo*. São Paulo: Vipcomm, 2011.
RITO, Lúcia *Zico*. Rio de Janeiro: Relume Dumará, 2000.
ROMAN, Gustavo. *Flamengo campeão brasileiro de 1987 - No campo e na moral*. Três Rios: iVentura, 2012.
SANDER, Roberto. *Os dez mais do Flamengo*. Maquinária, 2008.
SÓTER, Ivan, FONTENELLE, André, SCHWARTZ, Mário Levi, WOODS, Dennis e STORTI, Valmir *Todos os jogos do Brasil*. São Paulo: Abril, 2006.
SÓTER, Ivan. *Enciclopédia da seleção - As seleções brasileiras de futebol - 1914-2002*. Rio de Janeiro: Folha Seca, 2002.
SÓTER, Ivan. *Enciclopédia da seleção - As seleções brasileiras de futebol - 1914-1994*. Rio de Janeiro: Opera Nostra, 1995.
SOUZA, Paulo Sérgio de. *Zico - O rei do Maraca*. Curitiba: Singularidade, 2017.
TABOSA, Aldizio e ROZENTHAL, Marcelo. *A.Z. - D.Z. - O Flamengo antes e depois de Zico*. Maquinária, 2014.
ULBRICH, Priscila. *Simplesmente Zico*. São Paulo: Contexto, 2014.
VAZ, Arturo e JÚNIOR, Celso. *Os maiores jogos do C.R.Flamengo*. Paju, 2008.
VAZ, Arturo, JÚNIOR, Celso e AMBRÓSIO FILHO, Paschoal. *100 anos de bola, raça e paixão - A história do futebol do Flamengo*. Maquinária, 2012.
VITAL, Nicholas. *Libertadores - Paixão que nos une - 1960-2014*. Cuiabá: Cultura Sustentável, 2014.

Créditos das fotografias

As fotos incluídas nesta obra pertencem ao acervo pessoal do biografado e foram cedidas para reprodução. Todos os esforços foram realizados para identificar os possíveis detentores de direitos sobre as mesmas, mas caso tenha ocorrido alguma violação involuntária, eventuais créditos serão incluídos em futuras edições.

Impresso no Brasil / Printed in Brazil